OS SEGREDOS DA FELICIDADE

O Arqueiro

GERALDO JORDÃO PEREIRA (1938-2008) começou sua carreira aos 17 anos, quando foi trabalhar com seu pai, o célebre editor José Olympio, publicando obras marcantes como O menino do dedo verde, de Maurice Druon, e Minha vida, de Charles Chaplin.

Em 1976, fundou a Editora Salamandra com o propósito de formar uma nova geração de leitores e acabou criando um dos catálogos infantis mais premiados do Brasil. Em 1992, fugindo de sua linha editorial, lançou Muitas vidas, muitos mestres, de Brian Weiss, livro que deu origem à Editora Sextante.

Fã de histórias de suspense, Geraldo descobriu O Código Da Vinci antes mesmo de ele ser lançado nos Estados Unidos. A aposta em ficção, que não era o foco da Sextante, foi certeira: o título se transformou em um dos maiores fenômenos editoriais de todos os tempos.

Mas não foi só aos livros que se dedicou. Com seu desejo de ajudar o próximo, Geraldo desenvolveu diversos projetos sociais que se tornaram sua grande paixão.

Com a missão de publicar histórias empolgantes, tornar os livros cada vez mais acessíveis e despertar o amor pela leitura, a Editora Arqueiro é uma homenagem a esta figura extraordinária, capaz de enxergar mais além, mirar nas coisas verdadeiramente importantes e não perder o idealismo e a esperança diante dos desafios e contratempos da vida.

Lucy Diamond

Os Segredos da Felicidade

Título original: *The Secrets of Happiness*
Copyright © 2016 por Lucy Diamond
Copyright da tradução © 2021 por Editora Arqueiro Ltda.

Todos os direitos reservados. Nenhuma parte deste livro pode ser utilizada ou reproduzida sob quaisquer meios existentes sem autorização por escrito dos editores.

tradução: Natalia Sahlit
preparo de originais: Mariana Gouvêa
revisão: Anna Beatriz Seilhe e Midori Hatai
projeto gráfico e diagramação: Natali Nabekura
imagem de capa: Kate Forrester
adaptação de capa: Julio Moreira | Equatorium Design
impressão e acabamento: Bartira Gráfica

CIP-BRASIL. CATALOGAÇÃO NA PUBLICAÇÃO
SINDICATO NACIONAL DOS EDITORES DE LIVROS, RJ

D528s

Diamond, Lucy, 1970-
  Os segredos da felicidade / Lucy Diamond ; [tradução Natalia Sahlit]. - 1. ed. - São Paulo : Arqueiro, 2021.
  320 p. ; 23 cm.

  Tradução de: The secrets of happiness
  ISBN 978-65-5565-109-6

  1. Ficção inglesa. I. Sahlit, Natalia. II. Título.

21-69306
CDD: 823
CDU: 82-3(410)

Camila Donis Hartmann - Bibliotecária - CRB-7/6472

Todos os direitos reservados, no Brasil, por
Editora Arqueiro Ltda.
Rua Funchal, 538 – conjuntos 52 e 54 – Vila Olímpia
04551-060 – São Paulo – SP
Tel.: (11) 3868-4492 – Fax: (11) 3862-5818
E-mail: atendimento@editoraarqueiro.com.br
www.editoraarqueiro.com.br

*Este é para Lizzy e Caroline,
com amor e gratidão*

Capítulo Um

"Estamos nos aproximando da estação Manchester Piccadilly. Integração para London Euston, Liverpool Lime Street e Edinburgh International. Próxima parada, Manchester Piccadilly, em aproximadamente dois minutos. Parada final."

À medida que o trem abria caminho na plataforma, começava o alvoroço no vagão: malas arrancadas do bagageiro superior, jornais dobrados abandonados nos assentos, celulares enfiados nos bolsos. Rachel Jackson já estava lá na frente, na fila de pessoas que serpenteava até as portas, sendo jogada contra o bagageiro, quando o trem freou bruscamente.

"Manchester Piccadilly, estação Manchester Piccadilly. Parada final. Esta composição não fará mais serviço de passageiros."

Pronto. Estava feito. Sentiu um pico de adrenalina quando as portas se abriram e a massa quente de pessoas começou a se derramar pela plataforma. Entorpecida, seguiu a multidão, sem se importar com as malas que batiam em suas pernas. *Olá, Manchester*, pensou, descendo do trem. *Estou atrás de respostas. Você tem alguma para me dar?*

Depois de Hereford, a estação parecia imensa, um espaço cavernoso, o teto entrecruzado por uma intrincada rede de escoras e vigas, o alto-falante ecoando ao redor. Era início de junho e, quando as crianças foram para a escola de manhã, um sol leitoso prometia irromper das nuvens. Mas agora o ar estava frio, e ela se embrulhou no cardigã de lã cinza-claro enquanto caminhava pela plataforma em meio ao fluxo de viajantes. A pele pinicava. Agora que estava ali, se sentia oprimida. A grandiosidade do que estava fazendo começou a ressoar como um tambor, cada vez mais alto e rápido. Será que ela ainda queria saber a verdade?

Quero, lembrou-se com firmeza conforme avançava. *Sim, eu quero.* Depois de todas as mentiras que ouviu, ela precisava saber, tinha que ir até o fim.

Ao redor das catracas, ia se formando uma multidão impaciente, que resmungou irritada primeiro quando um grupo de turistas japoneses pareceu ter perdido os bilhetes e depois quando um casal de idosos prendeu o carrinho de feira xadrez, bloqueando outra passagem. A agitação era contagiosa, e Rachel começou a ficar inquieta. *Anda, anda. Vai logo.* Se ficasse ali parada por muito mais tempo, acabaria mudando de ideia sobre a coisa toda. Precisava continuar em movimento, manter aquele impulso inicial.

Finalmente, chegou a vez dela de, com os dedos úmidos, passar o bilhete pela catraca e ver o caminho livre para o saguão da estação, que vibrava com toda aquela vida humana. Milhares de pessoas caminhavam em todas as direções, arrastando malas, gritando aos celulares, correndo para pegar os trens. Uma mulher com saltos altíssimos e uma pasta esbarrou nela quase sem notar, mal reduzindo o passo. O alto-falante fez *ding-dong*, mães passaram arrastando crianças pequenas e um grupo de adolescentes de aparência nórdica, com mochilas enormes e invejáveis pernas bronzeadas, discutia sobre um mapa.

Rachel se sentiu pequena, silenciosa e anônima enquanto olhava ao redor em busca das placas de saída e do ponto de táxi. Estava a quilômetros das colinas verdes e das terras rurais onde morava, e ninguém ali a conhecia ou fazia ideia de que ela tinha feito aquela viagem. "Tenho uma reunião", dissera vagamente a Sara na estrada, quando pediu que ela pegasse Luke e Scarlet na escola aquela tarde. "Volto às cinco, no máximo." Uma visita rápida, só isso. Telefonou do trem para ter certeza de que Violet estava trabalhando naquele dia – "Sim, ela está aqui, vou passar para ela", disse uma senhora simpática, mas Rachel desligou em seguida, com o coração martelando no peito. *Não.* Não pelo telefone. Deveria ser cara a cara, para ela poder olhar nos olhos da outra mulher e ouvir a história toda.

Meu Deus. Era assustador. O que Violet poderia dizer?

Talvez devesse tomar um *espresso* antes de ir, decidiu, perdendo as forças ao avistar um estande próximo e sentir o aroma de canela, café e baunilha. Tinha muito tempo, afinal, e seria melhor fazer alguma coisa que a revigorasse, que lhe desse aquele empurrãozinho final. Com uma forte dose de cafeína, estaria pronta para entrar no táxi e fazer o que tinha que ser feito, sem mais delongas. *Pronta para o que der e vier, garota,* como o pai costumava dizer.

Entrou na fila, a cabeça um emaranhado de preocupações, lembrando-se mais uma vez da reportagem acusatória que encontrara e da conversa no enterro do pai que havia aberto aquela caixa de Pandora. *Seu pai já... falou de mim alguma vez?* Desejou nunca ter conhecido Violet. Ir até lá também pareceu um impulso inconsequente. E se aquilo tudo não passasse de uma busca inútil?

Perdida em dúvidas, deu um pulo quando ouviu uma voz masculina atrás de si:

– Licença, meu bem.

Ela se virou de repente, mas, quando fez isso, alguém a pegou de surpresa e agarrou sua bolsa pelo outro lado.

– Ei! – gritou com as mãos no ar para puxar a bolsa de volta, mas logo foi empurrada com força por trás, se desequilibrou e começou a cair, cair, cair...

Só teve tempo de registrar uma vaga sensação de que alguém estava arrancando a bolsa de suas mãos e o som de passos correndo, antes que sua cabeça batesse com força no chão. Então, tudo escureceu.

– Ela o quê? Sumiu? – repetiu Becca ao telefone, afastando-se um pouco da perturbadora visão da colega de apartamento, Meredith, que tocava um alaúde na outra extremidade do sofá.

Meredith era membro da Sociedade de Reconstituição Medieval e passava quase todos os fins de semana vestindo uma capa. O alaúde era o mais novo e indesejável acréscimo ao hobby.

– Desculpa, você pode repetir? – perguntou Becca, deixando de lado a fatia de pizza já pela metade para se concentrar.

– Ela disse cinco horas! – a voz da mulher surgiu do outro lado da linha, sem fôlego e indignada. – No máximo cinco horas! E ela não atende o celular, nenhum dos filhos tem ideia de onde ela está... E, bom, isso não é típico dela, né? Não sei o que pensar. Ligo para a polícia? Ela não está com você, está?

Becca não conseguia processar a enxurrada de informações, principalmente com Meredith desafinando o alaúde ao lado, alheia ao telefonema.

– Não, ela não está comigo – respondeu, levantando-se do sofá e indo da sala à "área da cozinha", como o senhorio a chamara, otimista. Com a mão livre, varreu as migalhas de torrada de cima da bancada, prometendo fazer uma faxina de verdade no dia seguinte. – Olha, eu realmente não...

– Bom, Mabel sugeriu que a gente ligasse para você. Eu não sabia mais a quem recorrer! Lógico que posso ficar um pouco mais com as crianças, só que eu combinei de sair com Alastair, ah, desculpa, com o meu marido. A gente comprou os ingressos para a peça há séculos e acho difícil que a babá dê conta de outros três, além dos meus dois. Sem contar que eles não podem dormir aqui, porque agora o quarto de hóspedes está lotado com os equipamentos de ginástica do Alastair. Eu já *mandei* meu marido arrumar isso inúmeras vezes, mas sabe como é homem...

Becca afastou um pouco o fone do ouvido. A mulher – Sara? Sandra? – falava muito alto, com uma voz estridente, e parecia não precisar respirar entre as palavras. Que capacidade pulmonar impressionante, pensou, dispensando os sachês de chá usados ao lado da pia. Talvez ela praticasse mergulho nas horas vagas.

– Ok – respondeu, quando finalmente houve uma pausa.

Depois de tudo aquilo, não sabia o que dizer. Mabel tinha sido fofa ao citar o nome dela, mas a verdade é que Becca não falava com Rachel havia mais de um ano. As duas irmãs postiças não eram exatamente inseparáveis.

– Então, a que horas você consegue chegar aqui?

Uau. Sem aviso, Sara foi direto ao ponto.

– A que horas *eu consigo chegar* aí? Espera, você quer dizer...

Merda. Ela estava falando sério? Em quarenta minutos, começava o turno de Becca no White Horse, e ela nem tinha acabado o chá, muito menos começado a se arrumar para ficar minimamente apresentável.

– É que Mabel disse que você era a melhor pessoa para ligar. Já que é da família e tal. Ela falou que pode cuidar dos dois menores até você chegar. Você mora em Birmingham, só que mais para o nosso lado, certo? Dá para chegar em Hereford em tipo o quê... uma hora? Uma hora e vinte? Acho que dá tempo.

– Em tese, dá, mas...

Mas na verdade eu trabalho *na cozinha calorenta de um pub, onde eu preciso estar hoje à noite e, o que é mais importante, as crianças mal me conhecem.* Ela fez uma careta, desejando que a mulher não tivesse dito que

Mabel a considerava a melhor pessoa para quem ligar. Becca não resistia a um elogio. Uma palavra gentil, e ela estava na mão de qualquer pessoa.

– Graças a Deus! Vou falar com as crianças. Mabel! Sua tia está vindo, ok? Caso a mamãe ainda demore.

– Só um minuto – tentou dizer.

A mulher era um rolo compressor. Como ainda não estava governando o país?

– Você acha que eu espero antes de ligar para a polícia? Eles provavelmente vão me pedir para aguardar 24 horas, né? E ela é adulta. Ninguém a sequestrou nem nada. Ai, meu Deus, eu não devia ter dito isso, acho que o Luke escutou. Fica tranquilo, querido. A mamãe está bem! Só deve estar... bom... fazendo outra coisa.

Becca olhou pela janela e observou a rua principal logo abaixo, deixando o monólogo fluir ao telefone como uma corrente incessante. Não via Rachel havia exatamente um ano e um mês, desde o enterro do pai das duas, quando elas tiveram uma conversa superficial sobre os preparativos para o bufê e a programação da missa. Becca chegou atrasada, o trânsito estava um pesadelo, e teve que se esgueirar pelos corredores da igreja sussurrando "com licença, com licença" até a primeira fileira, de onde Rachel lançou um olhar tão reprovador que ela agora se contraía só de lembrar. Fazia ainda mais tempo que não via as sobrinhas e o sobrinho – talvez um ano e meio, desde o Natal na casa dos pais. Luke devia ter uns 5 anos na época, com aqueles cabelos escuros, grandes olhos cor de violeta e cílios enormes, terrivelmente tímido com todos, menos com a mãe. Nem Lawrence, o elegante e seguro marido de Rachel, conseguiu convencê-lo a... Calma aí.

– Espera! – repetiu, desta vez em voz alta. Óbvio, ela deveria ter perguntado de cara. Era ridículo que aquela conversa tivesse ido tão longe. – Onde está Lawrence? Ele não pode segurar as pontas até Rachel chegar?

Sara ficou em silêncio por um instante. Um silêncio estranho e cauteloso.

– *Lawrence?* – perguntou, antes de soltar uma risada nervosa. – Bom... Lawrence saiu de casa no fim do ano passado. Eles se separaram. Você não sabia?

Capítulo Dois

Algumas horas antes

— Oi, moça, está me ouvindo? Acho que ela está acordando, Jim. Está me ouvindo, querida?

Rachel abriu os olhos e viu uma mulher loura de uniforme verde com uma trança comprida. Meu Deus, como sua cabeça latejava. Pulsava como se fosse explodir. Sentiu o gosto metálico e quente do sangue e franziu o nariz diante do cheiro forte de desinfetante. Mas que diabos...?

— Finalmente! Oi, eu sou Cathy, a paramédica, e estamos indo para o hospital. Você lembra o que aconteceu?

Estava deitada em uma maca estreita e ouvia um barulho de motor. *Ambulância*, pensou, atordoada. Sua cabeça doía. A mandíbula também. Fechou os olhos de novo, sem entender direito o que estava acontecendo. *Foi só um sonho estranho. Volta a dormir.* Era isso que dizia para as crianças quando elas acordavam no meio da noite.

— Apagaram você, querida. Pelo visto, derrubaram você no chão. Uns marginais pegaram a sua bolsa e fugiram na estação de trem, você lembra?

A mulher tinha um sotaque do Norte, percebeu, tonta. Como em *Coronation Street*, a novela preferida do pai. Mas do que ela estava falando? Bolsa? Estação de trem? Nada disso fazia sentido. *Onde* estava a bolsa dela, afinal? As chaves estavam lá dentro. Precisava delas para entrar em casa. Chave da porta. Porta da chave. *O que ela disse mesmo?*

— A gente vai para o hospital agora porque você ficou inconsciente por alguns minutos e seu rosto está bem machucado, ok? Tenta ficar parada, só isso. Pode me dizer seu nome?

Rachel piscou. O nome dela. Sim. Tentou abrir a boca para responder, mas sentiu uma dor lancinante na mandíbula e só conseguiu gemer. O rosto pulsava. Todo o corpo doía. Os ouvidos zumbiam, um som alto e penetrante, implacável. Aquilo era um sonho? Só podia ser. Estava segura em casa, na cama, e tudo aquilo era um sonho bizarro. *Volta a dormir.*

– Tudo bem, não se preocupa com isso agora, a gente já está chegando – ouviu a mulher dizer.

A voz dela parecia vir de muito longe, como se ela estivesse dentro de um túnel ou em uma rua movimentada. Rachel pensou na música-tema de *Coronation Street* e em como o pai gritava ao pé da escada para chamá-la quando a novela começava. Aquelas notas melancólicas. O gato dos créditos de abertura, pisando macio em um muro. Naquela época, Rachel e o pai se aninhavam no velho sofá marrom compartilhando o silêncio, ela com uma garrafa de refrigerante e ele com um copo de uísque.

Então a escuridão surgiu mais uma vez, engolindo-a, e tudo derreteu.

– Cheguei ao local pouco depois das onze e meia e me contaram que esta moça tinha sido derrubada no chão da estação de trem por dois ladrões. Ela está sem os documentos e não sabemos o nome dela. Quando chegamos lá, ela estava inconsciente havia alguns minutos, de acordo com as testemunhas, mas acordou por um instante na ambulância e parecia confusa. Suspeita de fratura na mandíbula e talvez no osso zigomático, e o pulso com certeza está quebrado...

A mulher estava falando outra vez. Uma voz encorpada e simpática, com aquele sotaque adorável. Rachel se perguntou quem era a pobre moça a quem eles se referiam antes de perceber, chocada, que só podia ser ela. Arregalou os olhos em pânico e olhou ao redor, tentando entender onde estava. Médicos, enfermeiras, a loura de uniforme verde, todos pairavam sobre ela, como em um pesadelo.

– Olá – cumprimentou um dos médicos, ao vê-la acordada. Ele era negro e forte, tinha a cabeça raspada e os olhos castanhos. – Qual é o seu nome, você consegue dizer?

Mais uma vez, ela abriu a boca para falar, mas a dor ricocheteou pelo seu corpo como uma corrente elétrica, tirando-lhe o fôlego.

– Ahn... – grunhiu, sentindo o gosto quente e salgado do sangue nos lábios.

Rachel, queria dizer. *Meu nome é Rachel*. Enquanto pensava nas palavras, a escuridão que dominava sua cabeça começou a recuar pelas bordas, como fumaça se dispersando. Mãe da Mabel, da Scarlet e do Luke, lembrou, fixando cada fato como as peças de um quebra-cabeça. Trinta e nove anos, nascida em 5 de novembro. O bebezinho da Conspiração da Pólvora, como o pai dizia.

– Fica tranquila, vamos te dar morfina, a dor vai passar – disse um deles, e ela fechou os olhos, derrotada.

Ainda não sabia o que estava fazendo ali. A mente era uma página em branco, insondável, no que dizia respeito ao que havia acontecido e como ela acabara daquele jeito. Era um mistério. Tinha algo a ver com uma estação de trem, lembrou-se vagamente da loura dizendo, mas onde?

O mais estranho era que todo mundo tinha sotaque do Norte, com exceção da enfermeira de cabelo cacheado e escuro, que falou "É só uma picadinha!" naquele forte sotaque de Glasgow. (*Picadinha é o cacete*, pensou, tentando não gritar. Isto aqui está mais para punhalada.) Foi como se tivesse sido transplantada para outro mundo. Um mundo confuso e doloroso, onde nada fazia sentido.

Sentiu a morfina circular suavemente pelo corpo enquanto era submetida a uma radiografia e a uma tomografia, e era como se estivesse caindo devagar na água; descendo, descendo até as profundezas do oceano. As vozes das pessoas pareciam distantes.

– Está sentindo isto? – indagavam, cutucando-a.

– E isto? Ih, apagou de novo.

– Oi? Está me ouvindo? Meu nome é Geraldine, sou a recepcionista do hospital, preciso fazer umas perguntinhas bobas. Você se lembra do seu nome?

Claro que ela se lembrava! Não era idiota. Era mãe, esposa. Ah, não. Ex-esposa. Merda. Estava tudo tão confuso. Que horas eram, afinal? Tinha que voltar para pegar as crianças na escola antes das três: Mabel já era grande para ir para casa sozinha ou com os amigos da escola secundária, mas Rachel ainda buscava Scarlet e Luke na primária todos os dias. O rosto das crianças flutuava na escuridão esfumaçada da cabeça dela; eles ficariam desesperados se ela não aparecesse. *Cadê a mamãe?*

Rachel entrou em pânico com aquela imagem e se forçou a abrir caminho através da névoa da morfina. "Meus filhos", tentou dizer à mulher ao lado da cama, mas a voz falhou e o som saiu arrastado e engrolado. Era horrível. Como um sonho perturbador. Será que ela teve um derrame? Por que tudo estava tão estranho? *Me ajuda!*, tentou telegrafar com os olhos. *Socorro!*

– Não tenta falar agora – disse a mulher, gentilmente. – Você fraturou feio a mandíbula e as maçãs do rosto e está com um galo imenso na cabeça. Também achamos que você sofreu uma concussão, então, se as coisas parecerem um pouco esquisitas, é por isso.

O rosto da mulher parecia se dividir em três, todos com os mesmos olhos verdes e boca em movimento. Era como olhar para um prisma. Para um daqueles brinquedos que as crianças tinham, com peças coloridas brilhantes em uma ponta. Telescópio... não. Periscópio... não. Aquele negócio. O que era mesmo? A palavra tinha escapulido. *Pensa, Rachel. Pensa!*

– Ahnn... – gemeu em resposta. Estava virando um bordão.

Deitada em uma maca de rodinhas, foi conduzida por corredores feéricos, com luzes dançando sobre sua cabeça. Pensou em boates. Música bate-estaca. Chegar em casa e vomitar no sapato da madrasta, Wendy. *Estou tão decepcionada com você, Rachel!*

Wendy, pensou, confusa. As duas nunca se deram bem. *Você não é a minha mãe!*, gritava ela durante todas as brigas. E... *Ah.* Algo se encaixou na cabeça dela. Uma imagem surgiu, de uma plataforma de estação fria, sapatos elegantes apertando seus pés enquanto ela esperava, com o bilhete na mão. *Manchester Piccadilly*, entoou uma voz. *Parada final.*

Estou atrás de respostas.

Um alarme soou dentro dela quando a ficha caiu. Estava em Manchester, era isso. Manchester! Longe de casa, longe das crianças. Quem as buscaria na escola se ela estava em Manchester? Pensar direito era como caminhar sobre melaço, mas de repente uma vaga lembrança surgiu. Primeiro, do carro cheio de vozes; os filhos de Sara, pensou, franzindo o cenho. Sim, e Sara ia pegar Scarlet e Luke em troca. Mas como Rachel voltaria para lá agora? Sara a mataria se ela não chegasse até as cinco, como combinado, e a estrangularia com aquelas mãos bem cuidadas.

Um soluço escapou da garganta de Rachel, e ela tentou se sentar. Precisava voltar para casa. Precisava pedir que alguém ligasse para Sara!

O sacolejo da maca parou, e uma enfermeira surgiu ao lado dela. A do sotaque de Glasgow, pensou, reconhecendo os cachos escuros.

– Melhor ficar deitada, garota – disse ela, tentando acalmar Rachel. – Só estamos subindo para a enfermaria. Você vai ficar mais confortável lá, está bem? Fecha os olhos um pouquinho e tenta descansar.

Ouviu um clique embaixo de si, e então as rodas girando, rangendo; a maca estava se movendo de novo. O teto era um borrão vertiginoso e, quando ela fechava os olhos, via as trilhas alaranjadas criadas pela faixa de luzes.

– Isso, querida, tira uma soneca. – A voz flutuava, distante. – Não se preocupe com nada.

Capítulo Três

Becca fez uma mala para a noite, ou melhor, jogou um par de calcinhas e a escova de dentes em uma sacola do Sainsbury's e depois ligou para Jeff, seu chefe no White Horse, fingindo que estava com uma dor de barriga horrível.

– Mil... desculpas – disse, gemendo na linha.

Ela havia carregado o telefone para o quarto, já que Meredith ainda estava assassinando as primeiras notas de "Greensleeves". Sentada na beirada da cama, tentava soar doente e fraca.

– Não parei de vomitar nas últimas duas horas – continuou, com a voz rouca. Só por precaução, simulou ter ânsia de vômito. – Não vou poder fazer meu turno hoje à noite. Mil desculpas.

Infelizmente, Jeff, o proprietário do pub, era um torcedor do Wolverhampton Wanderers grandalhão e grisalho que tinha um infalível detector de mentiras.

– Hum – rosnou ele baixinho.

Becca imaginou aqueles olhos azuis com bolsas imensas se estreitando em descrença.

– Isso é bem estranho, porque Nick me contou que viu você saindo da Pizzarella perto das cinco da tarde. Vai e volta, não é, essa sua dor de barriga?

Ah, droga. Aquele dedo-duro do Nick! Ele era o assistente da gerência, um sujeitinho afetado e puxa-saco, que vivia se metendo na vida dos outros para depois contar tudo ao resto do bar. Esse era um dos problemas de morar em um apartamento minúsculo em cima da casa de apostas da rua principal, a poucos metros do pub. Todo mundo sabia tudo o que ela fazia.

– Não... era eu – respondeu Becca sem convicção, fazendo uma careta para si mesma no espelho. Que vexame.

– Vamos fazer o seguinte – propôs Jeff, sem se dar ao trabalho de discutir –, tira esta noite de folga, ok? E amanhã também. E depois de amanhã, e todos os outros dias. Está me escutando? Não aguento mais essas desculpas. Eu preciso de uma equipe confiável, não de enrolões. A gente se vê por aí.

Becca abriu a boca, indignada, quando ele desligou, e soltou um longo, sonoro e exasperado suspiro.

– Que ótimo – murmurou, calçando os tênis. – Acabei de ser *demitida*, acredita? – gritou para Meredith.

Definitivamente não precisava disso agora. Era isso que dava fazer um favor para alguém. E, com a sorte que tinha, era capaz de dirigir até Hereford para descobrir que – *ah, desculpa* – Rachel estava lá afinal, e tudo aquilo teria sido em vão, a situação toda com certeza não passava de uma confusão boba ou de uma bateria de celular descarregada. Maravilha.

Meredith ergueu os olhos quando Becca entrou na sala. Ela havia largado o alaúde (nem tudo estava perdido) e agora se debruçava sobre as enigmáticas palavras cruzadas do jornal.

– O quê? Você foi demitida?

Becca explicou a situação por alto e Meredith piscou, surpresa.

– Eu nem sabia que você tinha irmã.

Meredith tinha duas irmãs – uma mais velha e uma mais nova –, e elas sempre se encontravam para ver peças de teatro alternativo e jantar em restaurantes italianos baratos, onde conversavam sobre como os pais eram irracionais.

– Não somos muito próximas – murmurou Becca, o eufemismo do ano.

Olhou para o resto de pizza fria, melancólica – a pizza que indiretamente causara sua demissão –, e decidiu abandoná-la. *Calorias*, pensou. Além disso, quanto mais cedo partisse, mais cedo voltaria para casa. Pegou as chaves do carro, despediu-se de Meredith e saiu.

Se quiséssemos resumir a relação entre Becca e Rachel, a frase "É complicado" seria um bom começo. Becca tinha apenas 1 ano – era rechonchuda e ainda praticamente careca, com exceção de alguns cachos cor de cenoura (infelizmente, a câmera não engana) – quando a mãe solteira Wendy conheceu o pai solteiro Terry. Os dois se apaixonaram e se casaram um ano depois. Pronto: uma nova família, quer você goste ou não.

Becca, é claro, era muito pequena para se importar com o estranho início daquela família emendada. Desde que se entendia por gente, sabia que Terry não era seu pai biológico (essa honra duvidosa coube a um homem charmoso chamado Johnny, que já estava fora de cena havia muito tempo), mas não ligava. No verdadeiro sentido da palavra, Terry *era* seu pai adorado, e ponto. Já Rachel, nove anos mais velha, viu nisso tudo uma imensa fonte de ressentimento.

– Ele é *meu* pai – enfatizava, com os olhos duros, sempre que Becca fazia manha para ser carregada, ouvir uma história ou, já mais velha, ganhar uma nota de 10 libras.

– Tem pai para todo mundo – respondia Terry, bem-humorado.

Só que agora ela entendia como isso devia ter irritado Rachel. Para Becca, ter uma irmã postiça não mudou muita coisa, mas para Rachel significou não apenas dividir o precioso pai, como também deixar de ser a filha única adorada para se tornar a relutante irmã mais velha; a irmã boa e sensata, que nunca criava problemas, ao contrário da tempestuosa Becca, sempre de birra. Dava para ver como a animosidade estava consolidando suas fundações, como décadas de mágoas seriam cozidas em fogo brando. Até quando Wendy e Terry viajaram em lua de mel, Rachel bateu o pé e aparentemente exigiu que eles voltassem depois de uma única noite.

Passados quase trinta anos, as duas não poderiam ser mais diferentes. Rachel era o lindo cisne, a história de sucesso da família, com um casamento feliz (talvez não mais), filhos maravilhosos, uma carreira sólida, uma casa enorme e roupas elegantes. Desde pequena, Becca soube que seria impossível competir com tal modelo de perfeição e, como esperado, tirou notas baixas nas últimas provas de qualificação da escola secundária, teve uma série de relacionamentos fracassados, viajou um pouco, voltou a morar com os pais todas as vezes que ficou sem dinheiro e tentou diversos tipos de trabalho, sem parar em nenhum. Era de se pensar quanto a dinâmica da família havia influenciado os caminhos das duas. Será que Rachel teria sido tão bem-sucedida se não houvesse uma Becca para superar? E Becca teria se envolvido em tanta confusão se não fosse o bebê da família, a que não levava bronca e conseguia qualquer coisa se abrisse o berreiro para os pais?

Mas elas eram aquilo, e infelizmente o significado da palavra "irmã" havia se reduzido ao mínimo desde a morte de Terry. Era ele quem mantinha a família unida. Ao fim do dramático enterro no ano anterior, quase dava para ouvir a rachadura estalando bem no meio das três que restaram, com

Rachel de um lado e Becca e a mãe do outro. Uma tinha permitido que a outra escapasse para longe da vista e da mente e não precisavam mais fingir que se gostavam ou se davam bem. Foi quando, naquela noite, o telefonema obrigou Becca a passar por cima da rachadura que havia entre elas.

O carro pegou na primeira tentativa – sempre um alívio –, e ela partiu, mostrando o dedo médio ao passar pelo White Horse, na esperança de que o fofoqueiro do Nick a visse. Tchau, Jeff. Adeus, clientes lamurientos. Até mais, utensílios de cozinha vagabundos, e *hasta la vista*, Brian, chef de cozinha em constante estado de fúria, quase sempre devido ao baixo padrão da equipe. Mais um vínculo desfeito, mais uma porta fechada para ela. Não é que ela *quisesse* passar a vida cortando legumes em um pub – longe disso –, mas pelo menos aquele trabalho colocava algum dinheiro em sua carteira e a tirava de casa cinco noites por semana. Só que não mais.

Enquanto isso, os amigos dela já estavam lá na frente. Carreiras perfeitas. Casamentos. Bebês, até. Becca ainda engatinhava, incapaz de manter um trabalho em um pub aos 30 anos de idade. Não conseguia deixar de pensar que ficaria para sempre naquela situação: sem dinheiro e sem perspectiva, ainda dividindo um apartamento minúsculo com uma mulher que se divertia pintando réplicas de escudos para encenações de combates medievais. E o pior é que as pessoas estavam começando a falar delas como se fossem um casal. "Como está Meredith?", perguntava a mãe carinhosa sempre que elas se falavam. "Ah, pode chamar a sua – é Meredith, não é? – também, óbvio", dissera um amigo na semana anterior, ao mencionar uma festa (foi o "óbvio" que pegou Becca de surpresa. *Óbvio?* Desde quando havia alguma coisa *óbvia* entre ela e Meredith?). Há pouco tempo, até um convite de casamento foi endereçado às duas, *Becca + Meredith*, como se elas viessem em par, duas solteironas solitárias destinadas a permanecer juntas por toda a eternidade. Era uma questão de tempo até cunharem o nome Beredith para o "casal". Não, por favor.

Mas o segredo era se manter positiva. Ter esperança no que a aguardava na próxima esquina e aproveitar todas as oportunidades que surgissem. *Pronta para o que der e vier, garota!* Era o que o pai sempre falava. Como ela queria que ele ainda estivesse por perto para dizer isso. Ele a levaria ao pub e lhe diria uma de suas frases motivacionais: *Você está no auge da vida, garota! Pode fazer o que quiser!*, exclamaria, brandindo o dedo indicador no ar. *O que você está esperando? Vai caçar umas aventuras!*

– Estou tentando, pai – murmurou, diminuindo a velocidade para parar no sinal vermelho. – Juro que estou.

Tendo trabalhado na indústria automotiva quase a vida inteira (anos como engenheiro da Longbridge e depois na oficina local da Ford), era irônico que acabasse morrendo sob as rodas de uma van – nada mais, nada menos que uma Ford Transit. A van entrou correndo na curva cega de uma zona limitada a 30 quilômetros por hora, subiu na calçada, atropelou um pedestre (o pai) e bateu em um poste. *Querida, foi o seu pai, aconteceu um acidente*: ainda podia ouvir a mãe soluçando ao telefone. O motorista tinha bebido e perdera o controle; recebeu uma sentença de dois anos de prisão por morte devido a direção perigosa. Mas nenhum sistema de justiça poderia compensar o fato de que a vida do pai havia sido arrancada delas de forma tão repentina – uma poça escura de sangue na calçada e o uivo desesperado da ambulância ecoando na rua, tarde demais. Mas não adiantava pensar naquilo agora. Não ajudava em nada.

Esperando o sinal abrir, Becca passou a mão no cabelo, já insegura de reencontrar a irmã postiça. Ao contrário do comportado chanel louro de Rachel, o cabelo cor de cobre de Becca – ok, ruivo, vá lá – era cheio e espesso, com cachos rebeldes saltando em todas as direções. Rachel também tinha uma estrutura óssea delicada e porte de atleta, já Becca... não. "Elas são *tão diferentes*, né?", uma tia particularmente grosseira comentara certa vez durante a década infeliz em que Becca ainda tinha aquelas gordurinhas infantis, movendo os olhos dos quadris roliços dela para a coleção de troféus de corrida de Rachel que brilhavam sobre a lareira.

Hoje a diferença era mais gritante do que nunca. Desde que o pai morrera, Becca havia ganhado peso, encontrando conforto em batatas fritas, pãezinhos doces cobertos de açúcar e torradas com manteiga. Trabalhar na cozinha de um pub também não ajudava, já que ela estava sempre beliscando pedaços de queijo e baguetes crocantes. Becca se preparou para a expressão de repulsa da irmã postiça e para o falso comentário "Você está... ótima", que todo mundo sabe que significa "Você está... gorda". Ah, quem se importa. Entra por um ouvido e sai pelo outro.

O trânsito estava livre e, enquanto ela seguia as placas da estrada, tentava se lembrar da idade das crianças. Mabel devia ter 13 anos agora, porque nasceu poucos meses depois do aniversário de 17 anos de Becca, uma época em que ter filhos ainda estava a quilômetros de distância do radar dela. Scarlet veio três anos depois e Luke... devia ter 6 ou 7, calculou. Sentiu-se culpada por não saber direito; isso só demonstrava quão pouco ela tinha pensado neles nos últimos meses. Rachel havia deixado claro que não queria mais nada com Becca e Wendy, o que ela não teve dificuldade em aceitar, permitindo que o muro de silêncio ficasse cada vez mais alto.

Apesar de tudo, estava curiosa para vê-los de novo, principalmente diante da bomba que foi a separação de Lawrence e Rachel. Ainda não acreditava. *Você não sabia?*, perguntou a mulher ao telefone. Não, ela não fazia ideia, presumia que, como sempre, tudo eram flores na vida maravilhosa de Rachel. Mas, espera, pensou, mordendo o lábio. Quando se lembrou do que havia acontecido na última vez que vira o marido da irmã, deduziu que não devia ter ficado tão surpresa.

Rachel morava em uma casa geminada da era vitoriana, cinza e elegante, em uma rua tranquila do subúrbio. Era o tipo de rua onde as pessoas mantinham as sebes bem aparadas e lavavam os carros todos os domingos. Enquanto estacionava o Ford Fiesta ofegante e enferrujado, Becca sentiu que estava baixando o nível da vizinhança só de aparecer por ali. Então notou que não havia nenhum outro carro na entrada da casa. Será que Rachel ainda não tinha voltado?

– Olá! Quanto tempo!

Mabel atendeu a porta, e Becca percebeu, pela centelha de esperança no rosto da sobrinha, que ela achou que fosse a mãe, chegando com um pedido de desculpas e uma explicação e trazendo o afortunado alívio da ordem normal das coisas. Em um segundo, a expressão de Mabel mudou, mas a garota abriu a porta mesmo assim.

– Oi – disse, educadamente. – Pode entrar.

Meu Deus, como ela tinha crescido de repente! Becca quase não a reconheceu. Descalça, mas ainda de uniforme escolar, Mabel estava quase da altura de Becca. Tinha os olhos acinzentados da mãe, uma mecha turquesa no longo cabelo claro, dois brincos em cada orelha e unhas roídas até o sabugo. A saia pregueada preta havia sido puxada para cima de maneira desajeitada, com uma nítida protuberância no cós, que ela havia enrolado, e as mangas da blusa estavam sujas de tinta. Não era bem a menina fofa de maria-chiquinha que Becca esperava encontrar.

O vestíbulo bege era generosamente amplo, com um carpete cor de aveia que ia até a escada, à esquerda. Tudo de muito bom gosto, é claro: um imenso espelho de moldura dourada em uma parede, fotos de família em preto e branco em outra, sapatos organizados em uma cesta de vime. *Olha, Becca, é assim que os adultos vivem*, pensou, tentando afastar os pensamentos invejosos enquanto entrava e abraçava a sobrinha.

– Oi, querida. Pelo visto, ela ainda não voltou, não é?

Hummm. Constrangedor. Becca tinha tanta certeza de que Rachel já estaria de volta pelo tempo que demorou para atravessar a lentíssima Worcester Road que foi ficando cada vez mais rabugenta diante da convicção de que tudo aquilo não passava de um mal-entendido, um alarme falso. Agora que estava ali e essa suposição havia caído por terra, não sabia o que dizer.

Antes que Mabel respondesse, um grito esperançoso soou lá de cima:

– É a mamãe?

Um menino de pijama surgiu no topo da escada, com o polegar na boca, agarrando o corrimão enquanto olhava para baixo. Luke: magro, com maçãs do rosto proeminentes e cabelos escuros despenteados. Nitidamente, ele não estava tão avançado na arte das sutilezas sociais quanto a irmã, porque, assim que bateu os olhos em Becca, baixou os ombros e voltou para a cama sem nem dizer oi. Tudo bem, era justo.

– Oi, Luke! – gritou Becca, ao vê-lo desaparecer.

Ouviu um distante arranhar de violino em outra parte da casa – só podia ser Scarlet, deduziu. Olhou para Mabel, que deu de ombros, constrangida.

– Não, ela ainda não voltou – respondeu a garota. – Ele está um pouco assustado. – Mabel baixou o tom de voz: – Está obcecado com a morte desde que a senhora que morava aqui do lado bateu as botas. Não para de falar que a mamãe também morreu, como se estivesse possuído... o que é, tipo, obviamente muito legal e tudo que a gente quer ouvir agora. Uhul.

Becca sorriu por um instante diante do sarcasmo de Mabel, mas, pela primeira vez desde o telefonema de Sara, sentiu um frio na espinha. Quase oito da noite, era estranho que ainda não tivessem notícias de Rachel. *Devo ligar para a polícia?*, indagara ainda na estrada, antes de começar a tagarelar sobre sequestro – e agora Luke pensava que a mãe estava morta. Becca se sentiu mal por não ter levado aquilo mais a sério, por ter dirigido de má vontade, irritada com a demissão e o gasto com a gasolina. Desaparecer por tanto tempo, sem ligar ou mandar uma mensagem com uma explicação, não parecia coisa de Rachel. Tinha algo errado.

Pôs o braço no ombro de Mabel.

– Não se preocupa – disse, com falso entusiasmo. – Com certeza existe uma explicação razoável para isso tudo. Aposto que ela se enrolou e o celular ficou sem bateria, ou algo do tipo. Já, já ela está de volta.

Durante uma pausa que pareceu infinita, as duas só ouviram o melancólico ranger do violino, como uma angustiante trilha sonora. Então Becca voltou a falar, tentando soar o mais otimista possível:

– Onde está Scarlet, afinal? Vocês já comeram? Posso fazer panqueca ou alguma outra coisa, se quiserem.

– Panqueca? – A melodia parou de repente, e uma cabeça surgiu de dentro de um dos quartos no corredor. Era Scarlet, o cabelo arrumado em duas perfeitas tranças castanhas e os óculos retangulares pendurados no nariz sardento. – Panqueca é bom pra cacete. Oi, tia Bee.

Becca levantou a sobrancelha ao ouvir a palavra "cacete", mas achou melhor não comentar. Em vez disso, sorriu.

– Oi, linda. Você estava tocando muito bem.

– Fui eu que compus – respondeu Scarlet, seguindo Becca até a elegante cozinha cinza-amarronzada (era de se supor que Rachel tivesse um cartão de fidelidade de alguma loja de decoração). – O nome dela é "Volta, Harvey, sinto falta das suas orelhas macias".

Becca pestanejou.

– Quem é Harvey? Seu namorado?

– Ah, com certeza – debochou Mabel, com uma risadinha.

Scarlet se limitou a erguer a cabeça.

– É o nosso *cachorro* – respondeu, de maneira sombria. – Pelo menos era, até o papai levá-lo.

– Ah – murmurou Becca, arrependida do comentário idiota. – Que pena.

Estava ficando escuro lá fora, o céu tinha adquirido um estranho tom cinza-amarelado, como se fosse chover, e a noite começou a preencher as bordas do jardim. Mas ela ainda enxergava um balanço e uma cama elástica, além de rosas brancas nos arbustos.

– É – continuou Scarlet, roçando o pé em uma das pernas da mesa. – É um pesadelo do cacete. Ele choraminga quando a gente vai lá, sabe. Na verdade, ele choraminga porque sente muito a nossa falta. Mas o papai disse que o cachorro é dele e que é justo, já que a mamãe ficou com a gente. Eles tiveram uma briga horrível.

Nossa.

– Coitadas de vocês – disse Becca. – E coitado do velho Harvey.

– Pois é – comentou Scarlet. – Coitado do Harvey, porque ele tem que morar com a vovó galesa *e* com o papai. Que saco.

Lawrence estava morando com a mãe dele? Becca tinha uma vaga lembrança da bruxa carrancuda e impassível no casamento, e sentiu um pouco de pena do cachorro e das crianças. Nada tinha dado muito certo.

– E coitada *da gente*, que tem que ouvir a Scarlet tocar violino – acrescentou Mabel, sem piedade. – Se você tiver sorte, ela vai te mostrar uma das outras músicas dela – continuou, esquivando-se quando a irmã tentou chutá-la. – A minha preferida se chama "Odeio vocês, papai e mamãe". Ou então... Como era aquela nova? "Eu sou a escuridão". É tipo um Armagedom musical. Violinogedom. Ai! – gritou, quando Scarlet finalmente meteu o pé na sua canela. – Sai, sua louca.

Então tááááá, pensou Becca, pegando farinha, ovos e leite enquanto as garotas se envolviam em uma discussão acalorada. É assim, então? Obviamente, estava na hora de reconfigurar a lembrança que ela tinha da família perfeita de propaganda de revista de Rachel, mudando para uma adolescente de cabelo azul, um garoto ansioso e tímido e uma violinista esquentadinha, que naquele momento tentava dar um soco na irmã – ah, e o marido e o cachorro ausentes, é claro. Nem tão perfeita assim, afinal de contas.

– Ei, meninas! – chamou, peneirando a farinha em uma tigela. – Panquecas, lembram? Quem quer quebrar os ovos?

Os ovos não seriam as únicas coisas quebradas ali, refletiu enquanto Scarlet se aproximava para ajudar, lançando um último olhar rabugento para a irmã. Cinco minutos após Becca chegar, as fraturas internas da família já estavam supreendentemente à mostra. *Onde quer que você esteja, volta para casa, Rachel*, pensou, enquanto Mabel saía da cozinha, bufando. *Seus filhos precisam de você. Vem para casa!*

Capítulo Quatro

A memória estava voltando lentamente, como se Rachel estivesse em um quarto escuro e uma tocha iluminasse detalhes aqui e ali. Agora, tinha uma vaga lembrança de chegar à estação de Manchester, ser empurrada por trás na fila do café e alguém pegar sua bolsa; da sensação de cair com força no chão, daquela fração de segundo de choque e medo antes de tudo escurecer. Depois disso, não se lembrava de mais nada até o momento da ambulância, não importava quão fundo mergulhasse nas águas turvas da memória. *Canela, café, baunilha*, pensou, tonta. Então, *bum*, no chão, apagada.

Desde que chegara ao hospital, havia sido remendada, se não mentalmente, pelo menos fisicamente: os médicos plantonistas engessaram o punho fraturado, enfaixaram a cabeça ferida e lhe deram morfina. No dia seguinte, colocariam a mandíbula dela no lugar e operariam o pulso. Então, eram boas notícias. *Irado!*, como diria Mabel, inexpressiva.

No fim da tarde, ela conseguiu balbuciar, apesar da mandíbula quebrada, do sangue escorrendo dos lábios e da dor lancinante que quase a fez desmaiar, que o nome dela era Rachel. Pareceu um imenso progresso quando ela emitiu aquele som hesitante e a gentil enfermeira de Glasgow respondeu:

– Rachel? Rachel! Ok, muito bom. Seu nome é Rachel. E o seu sobrenome?

Foi muito estranho. Ela abriu a boca para responder, mas nada saiu, nenhuma resposta. Olhou para a enfermeira, horrorizada, ao notar que sua mente insistia em permanecer vazia e silenciosa.

– Eu...

Aquilo era ridículo. Seu próprio nome. Estava na ponta da língua, mas fora de alcance. *Vamos lá, Rachel! É claro que você sabe seu sobrenome!*

A enfermeira devia ter visto o pânico nos olhos dela, porque a tranquilizou com um tapinha:

– Fica calma, você bateu a cabeça com força, é só isso. Vai lembrar. Enquanto isso, sabe algum número de telefone? As pessoas devem estar preocupadas com você.

Um número de telefone. Sim. Com certeza. Quase chorou de alívio ao pensar na ligação, em uma enfermeira ou médico telefonando para casa para explicar às crianças o que tinha acontecido. Com sorte Sara daria um jeito. Elas não eram exatamente melhores amigas, mas, quando se era mãe solteira, você tinha que fazer concessões. Esperava que a outra mulher entendesse.

Percebeu que a enfermeira estava à espera do número e fez um esforço monumental para formar os sons necessários com a boca quebrada.

– Uh – começou, em uma voz sufocada. – Uh-uh-*um*.

E pensar que falar tinha sido tão automático todos aqueles anos. Era só abrir a boca que o som fluía, longas cadeias de palavras que expressavam qualquer coisinha trivial que ela estivesse pensando. Agora, só por causa de um empurrão forte, de uma única queda, fazer-se entender havia se tornado uma tarefa hercúlea.

Então aconteceu de novo. Era tão estranho, como se o cérebro parasse de funcionar, empacasse no meio do caminho. Franziu o cenho, fechando os olhos para se concentrar, mas tudo o que via eram números de todos os formatos, tamanhos e cores, girando como um carrossel em sua cabeça, e ela sentiu uma náusea repentina.

– Continua – encorajou a enfermeira, e Rachel abriu os olhos de novo, diante do quarto que rodava. – Qual é o próximo número?

Boa pergunta. A mente tinha se apagado agora, e todos os números desapareciam. Ela percorria aquele espaço vazio e escuro como louca, mas não havia nada ali. Não conseguia lembrar. Simplesmente não conseguia lembrar!

– Não se preocupa – disse a enfermeira. – Eu já esqueço as minhas senhas normalmente, imagina se tivesse levado uma pancada na cabeça, como você. Relaxa, vai no seu tempo. Tenta de novo daqui a pouco.

Ela *havia* tentado – inúmeras vezes –, mas a sequência certa se recusava a aparecer, bagunçando-se na cabeça sempre que ela tentava focar. Também não se lembrava do sobrenome de Sara, então não tinha como alguém procurá-la. Como era mesmo? Fitzgerald? Um sobrenome chique. Fauntleroy. Forbes. *Pensa, Rachel. Pensa!* Mas a única coisa que surgiu das profundezas sombrias da mente foram os rostos das crianças – *Cadê a mamãe?* –, e ela se viu em uma espiral de pânico e angústia, os números ficando cada vez mais longe. O que aconteceria às crianças se ela não fizesse contato até a noite? Será que Sara cuidaria delas? Luke ficaria com os lábios tremendo, entrando em pânico; Scarlet se calaria, reprimindo a ansiedade. Mabel com certeza não se abalaria. "Chamem o conselho tutelar!", diria de maneira teatral, do mesmo jeito que fazia sempre que considerava as habilidades maternais de Rachel abaixo do padrão (o que era bem frequente). "Vou ligar para o conselho tutelar!"

Espera... não. Outra opção passou pela cabeça dela. Será que Mabel ligaria para *Lawrence*? Um calafrio percorreu seu corpo ao pensar que ele podia aparecer e assumir o comando. *Ai, meu Deus*, podia imaginá-lo dizer, com a voz arrastada. *Taí uma mãe inadequada. Espera até meu advogado saber disso.*

Lágrimas escorreram e rolaram até as orelhas. *Pensa, Rachel, pensa.* Cada minuto que perdia com a cabeça embaralhada era um minuto a mais de Luke se retraindo, Scarlet roendo as unhas, Mabel fazendo o possível para não se afetar com a situação e a determinação dela murchando...

– Ei, não fica assim, está tudo bem.

A enfermeira estava de volta. Rachel havia perdido a noção do tempo e de tudo o que acontecia atrás das paredes à sua volta. Ainda era o mesmo dia? Estava de noite? A enfermeira gentilmente enxugou seus olhos com um lenço, e Rachel teve que fazer um esforço imenso para não se apoiar nela, aos prantos.

– Como está a dor? Posso administrar mais morfina, se você quiser.

Rachel assentiu. A dor ainda estava insuportável.

– Por favor – conseguiu dizer, com a boca destroçada.

Meu nome é Rachel, repetiu para si mesma, a mente começando a divagar à medida que a droga atingia a corrente sanguínea. *Meu nome é Rachel, e eu preciso ir para casa. Só preciso lembrar como...*

Capítulo Cinco

Enquanto isso, na cozinha de Rachel, diante da pilha de panquecas fofinhas, servidas com doses generosas de calda e geleia de morango ("A mamãe ia ficar *louca* se visse isso", disse Scarlet em um misto de culpa e alegria), Becca tentava entender o que estava por trás do inusitado desaparecimento da irmã postiça.

– Então hoje de manhã ela deixou você na escola como sempre, certo? Você lembra se ela disse o que ia fazer mais tarde? Para onde ia?

As garotas se entreolharam.

– Ela estava estranha hoje – respondeu Mabel, pensativa. – Mal-humorada, meio irritada. – Depois revirou os olhos, com aquele jeito de adolescente entediada. – Como se *isso* fosse novidade.

– Ela me deu uma bronca quando eu derramei o leite – disse Scarlet, lambendo os dedos melados. – *E* quando eu vi que tinha esquecido de esvaziar a minha lancheira de ontem.

– Ela estava vendo alguma coisa no notebook – lembrou Mabel. – E quando estava na hora de sair, ela disse, tipo: "Ai, meu Deus, já são tal horas? Vamos chegar atrasados!"

Era quase cruel aquela imitação estridente e ofegante da mãe, Becca pensou, contraindo o rosto.

– Daí ela levou eu e Luke para a escola, e a gente teve que pegar Henry e Elsa também, porque a mãe deles ia buscar a gente, elas tinham feito uma troca – explicou Scarlet, com uma careta. – Elsa é *tão* irritante. Meu Deus!

– Mais alguma coisa? – instigou Becca.

Pensativa, Scarlet inclinou a cabeça para o lado, franzindo as pequenas sobrancelhas escuras.

– Na verdade, não. Quando ela deixou a gente, avisou: "Sara vai pegar vocês na escola, mas eu chego antes do jantar." Só que ela nunca chegou. – A garota mordeu a panqueca, espirrando geleia na camisa branca do uniforme. – Ops.

– Hummm – murmurou Becca. – Então foi como... um dia normal, não é?

– É – responderam as irmãs, em coro.

– E ela foi de carro, certo? Porque ele não está lá fora.

Scarlet estava tentando lamber a geleia da camisa, mas parou para responder:

– Geralmente, a gente vai andando para a escola, mas hoje foi de carro porque a mamãe estava com pressa.

Acidente de carro, pensou Becca imediatamente, sentindo náusea ao imaginar o metal amassado, os freios rangendo e o corpo da irmã arremessado através do para-brisa como se ela fosse uma boneca de pano. Balançou a cabeça para afastar aqueles pensamentos. Mas, se tivesse sido um acidente de carro, a polícia já teria dito alguma coisa, certo? A placa seria localizada, alguém entraria em contato, policiais de uniforme apareceriam na porta, com o quepe nas mãos e uma expressão séria...

Ela se levantou da mesa e começou a lavar a frigideira e a tigela da massa, para que as garotas não vissem a expressão de pânico estampada em seu rosto.

– Talvez o pneu tenha furado – comentou, tentando ficar calma. – Coitada da mãe de vocês! Quando ela voltar, aposto que vai estar exausta. – As mãos de Becca tremiam com a esponja; ela nunca soube mentir. – De qualquer forma, tenho certeza de que ela vai voltar logo. Por que vocês não vão se preparar para dormir? Eu falo para ela dar um beijo de boa-noite assim que chegar, está bem?

Mais tarde, com a casa em silêncio, Becca se sentou na sala de estar organizada (e bege) da irmã e observou os ponteiros do pequeno relógio de ardósia da lareira marcarem o passo até nove horas, nove e meia, dez. Nas outras casas da rua, as famílias fechavam as cortinas e se preparavam para a noite. Ali nos Jacksons, o telefone permaneceu mudo, a porta da frente fechada, e nenhum farol de carro apareceu iluminando a rua.

Becca podia não ser próxima da irmã, mas sabia instintivamente que aquilo não era típico dela. Organizada, controladora, bem-sucedida – aquela, sim, era Rachel. Enquanto a vida de Becca tendia a pular de uma confusão para outra, a irmã tinha filhos, responsabilidades, uma bela casa com quintal em um bairro abastado do subúrbio: em outras palavras, uma vida adulta perfeita para a qual voltar. Olhou pela sala, procurando alguma pista, e seus olhos se detiveram em um vaso de rosas brancas sobre uma mesinha lateral, o aroma dos botões aveludados recendendo. As pessoas que iam embora não se davam o trabalho de cortar flores e escolher vasos, não é? Então onde ela estava?

O céu havia escurecido; torceu para que as crianças tivessem conseguido pegar no sono mesmo diante daquela situação. Não as conhecia tão bem para saber se estavam agindo normalmente, se Mabel era sempre tão crítica sobre como a mãe dirigia ("Aposto que ela se perdeu. Ela não consegue nem ler um *mapa*, sabe, quanto mais *estacionar* sem ter um colapso nervoso") e se Scarlet sempre deixava a porta do quarto entreaberta, a luz do banheiro acesa, o uniforme da escola arrumado para a manhã seguinte, ou se aquilo era uma forma de retomar o controle. Coitadinhas! Mesmo resistindo bem, dava para ver nos olhos delas que estavam preocupadas. Assim como Becca.

Mabel hesitara antes de ir para a cama e dissera:

– Espero que você não tenha se importado de eu ter dado o seu nome para Sara. É que... o papai não está mais por aqui e a vovó, a vovó galesa, teria feito um escarcéu e maltratado a mamãe. – Ela deu de ombros, sem jeito, de repente uma menina. – Eu me lembrei daquela vez no aniversário de casamento do vovô e da Wendy, quando você foi muito legal comigo. Foi isso.

O coração de Becca se derreteu diante do embaraço da garota.

– Fico *feliz* que você tenha pedido a Sara para me ligar – retrucou ela, lembrando vagamente como Mabel havia se aberto com ela naquela ocasião, contando sobre o bullying que vinha sofrendo de um colega de classe. Foi bom saber que aquele momento tinha marcado a sobrinha; que Mabel pensava nela como uma salvadora, alguém que podia ajudar. Pelo menos uma pessoa na família achava Becca um pouco competente, afinal.

Um pensamento lhe ocorreu. *Ela estava vendo alguma coisa no notebook*, comentara Mabel mais cedo. Seria uma pista de onde Rachel estava? Ela se lembrou de ter visto um notebook enviesado na cômoda da cozinha e foi até lá, sentindo-se desconfortável ao ligar o aparelho. E se Rachel voltasse naquele exato momento, entrasse na sala e encontrasse Becca sentada ali, bisbilhotando o computador dela? Seria como naquela vez em que foi pega experimentando a maquiagem da irmã mais velha, anos antes; ela ouviria aquele mesmo grito de horror, sem dúvida, veria a mesma indignação nos olhos de Rachel. *O que você pensa que está fazendo? Isso aí é meu!*

Mas o que mais ela poderia fazer?, pensou, na defensiva. Relaxar e sentar em frente à TV com os pés na mesinha de centro, as mãos atrás da cabeça? Até parece. E na verdade ela não iria *bisbilhotar*, só iria...

Ah. Não iria mesmo. Uma tela piscou pedindo a senha, e Becca deu de ombros.

MabelScarletLuke, chutou. *Senha incorreta*, informou a mensagem. *JacksonFive*, tentou a seguir. Tecnicamente, eles eram Jackson Four agora, já que Lawrence tinha ido embora, mas talvez esta ainda fosse... *Senha incorreta*. Ahh.

Rachelelinda, digitou, já que a senha dela em um monte de sites era *Beccaeincrivel* (ah, fala sério, se não dava para melhorar um pouco as coisas em um código digital secreto, quando ela faria isso?). Mas não. *Senha incorreta*. Obviamente, Rachel não era tão lamentável e insegura quanto a irmã postiça – que surpresa!

Ouviu um tamborilar e deu um salto, mas logo percebeu que eram grossas gotas de chuva batendo nas janelas, como se fossem pedrinhas. Uma tempestade começou. Estremeceu ao pensar que Rachel ainda estava lá fora, em algum lugar, a chuva talvez batendo no para-brisa estilhaçado, reverberando no teto do carro, grudando o cabelo louro dela na cabeça, caso ela estivesse ao relento... Não. Não pense nisso. Deixou o notebook de lado, ciente de que poderia passar a noite digitando mil senhas diferentes sem chegar a lugar algum. De manhã, ela conversaria com Mabel sobre isso, se fosse o caso.

À medida que o relógio marcava as horas e a noite avançava, Becca ficava cada vez mais insegura sobre o que fazer a seguir. Não queria dormir no quarto da irmã, com medo de Rachel chegar de madrugada e ter um ataque ao vê-la ali. Tampouco pensara em pedir um cobertor emprestado para se acomodar no sofá. Não que estivesse cansada. A cabeça dela girava como um hamster na rodinha, repassando listas de coisas para fazer caso Rachel ainda não tivesse voltado pela manhã. Para começar, cuidar das crianças, é claro, tentando passar uma impressão de normalidade. Depois, entrar em contato com os amigos e colegas da irmã, para ver se alguém a tinha visto. Precisava ligar para Lawrence também, pensou, com uma pontada de apreensão.

Lawrence. Não conseguia se esquecer daquela noite horrorosa em Birmingham no início de novembro, quando o vira pela última vez. Ela estava trabalhando como garçonete para uma agência de *catering*, fazendo um turno no Hotel Copthorne, em um jantar barulhento e abafado de uma conferência de vendas, composto inteiramente por ruidosos homens brancos de terno. O sonho de qualquer garçonete – só que não. Naquela noite, ela já tinha se esquivado várias vezes das mãos bobas; o vestido preto e curto do uniforme, colado no peito e na bunda como uma segunda pele, não ajudava muito. E lá estava ele, do outro lado do salão, os olhos fixos nela com interesse. Ela sorriu de leve, de maneira profissional, disse *Boa noite* e continuou a servir o vinho para um grupo de homens que desconhecia o sentido da palavra "Obrigado". Mas, alguns minutos depois, ele foi até Becca, como sempre chegando um pouco perto demais, as mãos nas costas dela como se ela fosse sua propriedade. "Oi, tudo bem?", sussurrou no ouvido dela, com um tom de voz sugestivo.

Estremeceu diante da lembrança. Só de pensar naquilo, sentada na sala de estar de Rachel, já sentia como se estivesse traindo a irmã.

O celular de Becca apitou. Ela se esticou para abrir a mensagem, mas era só uma foto da mãe, que estava em Creta, viajando de férias com as amigas pela primeira vez. *Cavala para o jantar, mt saudável!*, dizia a mensagem. *E batata frita! E mojito!!!*

Wendy, eternamente em dieta, achava que confessar os crimes calóricos por mensagem era uma maneira de expiar os pecados. Não dava para entender a lógica tortuosa por trás da atitude, mas ela fazia aquilo quase todos os dias. Mal registrando a mesa de comida ensolarada da foto, Becca começou a digitar uma resposta:

Mãe, aconteceu uma coisa estranha. Estou na casa da Rachel. Ela

Mas mudou de ideia quase imediatamente e apagou a mensagem, para não preocupar a mãe. Wendy havia enfrentado o primeiro ano de viuvez com o sofrimento estampado no rosto; agora, pela primeira vez desde a morte do marido, estava fazendo algo legal para si mesma. ("Comprei um maiô novo e tudo", tuitou na noite anterior à partida. "E três batons!") Becca não podia e não iria estragar as férias da mãe e dar a ela uma desculpa para voltar mais cedo para casa.

Meu Deus. Aquilo tudo era estranho e terrível demais para expressar em palavras. Não conseguia entender. Será que Rachel tinha ido se encontrar com um amante secreto e perdido a noção do tempo? Ou talvez com Lawrence para um acerto de contas? Talvez eles estivessem bêbados e apertando o pescoço um do outro agora. Talvez... Bem, quem sabe? Pode acontecer qualquer coisa.

A chuva estava mais forte agora, batendo contra as janelas, e o vento rodopiava pela chaminé. Pela centésima vez, Becca tentou ligar para o celular da irmã, mas ninguém atendia. Talvez devesse ligar logo para Lawrence, para ver se ele tinha alguma informação, pensou, ainda sem saber quão amigável – ou não – a separação tinha sido. Não quis perguntar diretamente para as garotas, mas, ao olhar a sala, notava que não havia sequer uma foto dele. Era como se ele tivesse sido apagado da família, completamente excluído. O que acontecera entre os dois, afinal?

Tampouco havia fotos dela ou de Wendy, Becca notou com tristeza, mas havia muitas de Rachel e Terry quando ainda eram só os dois – em praias, na frente do Big Ben, de bicicleta em exuberantes campos verdes, ambos com as bochechas rosadas, como se tivessem percorrido um longo caminho juntos. *Olha como éramos felizes*, diziam as fotos. *Não precisávamos de mais ninguém! Ele já era meu antes!*

Uma lembrança flutuou pela mente de Becca, de quando ela tinha 6 anos. Rachel, então com 15, levou para casa umas amigas da escola: para Becca, eram criaturas exóticas, com longos cabelos esvoaçantes, saias curtas e risadas agudas.

"Ai, meu Deus, essa é sua *irmã*?", gritou Amanda, uma das meninas, ao ver Becca brincar na sala de estar. "Muito fofa. Você não falou que tinha uma irmã!"

Becca sorriu timidamente para ela, deslumbrada com o cabelo platinado e as unhas brilhantes da garota, mas Rachel já estava puxando as amigas para longe.

"Irmã *postiça*", disse, empurrando-as escada acima. "Não somos parentes."

Isso aconteceu com muita frequência. Obrigadas a ficar juntas, como Rachel sempre fazia questão de dizer. Não por escolha.

Becca subiu a escada para escovar os dentes e lavar o rosto, lembrando como doía quando Rachel dizia aquelas coisas. Ninguém gosta de ser rejeitada, principalmente por alguém que admira. Como a pequena Becca esperava que a irmã mais velha um dia mudasse de ideia e passasse a amá-la, pelo menos um pouquinho! Ela seguiu esperando e esperando, até o dia em que desistiu. Isso doeu também.

O banheiro, é claro, era lindo – ladrilhos acinzentados e lisos, um imenso espelho com lâmpadas e uma banheira comprida e profunda. O chuveiro de cabeça larga ficava em uma cabine separada no canto, as toalhas eram brancas e macias, e a impressão geral – se você ignorasse o xampu desembaraçante de morango das crianças e os piratas de Playmobil montando guarda nas bordas da banheira – era de luxo e elegância.

Quem pode, pode, não é?, pensou Becca, tentando não comparar o cômodo ao banheiro apertado e cheirando a mofo que tinha em casa, com um chuveiro que vazava se fosse usado por mais de três minutos. Então escovou os dentes, franzindo a testa para o reflexo com a boca cheia de espuma no espelho. Onde está Rachel? Com quem ela foi se encontrar? Ela está machucada, perdida, na beira da estrada com um pneu furado... ou algo pior aconteceu?

Sentiu a pele formigar com uma premonição. Algo ruim havia acontecido, tinha certeza. Algo muito ruim. E aquelas três crianças agora dependiam dela, da inconsequente Becca, para que tudo ficasse bem. Meu Deus. Desejou que estivesse à altura da missão.

Capítulo Seis

– Bom dia! Como estamos hoje?

Rachel piscou ao acordar e viu que uma enfermeira diferente havia aparecido ao lado da cama, com maçãs do rosto salientes como as dos eslavos e olhos azul-claros. Ficou confusa por alguns instantes antes de recapitular tudo. Dor. Uma cama de hospital. Manchester. Ai, meu Deus, sim – e as *crianças*. Onde elas acordariam naquela manhã? Quem estava cuidando delas? Torceu para que Sara estivesse ajudando. E torceu ainda mais para que Mabel não tivesse assumido toda a responsabilidade. Aos 13 anos, ela achava que sabia tudo sobre o mundo, mas ainda era só uma criança.

Como a enfermeira a olhava em expectativa, Rachel sussurrou um "Bem", mesmo sendo mentira. Na verdade, ela não estava nada bem – mal havia dormido, a cabeça latejava de dor e estava morrendo de medo das cirurgias que teria que encarar ao longo do dia. Sem falar nas palpitações que sentia cada vez que pensava nos filhos e em como eles estavam se virando sem ela. Eles deviam estar completamente apavorados. Ela nunca havia feito algo assim, nunca tinha desaparecido da vida deles sem avisar. Com o divórcio ainda recente, Rachel estava fazendo o possível para ser o porto seguro, a pessoa que mantinha tudo sob controle. Pelo menos até agora, quando uma tarde e uma noite inteiras haviam se passado, e eles acordariam sem ela. *Desculpa*, pensou, desesperada. *Eu decepcionei vocês, não foi? Desculpa.*

Aquela era a coisa mais assustadora de ser mãe solteira – tudo dependia dela. Dever de casa, brigas, hora de dormir, piolhos, dinheiro para colocar comida na mesa, higiene básica: era ela quem tinha que fazer tudo todos os dias, amá-los, alimentá-los, mantê-los limpos e seguros. E ali estava ela, a quilômetros de distância, sem conseguir voltar para casa e fazer todas aquelas coisas. Já podia imaginar a assistente social batendo à porta, impassível: "Sra. Jackson?"

Espere. É isso! O sobrenome dela era Jackson! Sra. Rachel Jackson. Rachel e Lawrence Jackson. Só que eles não estavam mais juntos, claro.

– Jackson – disse, a mandíbula doendo ao formar a palavra. Fez um esforço para sentar, desesperada para transmitir a nova informação. – Jackson. Meu nome. Rachel Jackson.

– Rachel Jackson é o seu nome? – indagou a enfermeira, de maneira afetuosa. – Fantástico, Rachel. Ótimo. Isso vai ajudar a gente. Lembrou-se de mais alguma coisa? Cidade? Número de telefone?

Ela franziu a testa, sondando a mente como se procurasse algo em um armazém escuro. Uma cidade. A imagem de uma casa surgiu das trevas; uma casa cinza – a casa dela. Sim, o vestíbulo com casacos pendurados, a sala de estar pintada com uma linda cor de biscoito. Sua cama imensa no andar de cima, grande o suficiente para fazer com que ela às vezes se sentisse solitária. E o nome da rua dela era...

Nada. Havia sumido. Passeou mentalmente pelos cômodos de que se recordava, recapitulando os detalhes: as pesadas cortinas cor de aveia na sala. A vista para a rua. O carro dela. O muro da frente, onde Mabel às vezes se sentava com as amigas, sujando de musgo a saia cinza da escola. *Eu moro em...*, começou, mas ainda assim nenhuma resposta apareceu.

Então um nome surgiu.

– Birmingham? – disse, hesitante.

Birmingham, repetiu mentalmente. Com certeza ela tinha alguma conexão com Birmingham. *O bom e velho Brum!*, podia ouvir o pai dizer, em referência à série de TV infantil passada na cidade. Mas será que ela morava lá? Ah, que droga. Tudo continuava confuso na cabeça dela, os detalhes escorriam por entre os dedos.

– Ok, Birmingham – comentou a enfermeira, antes que Rachel conseguisse expressar suas dúvidas. – Rachel Jackson, Birmingham. Vou falar com a polícia para ver se a gente consegue alguma informação. Tenta descansar agora, está bem?

Capítulo Sete

Depois de rolar de um lado para outro, Becca finalmente embarcou em um sono leve e desconfortável no sofá, acordando assustada sempre que o vento uivava na chaminé, antes de abrir os olhos de vez com o nascer do sol, por volta das seis da manhã. Demorou um pouco para se orientar – frio, sofá, sala de estar –, mas os fatos acabaram se abatendo sobre ela, pesados e desagradáveis. Estava na casa de Rachel – sem Rachel. *Ainda* sem Rachel. Diante da agitação do sono, tinha certeza de que o barulho de um carro lá fora ou a porta da frente se abrindo a teriam acordado. Então onde estaria a irmã?

O medo deslizou para a boca do estômago dela quando uma imagem lhe veio à cabeça: os olhos de Rachel, vítreos e imóveis, o corpo dela mutilado na beira da estrada, sangue, cacos de vidro e...

Para. Para, Becca. Isso não está ajudando. Passou a mão pelo cabelo e se levantou, rígida e dolorida. Não. Não podia pensar daquele jeito. Eles tinham que esperar o melhor em vez de ficar obcecados com as piores explicações. Para o bem das crianças, ela tinha que pensar positivo.

Falando nelas... Ouviu passos leves na escada, bocejou e secou os olhos para tentar se recompor. Então a cabeça de Luke surgiu cautelosa na porta.

– A mamãe não está aqui – comentou ele.

– Eu sei, querido – respondeu Becca, desamparada.

Por um instante pensou em inventar uma história para que ele não se preocupasse, mas rejeitou a ideia quase imediatamente.

As garotas, mais velhas e mais espertas, perceberiam em cinco segundos. E eles nunca mais confiariam nela.

– Vem cá – chamou Becca, dando um tapinha no sofá, ao lado dela. – Acho que você precisa de um abraço. E a sua tia Becca também, sabia?

Ele era uma coisinha tão solene, pensou, enquanto o garoto deslizava para dentro da sala, com aqueles olhos grandes e toda aquela prudência. Os braços dele estavam duros no início, hesitantes, mas depois ele se inclinou na direção dela, e ela sentiu seu calor e cheiro de menino. Ele estava segurando uma pequena espaçonave de Lego e, por algum motivo, isso fez Becca sentir um nó na garganta.

– Não se preocupa – disse, com as mãos no cabelo escuro e macio dele. – Eu vou resolver tudo. Prometo.

E torceu para que ele não percebesse que ela estava cruzando os dedos atrás das costas.

Becca preparou o café da manhã de Luke e um café para ela, depois foi até o andar de cima tomar uma chuveirada, sentindo-se suja e fedida após passar a noite de camiseta e calça jeans. Como desejou ter trazido uma muda de roupas, um sutiã limpo, um desodorante e uma escova de cabelo, mas tinha tanta certeza de que Rachel já estaria de volta quando chegasse – e, pior, estava tão irritada consigo mesma por ter saído de casa – que só havia levado uma calcinha e uma escova de dentes. Em uma sacola de supermercado, porque ela era chique nesse nível. Bem, teria que pegar emprestada uma das roupas da irmã naquele dia – fim de papo. Tinha certeza de que nem Rachel seria tão babaca de se irritar com aquilo, dado seu desaparecimento na noite anterior.

Uma vez limpa, se enrolou em uma toalha e foi pé ante pé até o quarto da irmã, sentindo-se uma intrusa. Rachel era bastante rigorosa em relação à sua privacidade quando elas eram mais novas e sabia na hora se Becca tinha mexido nas coisas dela pela casa. Vinte anos depois, ainda ficava tensa ao entrar no espaço da irmã sem ter permissão por escrito e esperava ouvir um berro a qualquer instante. Mas não dava para levar as crianças para a escola com as roupas fedorentas do dia anterior, como se ela fosse uma desleixada. *Olá, pessoal, eu sou a tia sem-teto...* Mesmo muito abaixo da irmã no quesito glamour, ainda não estava tão mal. *Azar o seu, Rachel. Vou escolher o que eu quiser do seu armário só por um dia. Se eu conseguir encontrar alguma roupa que caiba em mim, é claro.*

O quarto era elegante como o resto da casa: paredes bege, armários brancos lustrosos com portas de vidro opaco, colcha macia, tudo arrumado. Parecia um quarto de hotel ou uma vitrine de uma loja de luxo: clean, minimalista, chique. Já o quarto de Becca era um ninho de cachecóis e bijuterias, vidrinhos de esmalte amontoados sobre a lareira, fotos e cartões-postais presos nas molduras do espelho, almofadas descombinadas empilhadas na cama e vários projetos de artesanato interrompidos jogados sobre a mesa.

Um despertador começou a tocar em algum lugar da casa e, em seguida, um rádio ganhou vida – são as garotas acordando, deduziu –, então abriu logo as portas do armário. Blusas, saias, jaquetas... as peças eram todas lindas e estilosas, não eram para o bico dela – e, infelizmente, uma avaliação rápida demonstrou que nenhuma era de tamanho maior que 40. *O armário diz não.*

Cômoda, então. Pelo menos as opções ali eram melhores – vários trajes esportivos e algumas blusinhas largas. Becca pegou uma camiseta cinza macia e uma calça legging com cordão, sem se importar com quão idiota parecia vestindo aquilo. Secou o cabelo e roubou um pouco do hidratante Clinique de Rachel (delícia). De repente, percebeu que o telefone estava tocando no andar de baixo, então se virou e correu para fora do quarto.

Ai, meu Deus. Lá vamos nós, notícias, afinal. Algum tipo de informação. Quase quebrou o pescoço ao derrapar no último degrau, apressada para chegar a tempo na cozinha, a adrenalina correndo pelas veias. *Por favor, que não seja nada ruim. Por favor, que seja Rachel dizendo que está tudo bem.*

– Alô? – Mal podia respirar quando pegou o fone. *Por favor, por favor, por favor.*

– Alô, Rachel. Oi, querida, é a Rita. Rita Blackwell. A gente combinou de se ver amanhã, eu peço mil desculpas, mas tenho uma consulta médica marcada para o mesmo horário, então não vou poder ir.

A decepção lhe roubou o fôlego, e Becca se apoiou na parede fria enquanto acalmava as batidas do coração.

– Ah – foi tudo o que conseguiu sussurrar.

Mabel também devia ter ouvido o telefone tocar, porque apareceu na cozinha, os olhos feito um panda por causa da maquiagem do dia anterior, o cabelo todo bagunçado, se enrolando em um quimono com estampa de cerejas. A expressão dela era apreensiva, impaciente, havia mil perguntas em seus olhos. *O que aconteceu? É a mamãe? Quando ela volta?*

Becca balançou a cabeça em silêncio. Sem novidades. Não sei.

– Alô? – A voz do outro lado era a de uma senhora, trêmula e hesitante, e Becca se recompôs com enorme esforço.

– Desculpe – disse. – Rachel não está aqui agora. Quer deixar algum recado?

– Ah, sim, querida, é claro. É a Sra. Blackwell. Rita, pode dizer para ela. Eu não vou poder encontrá-la amanhã, infelizmente. Tenho uma consulta médica. Peço mil desculpas.

– Sem problema – comentou Becca, pegando um envelope e uma caneta de uma bancada próxima e anotando os detalhes. – Ok, eu aviso a ela – disse, com medo de estar invocando o destino de uma maneira errada. *Se eu tiver notícias dela, é claro. Se não for tarde demais.* – Obrigada, tchau.

Mabel parecia ter encolhido com o anticlímax.

– Era um dos clientes da mamãe? – indagou, desanimada. Então olhou para o envelope, decifrou os rabiscos de Becca e respondeu à própria pergunta. – Ah, ok, a Sra. Blackwell. Ela sempre desmarca.

Não é que Becca estivesse superinteressada nas consultas da Sra. Blackwell, mas falar sobre isso era melhor do que pensar no motivo de Rachel ainda não ter aparecido.

– Ela trabalha com a sua mãe? – tentou adivinhar.

– Não exatamente *com* ela – disse Mabel. – Ela é uma das clientes da mamãe. Dos *boot camps*, sabe?

Becca não sabia do que ela estava falando. A última notícia que tinha de Rachel era que ela estava trabalhando como gerente regional da GoActive, uma imensa rede de complexos de lazer que parecia brotar em todas as cidades. Becca fazia apenas uma vaga ideia do que aquilo significava, mas tinha a impressão de que Rachel nascera para aquele trabalho, para dirigir por aí e garantir que todo mundo estava fazendo o que devia fazer, em vez de atender clientes. Mas Mabel já havia suspirado forte e subido a escada, gritando para os irmãos:

– Alarme falso! Não era a mamãe!

Becca prendeu o recado na geladeira com um ímã do *Doctor Who*, torcendo para que, em algum momento, pudesse passá-lo à irmã. De preferência, naquele dia mesmo. Assim que possível.

Então notou que havia uma carta dentro do envelope. Uma conta de luz vencida, com ÚLTIMO AVISO escrito no topo – o tipo de carta que sempre chegava para Becca e Meredith, mas que ela ficou surpresa de ver naquele calmo subúrbio. Um alarme soou na cabeça dela. Será que, além de tudo, Rachel tinha problemas financeiros?

Becca mordeu o lábio. Obviamente, as coisas estavam difíceis para Rachel nos últimos tempos. Assim como Becca, talvez ela ainda sentisse muita saudade do pai. E ter que lidar com o luto junto com o divórcio e a falta de dinheiro... Bem, tudo isso pode ser demais para uma pessoa, certo? E se...?

Engoliu em seco para não transformar aquele pensamento horrível em palavras, para não cristalizá-lo em uma frase, mas a pergunta se recusava a ir embora. Às vezes as pessoas acham que não podem suportar mais, com filhos ou não, certo? Às vezes as coisas parecem tão desesperadoras que a única saída é...

– Aaah! Ah, *não*!

Um grito surgiu de algum lugar e Becca, aliviada com a distração, foi ver o que era, quando Scarlet irrompeu na sala com um desajeitado roupão cor de cereja, em pânico por ter perdido a aula de violino de sexta às oito e meia da manhã e – ai, meu Deus – elas chegariam tããão atrasadas e a professora dela, a Sra. Brookes, que era, tipo, super-rígida, ia ficar *brava* pra cacete!

– Scarlet – chamou Becca, mas a sobrinha não parava de tagarelar.

– E eu vou fazer o exame daqui a pouco, e ela disse que se eu perdesse mais uma aula...

– Scarlet!

– ... ela ia ficar, tipo, furiosa...

– Scarlet, escuta!

– O quê?

– São só sete e vinte. E, de qualquer forma, hoje é quinta. Sua aula é amanhã. A gente ainda tem 25 horas inteiras para chegar lá.

Scarlet abriu a boca e a fechou de novo.

– Ah! Hoje é quinta! – exclamou, surpresa. A tensão desapareceu do rosto dela. – Ok, que bom – continuou, mais alegre. – Posso tomar café?

Cuidar de crianças era *exaustivo*, pensou Becca dez minutos depois. Luke deu um chilique, cismando que estava sem uniforme para ir à escola, e Mabel deu outro, reclamando que a manteiga tinha acabado *e* que ela estava com a pior cólica do mundo, como se o útero estivesse se rasgando ao meio – e *aahh*, por que ninguém havia lembrado a ela que a prova de geografia era, tipo, *hoje de manhã*, será que Becca podia ligar para a escola e explicar que ela estava muito traumatizada com o desaparecimento da mãe e não havia conseguido estudar a matéria?

Era um caos. Uma selvageria. Becca perdeu o fôlego após tentar lidar com um drama após outro, sem muito sucesso. Ficou particularmente abalada com as mudanças repentinas de humor de Mabel, que foram da doçura da noite anterior, passando por uma relativa civilidade até degringolar para a baixaria completa daquele momento. Aquilo era normal?

– E eu vou para a casa do Tyler depois da escola, está bem? – gritou ela, saindo porta afora às oito da manhã.

– Tchau! – gritou Becca, estremecendo quando a porta quase arrancou o batente. – Quem é Tyler? – perguntou a Scarlet, sem ter certeza de que queria saber.

Scarlet parecia satisfeita.

– O *namorado* dela. A mamãe não gosta dele porque pegou os dois *se beijando*.

Ah, ótimo. Maravilha.

– Então quer dizer que ir para a casa do Tyler...

– É totalmente proibido. Tipo, sem chance. Porque Mabel contou que os pais dele chegam supertarde, então não tem nenhum "adulto responsável" por perto. Da última vez, a mamãe avisou: "Sou eu quem dita as regras por aqui, mocinha, você não vai, coloca isso na cabeça de uma vez por todas!"

A imitação foi tão perfeita que Becca ficou confusa por um instante, principalmente porque tinha a terrível sensação de que talvez Rachel não *a* considerasse uma "adulta responsável". O que ela deveria fazer agora?

– Bom – disse, pensando rápido –, tenho certeza de que a mãe de vocês já vai estar de volta a esta hora, então vou deixar isso para ela resolver. – Era uma desculpa, já que na verdade Becca não tinha certeza de nada, mas foi o melhor que conseguiu formular.

Scarlet sorriu, maliciosa.

– Ela vai ficar *doida pra cacete* – comentou, com prazer.

– *Onde* está a mamãe, afinal? – perguntou Luke, ao deslizar pelo corrimão vestindo uma fantasia de Darth Vader.

– Lutando contra os malévolos Sith – respondeu Scarlet, tirando o sabre de luz das mãos dele e batendo de leve na cabeça do menino.

– Ai! É sério?

– Não, bobinho, claro que não. Porque *Star Wars* é de mentirinha. Dããã!

Respira fundo, Becca, pensou enquanto interrompia a briga que estava começando, mandava Luke trocar de roupa e improvisava uns lanches para o almoço.

– A gente sempre come batata frita, não é, Luke? – indagou Scarlet, arregalando os olhos e fingindo inocência.

– Só na sex... – Luke começou a responder, antes que um chute suspeito o fizesse reformular. – Ah. É. A gente come – corrigiu-se, de forma pouco convincente.

– É que batatas são *legumes* – acrescentou Scarlet com astúcia, como se isso fosse convencer alguém.

Becca decidiu dar uma colher de chá às crianças. Elas só estavam um pouco nervosas, o que era compreensível diante das circunstâncias. Além disso, parecia que a irmã postiça era a louca da alimentação e da vida saudável. Um pacote de batatas fritas e umas panquecas com geleia não matariam ninguém, certo?

Enquanto corria de um lado para outro à procura de elásticos para trançar o emaranhado cabelo castanho de Scarlet – uma escova também ajudaria –, não conseguia deixar de pensar em sua rotina matinal com certa nostalgia: saborear um café tranquilo na cama com o rádio ligado antes de se arrumar com calma, sem ninguém gritando escada abaixo sobre a prova ou o estado dos ovários, muito menos tocando músicas tão estridentes no violino que davam dor de cabeça, se lamentando sobre cães amados e pais terríveis, tão alto e freneticamente que Becca temia pela segurança das janelas e dos objetos de vidro dentro da casa. Violinogedom, disse Mabel. Errada, ela não estava.

Uma canção antiga, que a mãe adorava, surgiu na cabeça dela enquanto Becca enchia o lava-louça com tigelas de cereal e canecas: "Sometimes it's hard to be a woman." *Às vezes é difícil ser uma mulher...*

Pois é. Principalmente quando você tem que arrumar três crianças para sair de casa de manhã. Eu entendo você, irmã.

Apesar do imenso esforço de Becca, ela, Scarlet e Luke só conseguiram chegar à escola às nove e dez. Becca teve que tocar uma campainha e se explicar ao interfone para que eles fossem autorizados a entrar e andar, morrendo de vergonha, até a secretaria, onde ela anotou os nomes deles no "Livro dos atrasos".

– Uau. A gente *nunca* se atrasou antes – comentou Scarlet, meio em pânico diante dos fatos, e Becca, por pouco, conseguiu segurar o impulso de responder que, se ela tivesse escovado os dentes mais rápido e parado de perturbar o irmão, eles teriam chegado na hora.

– Deixa pra lá – falou ela. – Não é o fim do mundo, né?

A secretária fungou, de cara feia, nitidamente discordando, e Becca ofereceu um olhar gélido como resposta – bom, o mais gélido que conseguiu, porque a calça legging justíssima estava incomodando na bunda.

– Tenham um bom dia, vocês dois – desejou ela às crianças. – Comportem-se! E não se preocupem: tenho certeza de que tudo vai estar normal quando vocês chegarem em casa, está bem?

– A mamãe vai voltar? – perguntou Luke, ansioso.

– Provavelmente. Quase com certeza – respondeu Becca, fazendo o possível para tranquilizá-lo. *Bom, espero que sim, garoto.*

– Ah, merda – disse Scarlet, batendo a mão na testa. – A mochila do futebol. Você esqueceu nossas mochilas do futebol, tia Becca. A gente vai para o clube às quintas depois da escola.

Becca contou mentalmente até dez para não argumentar que não era *ela* quem havia esquecido, já que nem sabia da existência desse clube de futebol. Em vez disso, desculpou-se pela mochila sobre a qual devia ter descoberto telepaticamente, abraçou forte as duas crianças e as mandou para a aula, torcendo para que ficassem bem.

– Está... tudo bem em casa? – A secretária arriscou perguntar, enquanto Becca se detinha ali por um instante, observando-os entrar no prédio.

– Hum... – Becca hesitou, sem saber o que dizer. Rachel sempre fora tão orgulhosa, com certeza odiaria que alguém soubesse que tinha problemas. – Não muito – respondeu com sinceridade, por fim. – Mas eu estou resolvendo isso.

Uma mãe desaparecida não era boa notícia para ninguém, pensou momentos depois, atravessando os portões da escola. Os sobrinhos podiam até estar lidando com a situação a seu modo – com raiva, negação, medo e alguns palavrões –, só que, mais cedo ou mais tarde, teria que encontrar alguma solução, alguma resposta, caso contrário a indefinição se tornaria insuportável. Hoje ela começaria a busca para ver o que conseguia descobrir.

Capítulo Oito

Rachel acordou e dormiu de novo várias vezes. *Rachel Jackson, Birmingham*, repetia para si mesma. *Rachel Jackson, Birmingham*, como se fosse esquecer tudo de novo se deixasse que os fatos escapassem das mãos. No entanto, aquilo não parecia certo. O que estava faltando? Uma catedral lhe vinha à cabeça – uma linda catedral às margens de um rio, com os sinos tocando. Isso não era Birmingham, era? Mas as ruas e os prédios deslizavam para longe sempre que tentava localizá-los. Ah, por que ela não conseguia pensar direito? Qual era o problema com o cérebro dela? E se ela não conseguisse se lembrar nunca mais e ficasse daquele jeito para sempre?

Uma enfermeira apareceu depois de um tempo, a loura de novo. *Belas maçãs do rosto*, Rachel se pegou pensando. As pessoas costumavam falar isso dela, lembrou em seguida. *Estrutura óssea incrível!* Chegaram a dizer essas exatas palavras uma vez, com admiração; um garoto que se apaixonou por ela na faculdade, recordou. Andy, não era? Podia imaginá-lo em sua *donkey jacket* e calça jeans *skinny*, com o cabelo louro-claro e aquele sotaque do norte da Inglaterra. Andy. Na faculdade. Sim, mais duas peças para o quebra-cabeça. Tocou o rosto enquanto a enfermeira media sua temperatura, encostando a ponta dos dedos com cautela na pele inchada e dolorida. Rachel se perguntou como estaria sua estrutura óssea naquele momento. Irreconhecível de tão destruída, era o que parecia. Será que alguém voltaria a elogiá-la?

A enfermeira abaixou a mão de Rachel gentilmente e apertou o manguito de pressão arterial no braço dela.

– Vamos deixar você em jejum esta manhã, porque vai para o centro cirúrgico mais tarde. Acho que por volta das dez, dependendo de quantos pacientes estiverem na sua frente, está bem? – explicou ela, bombeando a braçadeira para apertá-la.

Rachel assentiu de leve, com o sangue já pulsando contra a borracha.

– Sua pressão está 58 por 90, melhorou – disse a enfermeira, anotando a informação. – Nossa, você deve estar com um ótimo condicionamento físico.

Cinquenta e oito. Noventa. Logo a seguir, algo veio boiando das águas turvas da cabeça dela até aqueles números, uma sensação de que eles tinham algum significado, de que eram relevantes. Cinquenta e oito. Noventa. Ela podia se ouvir dizendo isso em voz alta em uma lembrança muito distante, que parecia enxergar através de um telescópio reverso. Se pudesse decifrar o que eles significavam...

Vinte e cinco. Cinquenta e oito. Noventa. Aquela era a sequência, tinha certeza. Seis números, nessa ordem, ela os viu de repente em dígitos roxos, impressos em um cartão branco. Seu coração disparou. Os contatos dela no cartão de visita – isso!

– Vinte e cinco. Cinquenta e oito – pronunciou hesitante, a mandíbula ainda em agonia, os lábios parecendo de borracha. Mas não se importou; tinha se lembrado. Finalmente! – Noventa.

– O que foi, querida? – perguntou a enfermeira, erguendo os olhos da prancheta.

Espere – outra coisa estava vindo à tona. O código da área. Zero, um, quatro, três, dois. Era isso, os números apareceram de repente na cabeça dela. Uma lembrança súbita e nítida como o flash de uma câmera. Era *isso*! Rachel fez um gesto pedindo a caneta e, com dificuldade, usou a mão esquerda para escrever os números na parte inferior do formulário da enfermeira. O mais rápido que pôde, antes que eles escapassem de novo.

– Telefone – disse, apontando para os números trêmulos, o triunfo crescendo dentro dela como o nascer do sol.

Sorriu, apesar da dor. Finalmente os fatos estavam voltando para ela, o cérebro havia liberado aquele código vital que a reconectaria com sua casa.

– *Telefone*.

Exausta pela descoberta, recostou-se nos travesseiros e se deixou conduzir por um sono leve, acordando quando duas novas figuras apareceram ao lado da cama: o anestesista e o médico responsável pela cirurgia daquela manhã. Eles fizeram uma série de perguntas pré-operatórias – se ela tinha obturação, piercing, se poderia estar grávida, se já havia tido problemas com anestesias antes, essas coisas. Lembrou-se de quando Scarlet havia retirado as amígdalas, três anos antes, e de como fora assustador ver a filha amolecer com a anestesia e revirar os olhos, de como havia sido conduzida imediatamente para fora do centro cirúrgico ("Vamos, mamãe, vamos deixar eles trabalharem"), para longe daquele corpinho estirado na cama, quando seu instinto maternal lhe ordenava que ficasse ali montando guarda, segurando a mão da filha o tempo todo. Lawrence estava esperando do lado de fora, é claro, eles ainda eram uma família unida naquela época, e os dois se sentaram juntos na sombria e exígua área dos pais, revezando-se para pegar aquele café horrível da máquina enquanto tentavam não pensar nos cirurgiões aproximando os bisturis da boca vermelha da filha mais nova.

Desta vez seria ela no centro cirúrgico, entorpecida pela droga, revirando os olhos, sozinha e vulnerável na cama, enquanto os médicos trabalhavam. Ninguém estaria na sala de espera. Ninguém estaria ao lado dela quando ela acordasse para dizer que ficaria tudo bem, que cuidariam dela.

Respondeu às perguntas dos médicos com uma voz estrangulada, assinou, trêmula, os formulários de consentimento, sem coragem de pronunciar em voz alta o que lhe passava pela cabeça: *Por favor, tenham cuidado comigo. Eu tenho três filhos, sabe? Tenho que sair daqui o mais rápido possível, está bem?*

– Acho que é isso – disse o cirurgião com um sorriso. – A gente se vê no centro cirúrgico mais tarde, ok? Tente ficar tranquila.

Rachel fitou o teto quando eles foram embora, tentando reunir alguma coragem. Scarlet praticamente não reclamou da cirurgia, lembrava, mesmo depois, quando estava grogue e confusa na sala de recuperação, vomitando dentro de uma tigela de papelão, com a testa fria e úmida. Rachel só tinha que canalizar um pouco da determinação da filha e encarar aquilo, por mais desconfortável e doloroso que fosse.

O médico passou para a próxima paciente, a mulher na cama vizinha à de Rachel, separada dela apenas por uma cortina azul desbotada. Ao contrário de Rachel, ela estava acompanhada por um homem (o marido?) e por uma garotinha, e era impossível não ouvir as vozes deles, confiantes e quase alegres, enquanto os três discutiam o tratamento dela. Rachel percebeu que a menina estava mexendo em um brinquedo musical, alheia à provação da mãe, porque conseguiu ouvir as notas diminutas de "Brilha, brilha, estrelinha".

Nostálgica, pensou que Mabel adorava aquela música, embora tivesse sua própria versão da letra. "Bilha, bilha, Estelinha", cantava, aguda e doce com sua voz de criança pequena. "Canta 'Bilha, Estelinha', papai!", exigia, e Rachel lembrou como Lawrence se esforçou para acompanhar a filha pequena, lembrou-se de ter olhado nos olhos dele do outro lado da sala, sentindo uma feroz onda de amor enquanto ele cantava junto com ela, o tom grave em total desacordo com aquela vozinha de menina. Ah, como o amou. Eles eram felizes, não eram, naquela época?

Lágrimas rolaram para o travesseiro do hospital, formando pequenos círculos molhados. *Quero ver você brilhar.* Sim, pensou com tristeza, e também queria saber como tudo dera errado.

Capítulo Nove

Depois de cumprir a missão de levar as crianças para a escola, mesmo que sem muito brilhantismo, Becca se viu de volta à silenciosa casa de Rachel. Ok, e agora? Bom, para começo de conversa, parecia que uma bomba havia explodido na cozinha. Pelo pouco que conhecia a irmã postiça, tinha certeza de que Rachel não ia gostar de voltar para casa e encontrar aquela zona. Becca guardou rápido as caixas de cereal do café da manhã, varreu os flocos de Rice Krispies do chão e botou a roupa para lavar. Essa era a parte fácil. Agora tinha que encarar o trabalho mais difícil: começar a caçada para encontrar a irmã.

Primeiro, ligou para todos os hospitais do condado. Nenhum deles havia registrado a entrada de Rachel ou de uma mulher com a descrição dela no setor de emergência no dia anterior – o que era um bom começo.

Em seguida, ligou para a delegacia de polícia local e informou o desaparecimento. Um homem prestativo anotou todos os detalhes e uma descrição completa de Rachel, depois fez uma série de perguntas sobre os lugares que ela frequentava, sua saúde e seu histórico médico, onde ela trabalhava e se algum fator específico poderia ter levado ao desaparecimento. Becca se sentiu uma idiota por não ser capaz de responder a tudo.

– Nós não somos muito próximas – murmurou, após dizer "Não sei" pela milésima vez. – Eu ligo de novo mais tarde – acrescentou de maneira patética quando percebeu que não sabia nem a placa do carro nem o telefone do trabalho da irmã. Quanta incompetência.

O policial alertou a ela que a situação era de baixo risco e que, em noventa por cento dos casos, os desaparecidos voltavam por iniciativa própria.

– Não se preocupe: tem uma boa chance de ela estar de volta ainda hoje com uma explicação razoável.

– Mas ela tem filhos – argumentou Becca. – E estou preocupada. Isso não é típico dela.

Quer dizer, pelo que sei dela, pensou, desesperada. *O que, hoje em dia, não é muito.*

– Vou registrar a informação que você me passou no nosso banco de dados – prometeu o policial – e entro em contato assim que soubermos de alguma coisa.

E foi isso. Rachel entrou para o banco de dados, junto com todos os outros desaparecidos. Becca odiava pensar naquela lista de nomes e as várias famílias ao redor deles, todas temendo pelo pior, sobressaltadas a cada vez que o telefone tocava ou alguém batia à porta.

Qual era o próximo passo? Havia se lembrado de perguntar a senha do notebook a Mabel de manhã, entre o discurso sobre os ovários dela e o faniquito pré-prova, então pelo menos tinha outra rota a seguir.

– Maskluha – dissera Mabel, enfiando um triângulo de torrada na boca.

– Mask-lu... quê?

Mabel pegou caneta e papel e escreveu a palavra.

– MaScLuHa – repetira. – As duas primeiras letras dos nossos nomes e do nosso cachorro.

MaScLuHa. Bem, teria gastado um bom tempo tentando adivinhar essa, pensou Becca, digitando as letras com cuidado. Bingo! A tela mudou, e ela conseguiu entrar. Histórico de navegação, um bom começo. Com poucos cliques no *trackpad*, descobriu que os sites visitados recentemente foram: Waitrose (*quelle surprise*, mercado requintado), uma busca no Google por "telefone da Didsbury Library" (como é que é?), Facebook e National Rail Enquiries. Ahhh. Esse último com certeza era uma pista. Será que ela tinha viajado de trem no dia anterior? Clicou no link, torcendo para descobrir aonde Rachel havia ido, mas foi redirecionada a uma tela genérica informando que a sessão dela tinha expirado. Defina "frustração".

Clicou na página da Didsbury Library, se perguntando se isso teria alguma relevância. Onde diabos ficava Didsbury, afinal? Certo, em algum lugar de Manchester, pelo visto. Torceu o nariz. Estranho. Para que ligar para uma biblioteca a quilômetros de distância em vez de usar a biblioteca local? A não ser que tivesse algo a ver com o dever de casa das crianças, pensou, franzindo o cenho.

Depois passou o cursor sobre o link do Facebook. Se começasse a ler as mensagens e as postagens da irmã, aí sim estaria *bisbilhotando*. Tecnicamente, as duas eram "amigas" na rede social, mas enquanto Becca exibia feliz cada detalhe da vida dela na internet para qualquer um que quisesse ver, Rachel era bem mais cautelosa sobre o que postava. Na verdade, ela não postava quase nada, constatou Becca. Talvez Rachel tivesse deixado Becca de fora do círculo de amigos que via as fotos e notícias que ela publicava. Isso não seria exatamente uma surpresa. Até onde conseguia se lembrar, Rachel nunca havia pedido uma opinião ou um conselho a Becca nem feito confidências a ela. Ela escolhera suas amigas como madrinhas de casamento, em vez de seu próprio sangue (bom, na verdade não era do mesmo sangue).

Enquanto Becca resistia à tentação de bisbilhotar mesmo assim (*Rá! Você não pode mais esconder seus segredos de mim, gata*), o telefone fixo tocou, e ela tirou as mãos do teclado como se fosse lava, como se a própria Rachel estivesse ligando para dizer: *Não se ATREVA, Becca Farnham, eu sei o que você está pretendendo fazer!*

Afastou o pensamento idiota e correu para atender o telefone. Alguma notícia, afinal? Talvez o policial tenha encontrado uma correspondência no banco de dados. *Lamento informar que...* Não, pensou, atendendo. *Por favor, que não seja algo horrível, por favor.*

– Alô?

– Olá, eu vi o seu panfleto – respondeu um homem com forte sotaque galês. – Colocaram debaixo da minha porta na semana passada. Aquele escrito "Posso ajudar?".

– Hum... panfleto? – A adrenalina de Becca baixou de novo, e a tensão a deixou como um suspiro. Outro alarme falso.

– É, estou ligando porque preciso de ajuda mesmo. E principalmente porque seu nome é Rachel! – A voz saiu embargada de repente; havia um tremor nela que o fazia parecer emocionado. – Era o nome do meio da minha esposa, sabe. Christine Rachel Jones. Ficamos juntos 45 anos e nunca brigamos, acredita? Ela morreu em fevereiro, e eu ainda sinto muito a falta dela.

Becca mordeu o lábio, sem saber ao certo o motivo de aquele galês de voz triste ter ligado para o número da irmã. Lembrou-se da senhora que também ligara mais cedo. Será que Rachel estava fazendo bico como uma espécie de assistente social de uma instituição geriátrica?

– Sinto muito pela sua esposa – disse ela, educadamente.

– Eu daria tudo para comer mais um prato do ensopado irlandês dela, sabe? Tudo. Não sou muito de cozinhar, então sinto mesmo falta dos jantares dela. Quando o seu panfleto apareceu debaixo da porta, Rachel, foi como um sinal, uma mensagem dela. Minha Christine parecia estar enviando você para mim: *Posso ajudar?* – Ele deu uma risadinha ofegante, nitidamente alegre com o pensamento. – Por isso que estou ligando. Sim, querida, você pode me ajudar. Eu só quero provar um bom ensopado irlandês de novo. Quero aprender a fazer, agora que ela se foi.

– Entendo – disse Becca, sentindo pena dele, mas ainda sem concluir muita coisa.

Será que Rachel estava dando aulas de culinária por fora? Talvez fosse um trabalho voluntário. Sentiu compaixão por aquele pobre e solitário viúvo; seu avô tinha ficado tão desamparado quando a avó Edie morrera... Pelo menos ele tinha Wendy por perto, que levava o jantar para ele todas as noites. Pelo jeito, aquele homem era muito solitário.

– Infelizmente, Rachel não está aqui agora. Meu nome é Rebecca, sou irmã dela. Mas vou anotar seu recado, e ela liga de volta para o senhor, pode ser?

– Fantástico, querida, isso seria ótimo. É Michael Jones, e meu telefone é... Ai, qual é mesmo o meu número? Deixa eu pegar meus óculos, um segundo.

Ela anotou as informações e desligou, depois encarou o próprio garrancho, meio cética. Será que aquilo fazia algum sentido? Rachel sempre fora tão impaciente e... Bem, não propriamente fria com Becca e com a mãe dela, mas hostil de certa forma. Mesmo assim, oferecia ajuda a estranhos, ao que parecia. Além de ter um emprego em tempo integral e ser mãe solteira de três crianças! A mulher era uma santa. Perto dela, Becca era uma desajustada.

Mas algo a incomodava nessa história. Alguma coisa não batia. Por que Rachel estava distribuindo panfletos, oferecendo a ajuda a pessoas aleatórias, se era uma executiva de alto escalão com um carrão da empresa e um salário invejável, segundo Wendy? Seria algum capricho altruísta, uma resolução para se tornar uma pessoa melhor, talvez? Era de se esperar que, quando alguém estava tentando ser mais legal, começasse pela própria família.

(*Não somos parentes*, podia ouvir a voz de Rachel.)

Sim, sim. Você sempre diz isso.

Por falar na carreira incrível de Rachel, Becca percebeu que deveria avisar à empresa sobre o desaparecimento da executiva estrela deles. Com certeza eles estavam se perguntando o motivo de ela não ter aparecido para trabalhar. Talvez até tivessem uma pista sobre onde ela estava.

Mataria dois coelhos com uma cajadada só, pensou a seguir, buscando na internet o site e os contatos da rede de centros esportivos. O policial tinha feito umas perguntas sobre o carro de Rachel e pedido o telefone do trabalho dela, certo? Alguém do escritório teria essas informações. Encontrou o número e ligou.

– GoActive, aqui é Lacey, como posso ajudar?

– Oi, eu poderia falar com o assistente de Rachel Jackson, por favor? – pediu Becca, com papel e caneta na mão.

Houve uma pausa.

– Hum... Infelizmente, Rachel não trabalha mais aqui. – A resposta veio após um instante. – Posso transferir a senhora para outra pessoa do setor?

– Ah. – Becca estava perplexa. – Ela não trabalha mais aí? Desde quando?

– Deixa eu ver... Acho que ela saiu logo depois do Natal. Ah, foi, isso mesmo. Com certeza depois do Natal, porque... – A recepcionista começou a adotar um tom de fofoca, mas se interrompeu a tempo e voltou a soar profissional: – Bom... Não importa. Devo encaminhar a senhora para a gerência responsável?

Becca olhou para o jardim exuberante e frondoso através da janela, tentando absorver aquela nova informação.

– Não, tudo bem, obrigada – respondeu, distraída.

Além de não ter mais marido, Rachel também não tinha mais emprego, muito menos carro da empresa. As coisas não estavam muito boas para o lado dela, definitivamente. E que diabos havia acontecido no Natal que ficou gravado de forma tão vívida na cabeça da recepcionista?

Pelo menos isso devia explicar os panfletos e os clientes que Mabel havia mencionado. Ao desligar o telefone, Becca tentou lembrar as palavras exatas que a sobrinha tinha dito naquela manhã. Algo sobre *boot camps*? Mas como isso se relacionava com velhinhos viúvos e solitários e aulas de culinária?

* * *

A cerca de 3 quilômetros dali, na recepção bem-iluminada da sede da GoActive, Lacy Turner desligou o telefone, enfiou uma bala de hortelã na boca e voltou a jogar Candy Crush. Rachel Jackson, hein! Não pensava nela havia meses, desde que a mulher teve que deixar a empresa, demissão imediata. O que não foi *nenhuma* surpresa, é claro. Como se alguém pudesse trabalhar depois daquele showzinho! Apareceu no jornal local e tudo: uma catástrofe para a reputação da empresa, não foi isso? Samantha Tyning, a chefona, tinha enlouquecido, de acordo com Josie, secretária dela, sem contar que o pobre Craig acabou passando duas noites no hospital.

O telefone tocou de novo, e Lacey deslizou a bala de menta para o outro lado da boca.

– GoActive, aqui é Lacey, como posso ajudar? – disse em piloto automático, clicando para trocar uma jujuba por um drops de limão na tela. Opa! Estava indo muito bem nessa fase, que era dificílima.

– Oi, me falaram que esse telefone é da casa de Rachel Jackson... isso procede?

– Hum... não – respondeu Lacey, distraída ao ver uma bomba colorida aparecer no jogo. *Espera. Rachel Jackson de novo? Mas que diabos...?* – Não, aqui é da GoActive, uma rede de centros esportivos – continuou, se perguntando se deveria mencionar que Rachel já havia trabalhado lá.

Não, decidiu após um instante. As pessoas não gostam quando você dá informações pessoais delas pelo telefone, o que faz sentido, e, depois do fiasco da festa de fim de ano, Lacey duvidava que algum dos diretores quisesse associar o nome de Rachel à empresa publicamente de novo.

Houve uma pausa.

– Então com certeza este não é o número dela? – perguntou a mulher, desanimada. – É que eu sou enfermeira da Manchester Royal Infirmary. Rachel é uma paciente nossa e nos deu esse número.

– Com certeza aqui não é a casa dela – comentou Lacey, ganhando o jogo com um último clique triunfante. Um *Parabéns!* apareceu na tela, e ela deu um soquinho no ar.

– Ah... – murmurou a enfermeira. – Você não teria... É que ela teve uma concussão, e estou tentando localizar a família dela, então...

Lacey se distraiu porque seu motoboy preferido havia escolhido aquele exato momento para entrar no prédio – o gostosão do Rick, com seus doces olhos castanhos, que sempre tirava o capacete e sacudia a bela cabeleira loura na altura do ombro, como se estivesse em um comercial de xampu, ao se dirigir até a mesa. Ela havia sonhado com aquela sacudida inúmeras vezes, geralmente com *Je t'aime* de trilha sonora. Hum. Sim. Lá estava ele de novo. Ele devia ter um corpo musculoso debaixo daquele couro todo, pensou, tentando não lamber os lábios conforme o rapaz se aproximava.

– Alô? Está me ouvindo?

Lacey percebeu que a mulher continuava falando do outro lado da linha, agora um pouco impaciente. Grosseira.

– Desculpa, ela não trabalha aqui – respondeu Lacey, sorrindo sedutora para Rick enquanto ele depositava um pacote na mesa. Ela se inclinou para assinar, exibindo o decote para o caso de ele estar procurando diversão numa quinta de manhã. – Obrigada – murmurou, lançando o olhar sensual que havia treinado.

– Tchau, querida – disse ele, se virando e indo embora.

Querida. Pode entrar. Lacey olhou para a bunda dele e se permitiu embarcar em uma breve fantasia na qual saltava a mesa e segurava aquele bumbum com as duas mãos. Mas a mulher do outro lado da linha interrompeu seus pensamentos de novo:

– Então você não tem nenhum contato dela?

– Não, desculpa – falou Lacey, irritada por não ter conseguido estabelecer uma conversa adequada com seu crush. – Foi engano, tchau.

Ao desligar o telefone e mastigar a bala de menta, lembrou-se do terrível episódio do fim do ano, quando o marido de Rachel invadira o restaurante Left Bank no meio da sobremesa. Sempre que via o casal pela cidade, Lacey pensava como ele era gato e sexy, mas naquela noite ele tinha o rosto vermelho e os olhos esbugalhados enquanto gritava um monte de baixarias sobre Rachel antes de dar um soco no pobre Craig Elliot.

Lacey se mexeu alegremente na cadeira ao recordar a confusão generalizada: os gritos, a louça quebrando quando a mesa foi ao chão, a polícia chegando e tudo o mais. Foi inacreditável. Melhor. Festa. De Natal. DA VIDA!

Capítulo Dez

Por mais legais que todos estivessem sendo com Rachel, por mais agradáveis e profissionais que parecessem, era assustador ser conduzida para a sala de anestesia e ver médicos e enfermeiras paramentados daquele jeito, com máscaras e luvas, prontos para começar. Aquilo era rotineiro para eles, lembrou a si mesma. Era arroz com feijão, isso que eles faziam dia após dia. Eles tinham ralado muito na universidade para chegar até ali; eram pessoas qualificadas e inteligentes, cujo trabalho era remendar corpos e melhorá-los. Eles eram *bons*.

Dito isso, meu Deus, estava apavorada. O coração martelava, a boca estava seca como lixa e os medos se agitavam na cabeça como ondas em mar bravio. Ninguém está livre de cometer erros, não é? As coisas podiam dar errado. Nunca tomara anestesia geral e não fazia ideia de como o corpo reagiria. Às vezes as pessoas morriam por causa da anestesia. Era uma possibilidade remota, é claro, mas as estatísticas estavam lá para comprovar: algumas pessoas morriam. Pessoas comuns como ela; o coração parava e o estrago estava feito, fim de papo (fim da *vida*). Por mais que encarasse isso de forma racional, não dava para ignorar que aqueles rostos mascarados poderiam ser os últimos que ela veria e este ar, o último que respiraria. Imaginou as crianças, pequenas e vestidas de preto, chorando no enterro dela, e quis pular daquela cama e fugir, mesmo machucada. Será que podia mesmo correr aquele risco?

Mas ela já havia assinado os documentos, é claro. Era tarde demais para desistir. A essa hora, já havia alguém medindo a dose da anestesia e prendendo a seringa à cânula. E, antes que ela pudesse dizer *Para, mudei de ideia*, um médico pressionou o êmbolo e pediu que ela fizesse uma contagem regressiva a partir do vinte.

– Vinte, dezenove, dezoito... – começou, obediente até o fim – ... dezessete... – Então uma profunda e imensa escuridão a invadiu, e a última coisa que ela se ouviu murmurar foi: "Mamãe..."

Rachel não se lembrava muito da mãe verdadeira, tinha só uns lampejos de memória que desapareciam quando tentava escrutiná-los. Um perfume doce. Uma risada discreta e musical. Uma mecha brilhante de cabelo castanho-dourado com uma franja espessa, e uma mão fria e reconfortante na mão dela. *Meu pequeno dente-de-leão!*, escreveu ela atrás de uma foto de Rachel recém-nascida, sem dúvida por causa do cabelo louríssimo e fofo ao redor do rostinho infantil, embora Rachel não se lembrasse de tê-la ouvido dizer isso em voz alta.

Emily Durant, esse era o nome dela: uma mulher bonita e sorridente com pernas fortes e inquietos olhos verdes. Emily Durant, que adorava seu pequeno dente-de-leão e amava o belo marido Terry, mas foi arrancada deles quando Rachel tinha só 2 anos e meio. Um tipo raro e agressivo de câncer ósseo, ao que parecia, embora o pai não gostasse de falar naquilo. Rachel sempre sentiu saudades daquela mão na dela, da melódica risada ondulando quando ela via as sementes de dentes-de-leão se desprendendo ao vento.

No álbum de fotos, Emily e Terry pareciam o casal perfeito. Em todas as imagens, estavam sorrindo, de mãos dadas, se apoiando um no outro com intimidade. Um casal de adolescentes na festinha da escola. Casados quando mal tinham completado 20 anos. Ele posando todo orgulhoso em frente ao primeiro carro do casal, um Datsun vermelho. Ela de calça boca de sino e sandálias de salto plataforma, com um lenço de estampa psicodélica no cabelo brilhante. E o bebê dente-de-leão que completou a família alguns anos depois, um pacotinho rosa fofo pendurado no colo de Emily. *Sorria para a câmera, dente-de-leão!*

Rachel havia nascido no Norte, mas ela e o pai se mudaram para Birmingham quando a tragédia aconteceu – um recomeço corajoso, pensou, imaginando Terry dirigindo para longe, o Datsun carregado de caixas e Rachel pequena movendo as perninhas roliças no banco de trás, alheia às lágrimas que escorriam pelo rosto do pai. "Somos só nós dois agora, garota", imaginou-o dizendo, tragando seu cigarro (e soprando a fumaça com cuidado pela janela, esperava). "Somos eu e você contra o mundo, certo?"

Essa era a versão dos fatos que sempre contaram para ela, pelo menos. A balada de Emily: a história de partir o coração que ficou no subconsciente de Rachel todos aqueles anos, como uma tristeza subliminar. A infância dela foi povoada por pêsames: os rostos solidários de professores e abraços excessivos de outras mães, que a apertavam contra o peito ela querendo ou não (geralmente não). *Ah, meu Deus, você não tem mamãe, pobre bonequinha, que tristeza.*

Ela se lembrava de ficar confusa quando era pequena, essa ideia de que era digna de pena, quando na verdade considerava sua infância extraordinariamente feliz. É claro que teria sido ainda melhor ter a mãe por perto, mas Terry era um pai incrível: amoroso, engraçado e prático. Era sempre o único pai nas aulas de balé, observando-a girar e pular, marcando o tempo do piano com aqueles sapatos marrons velhos no empoeirado salão da igreja, as mãos grandes e fortes aplaudindo mais alto que todo mundo enquanto as bailarinas de collant rosa faziam uma mesura no fim da apresentação. As mães eram gentis com ele, respeitosas, embora às vezes uma ou outra chegasse um pouco perto demais, pousando uma mão amiga no ombro dele. *Não sei como você consegue, Terry, não sei mesmo.* Mas ele conseguiu – e muito bem. Ele ensinou Rachel a andar de bicicleta, a fazer ovos mexidos e a arremessar uma bola de críquete, e os dois estavam se virando perfeitamente bem até ela completar 9 anos, quando Wendy apareceu. Foi aí, é claro, que tudo mudou.

Capítulo Onze

– Ai, meu Deus. Ela ainda *não* voltou? Eu vi que o carro não estava lá de manhã, mas achei que... Caramba. Entra. *Pode entrar!*

Sara Fortescue parecia ter saído direto da revista *Perfect Wife*, com sua imaculada calça de algodão branco, camisetinha rosa e sandálias estilo anabela. E ainda estava com um espanador na mão quando abriu a porta e pediu que Becca entrasse.

– O que você acha que *aconteceu*? – continuou a falar, sem fôlego, conduzindo Becca pela casa até uma cozinha espaçosa e reluzente com uma placa azul-claro na parede, que anunciava: "Cozinha da mamãe". – Você aceita um chá ou um café? Meu Deus, você deve estar tão *preocupada*. E coitadas das crianças! Onde será que ela pode *estar*?

Naquela cozinha-modelo, diante da cheirosa e impecável Sara, Becca se sentiu suja e desleixada com seus tênis fedorentos e as roupas da irmã. Todas as superfícies do lugar brilhavam. Não se via uma migalha de pão nem debaixo da torradeira.

– Eu achei que você poderia me dar uma luz sobre isso tudo – confessou. – Para ser honesta, eu não sei de muita coisa. – Becca sentou-se à mesa, coberta por uma toalha impermeável de bolinhas azul-bebê, e apoiou o queixo em uma das mãos. – Desde que cheguei... percebi que, na verdade, estou bem por fora da vida da minha irmã... irmã postiça. Para começo de conversa, onde ela está trabalhando?

Sara guardou o espanador em um armário e preparou um café rapidamente enquanto explicava que Rachel tinha acabado de abrir o próprio negócio.

– Ela é muito corajosa, não é? Quer dizer, isso é ótimo. A maioria das mães daqui... Bom, nós somos apenas mães e estamos bem em casa com as crianças. Eu não sei nada de negócios! Mas acho que depois que Lawrence foi embora... – Ela sorriu de maneira trágica. – Coitada, cá entre nós, ele não tem sido muito generoso, parece. E ela sempre foi uma profissional dedicada, não é? Tão bem-sucedida! Meu Deus, não sei *como* ela conseguia, com três filhos para criar. Não estou dizendo que ela *forçou a barra*, mas às vezes eu me perguntava se as crianças estavam *felizes*, sabe, de ficar sempre com a babá e...

Becca olhou para o rosto rosado e brilhante de Sara, as maçãs do rosto trabalhando com vigor enquanto ela tagarelava sem parar, proferindo críticas a Rachel cuidadosamente veladas em uma falsa admiração. O entusiasmo com que falava! Ah, ela com certeza já tivera aquela conversa inúmeras vezes com as outras "mamães". Becca podia imaginá-las debatendo, com ar superior, sobre as mães que trabalham e negligenciam os filhos. Sentiu uma ponta de empatia pela irmã, que tinha que morar de frente para aquela mulher e lidar com aquela merda todos os dias.

– Tenho certeza de que ela está fazendo o melhor que pode – interrompeu Becca, quando Sara parou para respirar. – E as crianças são maravilhosas. Parecem estar muito bem. – *Então se toca, Sara.* – Enfim, esse novo negócio dela. O que ela faz, exatamente?

Sara entreabriu os lábios e arregalou os olhos diante do tom de voz da outra.

– Ah, *é claro* que ela faz o melhor que pode! Sem dúvida! Por favor, não pense que estou dizendo algo diferente disso. É que depois de uma separação tão feia... Eu ouvia as brigas *daqui* às vezes...

Ah, é, tenho certeza de que você ouvia, pensou Becca. Com as janelas bem abertas para não perder nenhuma palavra.

– Eu nunca vi uma mulher ralar tanto quanto Rachel! Eu não poderia... Com três crianças, ainda mais com Mabel, que é tão...

Becca endureceu o rosto, e Sara baixou os olhos.

– Bom... As coisas não têm sido fáceis para a família dela. Mas... e o negócio que você mencionou? O novo negócio da Rachel?

– *Será que você pode responder à droga da minha pergunta e parar com a fofoquinha paralela, sua vaca maldosa?*

– Ah, sim, eu já ia falar disso. Ela é personal trainer. Bem empreendedora! Andou distribuindo uns panfletos pela vizinhança inteira há algumas semanas. Posso mostrar um, se quiser. Onde foi que joguei? – Sara saiu apressada por uma porta de serviço, sua voz flutuando até Becca enquanto ela procurava. – Você deu sorte, porque só vão recolher o lixo reciclável amanhã e esqueceram de pegar o de papel na semana passada. Achei!

Sara apareceu com um panfleto tamanho A5 entre o indicador e o polegar e o colocou na mesa, na frente de Becca. Ele mostrava uma silhueta amarela correndo contra um fundo azul, com as palavras "POSSO AJUDAR?" em letras brancas no topo.

DESAFIE-SE!
ATINJA SUAS METAS DE FITNESS!
ATIVE SUA VIDA!

Você quer entrar em forma e ficar mais forte e saudável?
Claro que quer! Mas às vezes precisamos de uma ajudinha para começar. E é aqui que eu entro – sua nova personal trainer.
Entre em contato comigo e saiba mais.
Vamos fazer isso juntos!

Becca pensou com tristeza no pobre Michael Jones, que, na ânsia de ser ajudado, obviamente só lera a pergunta que abria o panfleto e se perguntou como Rachel teria lidado com aquela situação se estivesse lá de manhã para atender a ligação. Duvidava que ela tivesse ensopados irlandeses em mente quando criou a propaganda.

Sara sorria de maneira condescendente enquanto Becca terminava de ler.

– Aqui em casa a gente frequenta a academia local, então não é muito a minha praia – esclareceu, acrescentando com um risinho: – Sem contar que acho que algumas mulheres vão jogar isso direto no lixo antes que os maridos vejam, se é que você me entende!

Becca estava farta daquela cobra afetada.

– Não – cortou, já sem paciência. – Não sei do que você está falando. Do que *você* está falando?

– Ah! – Sara corou. – Nada de ruim, é claro. É que Rachel é uma garota muito bonita, não é? E... bom, tenho certeza de que não vai ficar solteira por muito tempo, só isso!

Becca se levantou.

– Então só porque ela se separou, todo mundo pensa que ela quer roubar o marido das outras? Meio patético, não é? Cadê a sororidade? Achei que vocês fossem amigas!

O queixo de Sara caiu um milímetro ao ser pega de surpresa, mas ela logo fez um bico.

– Bom, eu não diria que somos *amigas* – respondeu com dureza. – E cuidado com a língua.

O rosto dela se retesou como a pele de um tambor enquanto ela estreitava os olhos, mas Becca ignorou esses sinais de alerta e continuou:

– Cuidado com a língua, digo eu. Minha irmã *desapareceu*, e tudo o que você faz é destilar veneno. Acho isso bem grosseiro. – Bufando, Becca atravessou a casa, resistindo à tentação de esfregar as mãos encardidas nas paredes imaculadas enquanto passava. – Pode deixar que eu conheço o caminho – falou, batendo a porta atrás de si.

De volta à casa de Rachel, Becca se sentou pesadamente na escada cor de aveia, respirando fundo para tentar se acalmar. Tinha uma sensação horrível de que havia exagerado e sido muito grosseira com nada mais, nada menos que uma das vizinhas de Rachel. *Começou bem, Becca. Arranca-rabo no subúrbio!* Mas fala *sério*. Aquela mulher era perversa! Nem esperou para mostrar as garras e começar a disparar calúnias. *Eu não diria que somos amigas.* Na verdade, que bom. Rachel não precisava de uma amiga daquelas, na opinião de Becca.

Percebeu que ainda estava segurando o panfleto, embora ele agora estivesse todo amassado em sua mão. Alisou o papel e o releu, sentindo um relutante respeito pela irmã – uma mulher que tinha apanhado à beça nos últimos meses, perdendo tanto o marido quanto o emprego, ao que tudo indicava. Devia ter sido um pesadelo passar por tudo aquilo – e, mesmo assim, lá estava ela, levantando e sacudindo a poeira com aquela propaganda de cores berrantes. *Posso ajudar?* Muito bem, Rach, pensou. Outros teriam desmoronado, mas obviamente você não.

Logo depois, sentiu uma pontada de culpa, já que ela, ao contrário, não fora tão resiliente e determinada em termos de carreira. Três anos antes, Becca dividia o apartamento com uma amiga chamada Debbie, e as duas criaram juntas uma marca de semijoias, vendendo peças de design próprio em várias feiras da cidade e grandes eventos da área. Foi divertido, e elas tiveram algum sucesso – até Debbie cair de amores por um australiano gato e musculoso chamado Miles e se mudar com ele para Byron Bay. Depois que Debbie foi embora, Becca desanimou, e a promissora marca de semijoias foi abandonada de repente. Desde então, ela havia se arriscado na fabricação de cúpulas para abajur por encomenda (número total de encomendas: zero), velas aromáticas (ótimos presentes de Natal para a família e os amigos, embora ela não tenha vendido muitas) e meias de tricô (sem comentários), até que finalmente desistiu de qualquer tipo de profissão criativa e acabou acumulando uma série de empregos em bares e restaurantes no currículo. Em breve precisaria procurar outro, aliás.

Ao voltar para a cozinha, viu uma luz piscando na base do telefone e notou que o número três estava aceso no mostrador – três mensagens, pensou, indo até o telefone e apertando o "Play" com o dedo úmido. *Ah, Rachel. Você está bem?*

Primeira mensagem, anunciou uma voz robótica, seguida por um bipe estridente. "Oi, aqui é Adam Holland, são dez e meia e eu queria só saber onde você está. Acho que o seu celular está desligado, então... Bom, talvez você já esteja chegando, mas, caso contrário, você poderia me ligar, por favor?" BIPE.

Segunda mensagem, continuou a máquina. "É Adam Holland de novo. São dez e quarenta agora. Olha, eu tive que reagendar uma teleconferência para vir encontrar você, então... Enfim, não gosto de ficar aqui esperando. Estou perdendo o meu tempo. Espero que você esteja chegando."

Becca fez uma careta, ainda abalada pelo encontro com a esnobe Sara.

– Calma, meu bem – murmurou. – Não precisa arrancar a calça pela cabeça.

Terceira mensagem, disse a máquina, e Becca já sabia quem era. "É Adam Holland de novo", repetiu a voz impaciente do homem. "Não estou nada satisfeito com essa situação. Marcamos dez e meia da manhã, mas você não veio. Esta atitude não inspira muita confiança, né? Acho que vou ter que correr sozinho. Obrigado por me dar bolo."

– Ah, engole o choro, Adam – disse Becca com sarcasmo à sala vazia. – Seu carente.

Mas imediatamente pensou que aquilo tinha relação com o incipiente negócio da irmã, com a tentativa de Rachel se reerguer. Quantos clientes será que ela tinha no momento? E se ele fosse um dos primeiros... que ela estava prestes a perder? Becca hesitou. Não gostava nem um pouco da atitude daquele idiota presunçoso, mas se a conta de luz da irmã estava vencida, ela provavelmente precisava de todos os clientes, imbecis ou não. Talvez Becca pudesse colocar panos quentes por enquanto.

Apertou o botão da máquina para identificar o número da última ligação recebida e discou de volta. Após três toques, o homem atendeu sem fôlego.

– Alô?

– Alô, Adam? Meu nome é Becca, sou irmã de Rachel Jackson. Sinto muito pelo mal-entendido de hoje de manhã, isso não devia ter acontecido. Infelizmente, Rachel... – Quebrou a cabeça, tentando inventar uma desculpa plausível. – Rachel não está se sentindo muito bem. Ela pediu que eu ligasse para você mais cedo, mas infelizmente só recebi a mensagem dela agora. – Cruzando os dedos enquanto falava, lembrou-se do desastre que havia sido a última mentira, a que contara para Jeff, o ex-chefe do pub. Tomara que Adam Holland seja mais ingênuo, pensou.

– Certo – disse ele, ainda irritado. – Podemos remarcar para amanhã, então? Ela já vai estar melhor? Vou tentar reagendar uma reunião... Deixe eu ver. – Becca podia ouvi-lo mexendo no celular, e então ele voltou ao telefone, soando extremamente autoritário: – Eu estou livre amanhã às dez horas, pode ser?

Becca hesitou. O que deveria dizer? *Na verdade, Adam, minha irmã desapareceu e ninguém sabe onde ela está. Que legal, né?*

– Hum... – murmurou, ganhando tempo enquanto tentava pensar. Será que Rachel estaria de volta no dia seguinte? Tinha que estar! Nesse caso, Becca teria que torcer para ter aquele horário livre. – Hum... provavelmente sim – respondeu afinal, sem se comprometer.

– Provavelmente sim? – repetiu Adam, impaciente. – Isso é sim ou não? Olha, eu sou muito ocupado. Não tem essa de *provavelmente sim*.

– Sim, claro. Sim. Tudo bem? – disse Becca, sem pensar. – Amanhã às dez. Ótimo. – Então, como o homem parecia ser um tirano exigente, Becca teve o impulso de tranquilizá-lo. – E se por acaso Rachel não estiver cem por cento até amanhã, eu vou no lugar dela. Uma de nós estará aí. Ok?

Adam parecia desconfiado e relutante, mas acabou concordando, e eles combinaram os detalhes. Becca pousou o fone no gancho com a sensação de ter cometido um erro terrível. Por que tinha dito aquilo? Não sabia nada sobre essas coisas de fitness. Se Rachel não aparecesse no dia seguinte como havia prometido, aquele cara daria uma boa olhada em seu corpo sedentário e fora de forma e riria dela até a academia mais próxima. Mas o que mais ela poderia fazer? Não dava para dispensar todos os clientes da irmã, principalmente porque Adam fez questão de dizer, no fim da ligação, que havia se inscrito em um programa intensivo de seis semanas com Rachel e deixado tudo pago.

Becca olhou para o telefone com tristeza, torcendo para que alguém ligasse e a livrasse daquele sofrimento. De preferência a própria Rachel, com a boa notícia de que estava voltando para casa. *Você não vai acreditar no que aconteceu!*

Mas só o suave zumbido da geladeira interrompia o silêncio e depois uma mensagem de Wendy descrevendo o café da manhã inglês tradicional que estava comendo. *Bom, ESTOU de férias*, escreveu sem culpa. *Não é mesmo?*

Becca começou a entrar em pânico. Já não conseguia pensar em uma explicação razoável ou em um desfecho positivo para o que tinha acontecido com Rachel, e estava ficando sem alternativas. Onde ela *estava*? Quanto tempo mais eles teriam que esperar para ter notícias? A perspectiva de ver os rostos esperançosos das crianças depois da escola – *Ela voltou? Está em casa?* – e ter que balançar a cabeça com pesar a fez se sentir mal.

Ela se lembrou das últimas vezes em que vira a irmã postiça e percebeu que as duas estavam sempre cercadas de gente. Mal trocaram algumas palavras no enterro, e o Natal anterior, em Birmingham, foi barulhento e agitado, um frenesi de abrir presentes, as crianças correndo de um cômodo para outro, tentando roubar o máximo de chocolates que podiam. Rachel estava zangada com ela, é verdade, porque Becca dera às crianças pistolas de brinquedo e imensas caixas de bombons alemãs que estavam em promoção. Tudo bem, Becca já sabia que aquilo irritaria a irmã quando ainda estava no caixa do supermercado pagando; mas, fala sério, as crianças atacaram os presentes como cães selvagens. E era Natal!

Mas é claro que Rachel deu o troco, dando várias alfinetadas sobre o namorado de Becca, que também estava lá. Quem era mesmo naquele Natal? Dazza, o mecânico gostosão? Não, espera, talvez fosse Jed, com aquele cabelo todo desgrenhado e olhos grandes e inocentes, mas um cérebro minúsculo. Ah, sim, era Jed, porque ela se lembrava de Rachel debochando dele para o pai na cozinha. *Bonito e bobalhão, tipo um labrador*, dissera. *Vaca maldosa*, pensara Becca na hora. Só porque ela era metida e acomodada, enquanto Becca era jovem e livre e podia sair por aí se divertindo com vários homens maravilhosos. Respondeu enchendo a cara de Baileys e fazendo questão de beijar Jed ruidosamente, de maneira desengonçada, sempre que estava na presença da irmã. *E daí que ele é burro? Eu estou me dando bem aqui. E você?*

Apoiando o queixo nas mãos enquanto olhava pela janela dos fundos, recordou como Meredith ficou surpresa quando soube que Becca *tinha* uma irmã.

– Não acredito que você nunca a *mencionou*. E eu moro com você há, o quê, quase um ano? Vocês não se encontraram esse tempo todo?

Não, elas não tinham se encontrado. Foi ruim ver o choque de Meredith, aquele olhar que dizia: *Qual é o seu problema?*

A culpa perfurou Becca como uma lança. Talvez devesse ter se esforçado mais para manter contato, ter se agarrado ao tênue fio de relacionamento que ainda existia após o enterro. Talvez as duas devessem ser mais flexíveis ao lidar com as situações; ceder um pouco e rir das diferenças, em vez de travar um embate eterno. Porque ali estava ela sozinha na casa de Rachel, com todas aquelas perguntas sem respostas, sem ideia do que fazer a seguir.

– Eu *vou* me esforçar mais – disse em voz alta, no cômodo vazio. – Prometo que vou, só peço que volte para casa agora, ok? – embargou a voz. – *Por favor*, Rachel. Você está me assustando. O que aconteceu?

Capítulo Doze

Rachel voltou da cirurgia grogue e enjoada. *Ainda estou viva*, foi a primeira coisa que pensou, tonta, quando ouviu os ruídos da sala de recuperação pós-anestésica: os bipes suaves dos aparelhos, a voz baixa das enfermeiras confortando os pacientes, as portas vaivém abrindo de vez em quando e as rodinhas das macas deslizando por perto. *Ainda estou viva*.

Uma cuidadosa sondagem com a língua revelou que a boca havia sido fixada em uma posição e que ela tinha pontos na gengiva, além de uma linha nítida no queixo, onde ele havia sido aberto. O pulso direito, alojado em um gesso novo e liso, estava pesado e dolorido, e havia, segundo o cirurgião que veio informá-la sobre o sucesso da operação, inúmeras plaquinhas de metal e parafusos sustentando a mandíbula.

– A segurança do aeroporto vai *amar* você – brincou o médico, e ela conseguiu esboçar um sorriso antes de perceber como doía fazer qualquer movimento facial.

Devia ter sido assim que o Frankenstein se sentiu quando ganhou vida, pensou, mas sem o sangue na boca e os lábios rachados e inchados. *Olá, mundo. Você é... desconfortável.*

Os médicos lhe deram analgésicos fortíssimos para manter a dor sob controle e uma bolsa de gelo para reduzir o inchaço, mas mesmo assim a mandíbula ainda latejava de leve e ela estava enjoada pela anestesia. Tentou engolir e estremeceu ao perceber como a garganta estava dolorida.

– Espero que goste de sopa – comentou a enfermeira loura, caminhando ao lado da cama enquanto um maqueiro conduzia Rachel de volta à enfermaria. – Você terá que fazer uma dieta líquida por seis semanas. Não pode mastigar nada. Mas dá para bater tudo no liquidificador, não é tão ruim.

Rachel pensou em como sempre amou morder uma maçã crocante, comer um bife suculento ou mastigar uma baguete e deu um pequeno suspiro. Seis semanas sem comida de verdade? Ela nem gostava de sopa.

– A propósito – retomou a enfermeira quando elas chegaram à enfermaria e a maca finalmente parou. – Sinto muito, querida, mas o telefone que você me deu estava errado. Tentei ligar algumas vezes para confirmar se eu tinha discado o certo, mas caía sempre em um centro esportivo, não era número residencial.

A respiração de Rachel ficou presa na garganta. Ai, meu Deus. Que idiota! Tinha dado mesmo o telefone da GoActive? Isso dizia muito sobre ela, já que aquele foi o primeiro número que lhe surgiu na cabeça. *Você sempre foi casada com o trabalho*, Lawrence jogara na cara dela mais de uma vez, quando as coisas iam mal. *Você ama aquele lugar mais do que sua própria família!*

Claro que não!, gritava de volta, mas talvez houvesse alguma verdade nas palavras dele, afinal. Por qual outro motivo o telefone do antigo emprego teria vindo à mente dela antes de qualquer outro?

– Ah, outra coisa – continuou a enfermeira, checando as anotações. – Escrevi aqui que você mora em Birmingham, mas o número que você me deu é de Hereford.

Hereford. Era isso. *Sim*. E, como em um passe de mágica, tudo voltou: a linda casa dela, a catedral, o rio, as colinas ao redor. Eles haviam comprado a casa quando ela estava grávida de Scarlet porque decidiram sair de Londres, onde tinham passado os primeiros anos de casados. Hereford, isso mesmo: ficava entre a casa do pai em Birmingham e o chalé para onde os pais de Lawrence tinham acabado de se mudar, no País de Gales. Outra peça do quebra-cabeça.

– Hereford – repetiu, com a voz grave e lenta. – Eu moro lá.

– Ótimo, vou passar essa informação para a polícia. Eles ligaram de novo, perguntando quando você poderá prestar depoimento, para rastrear seus dados, se for preciso. A não ser que você se lembre de mais alguma coisa.

Rachel pensou por um instante, testando-se. Apesar do torpor, a mente parecia aguçada depois da cirurgia.

– Lembro – retrucou, hesitante, sentindo-se uma ventríloqua, já que não conseguia mais mover a boca, e recitou o que agora tinha certeza ser o número certo.

Finalmente! Na verdade, percebeu que se recordava de tudo: dos aniversários e do número dos sapatos das crianças, além do fato de que devia ter avisado Mabel sobre a prova de geografia. Era hoje? Recostou no travesseiro, desejando estar com eles de novo.

– Quando terei alta? – murmurou.

Era dificílimo falar com a mandíbula toda costurada. Ela se lembrou de quando Mabel era uma menininha teimosa e Rachel tentava fazê-la comer mais. "Aqui vai a carta do vovô, para dentro da caixa do correio!", falava de maneira carinhosa, empurrando uma garfada de purê de batata para dentro da boca da filha.

"O correio está fechado", respondia Mabel, inflexível, a boca cerrada e os olhos brilhando de revolta. "O correio está FECHADO."

– Alta, querida? – repetiu a enfermeira, comprimindo os lábios. – Acho que eles vão querer ficar de olho em você por mais alguns dias, infelizmente. Porque você teve uma lesão feia e uma concussão. E é claro que quando você puder ir embora, um adulto terá que vir buscá-la e observá-la por pelo menos 24 horas. Alguém na sua casa pode fazer isso?

O rosto de Rachel queimou. Alguém em casa poderia cuidar dela? Não mais, pensou. Lawrence tinha ido embora, é claro, e algumas amigas dela reagiram à separação de maneira muito estranha, silenciosamente excluindo-a do círculo social, como se ser mãe solteira fosse o mesmo que ter lepra. Uma das mães da escola até brincou que elas teriam que manter os maridos em rédea curta enquanto Rachel estivesse solteira. "Não é que a gente não confie em você, o problema são eles", comentou ela quando Rachel instintivamente se afastou um pouco, magoada.

– Na verdade, não... – confessou à enfermeira.

– Tudo bem, não se preocupe, deixe que eu resolvo isso – garantiu ela, dando um tapinha no ombro de Rachel. – Vou tentar ligar para esse número agora, está bem? Volto daqui a pouco para dizer como foi, mas, enquanto isso, só fecha os olhos e descansa. Tenta dormir.

Rachel estendeu a mão com cautela para tocar na grade de metal fria da boca enquanto a enfermeira se afastava. Pelo menos as outras mães da escola não precisavam mais se preocupar com os maridos mulherengos fazendo fila com a língua de fora, pensou, deprimida. Ela devia estar parecendo meio ciborgue, toda costurada e cheia de cicatrizes. Lawrence também sorriria quando a visse de novo. Ah, *meu Deus*, ela o imaginou arrastando as palavras. *Não está tão bonita agora, não é, princesa? Não está tão orgulhosa, não é verdade?*

Rachel e Lawrence se conheceram em um evento de gala em Londres quando ela tinha 23 anos. É um clichê, fato, mas seus olhares realmente se cruzaram no meio de um salão cheio de gente. Rachel prendeu a respiração e ficou tonta e agitada por momentos infinitos até que ele caminhou confiante até ela e a chamou para dançar. Quando eles rodopiaram juntos pela pista de dança, a mão dele firme nas costas dela, Rachel teve a estranha sensação de enxergar o futuro, vislumbrando fragmentos da vida com Lawrence. O casamento. A lua de mel. A casa... Era como se pudesse ter tudo aquilo se quisesse – e se sentiu tentada. Quem não se sentiria? Ele era charmoso e seguro de si, muito bonito com seus ombros largos e seu cabelo escuro penteado para trás. Tinha um rosto forte, dançava bem e olhava para ela com tanta intensidade que ela sentia que estava derretendo por dentro. A única pista do que estava por vir apareceu mais tarde, quando ele lhe pagou um drinque e perguntou se ela tinha namorado. "Que bom", respondeu, quando ela disse que não. "Senão eu teria que matá-lo."

É lógico que ele estava brincando, mas com o passar do tempo ela percebeu que Lawrence era extremamente ciumento. Ele cerrava a mandíbula com força se achasse que outro homem estava olhando para ela. Cerrava os punhos quando ela falava sobre ex-namorados. Uma vez, ficou furioso e frio durante três dias inteiros só porque a ouviu rir com as amigas da patética paixonite que todas nutriam por George Clooney. Até no dia do casamento – o dia em que ela se postou diante da família e dos amigos para fazer votos de amor e compromisso a ele –, Lawrence agiu como se ela fosse sua propriedade, a tocando o tempo todo, caso outro cara se atrevesse a tentar alguma coisa. Era porque ele a amava, Rachel dizia a si mesma, mas mesmo assim se pegava mudando o próprio comportamento para não ter que encarar aqueles olhos duros e mais um escândalo.

– Eu acho supersexy quando o marido fica com ciúmes e quer marcar território – disse certa noite Karen, uma das mães da escola, entre suspiros. Elas estavam tomando uns drinques para comemorar o aniversário da mulher. Rachel ficou meio bêbada e contou, hesitante, sobre o comportamento de Lawrence. – Pete nem iria notar se eu mostrasse os peitos para o carteiro.

– Nem Andrew – concordou Diane, que era casada com um corretor da bolsa de valores e já havia admitido amar mais seus cavalos e cachorros do que ele. – Eu teria que estar montada em outro homem no meio da sala para ele desviar os olhos do jogo do Ashes Cricket.

Todas riram.

– Neal também – disse Jo, se inclinando para a frente e fazendo a sombra brilhante dos olhos se iluminar sob as luzes fortes. – Quer dizer, acho ótimo que ele confie em mim, mas às vezes... – Ela baixou o volume da voz de maneira conspiratória: – Queria que ele fosse um pouquinho mais possessivo. Que rosnasse e virasse um homem das cavernas quando eu falasse o nome de outro cara. Pelo menos isso mostraria que ele *se importa*.

Não, pensou Rachel, deslizando para a escuridão da embriaguez, *não mostraria*. Isso só mostraria quanto ele é inseguro e imprevisível. E você logo estaria exausta de tanto pisar em ovos. Só Deus sabe como estou.

Mas pelo menos aquilo tinha acabado. Lawrence foi embora, seguiu em frente, depois de escapar de uma multa pesada ou até da prisão quando o pobre Craig Elliot decidiu não prestar queixa, e agora estava sendo tratado a pão de ló pela bruxa velha da mãe dele naquela casa fria de Builth Wells, que cheirava a sachês de cânfora e lavanda – e com certeza a Harvey também, o golden retriever deles (ela nunca deveria tê-lo deixado levar o cachorro. *O QUE você disse?*, gritou Scarlet, horrorizada com a notícia).

– Trago boas-novas! – A enfermeira voltou com um sorriso no rosto. – Você acertou desta vez. Liguei para sua casa e falei com sua irmã, Rebecca, não é?

Rachel engoliu em seco – ou pelo menos tentou fazer isso, já que a mandíbula não permitia. Ela ouviu direito?

– Becca? – murmurou, incrédula.

– Isso, ela ficou muito feliz de saber que você está em segurança e que vai ficar bem. Ela pediu que eu lhe avisasse que as crianças estão ótimas e que ela virá buscá-la assim que você puder ir para casa; falei que deve ser depois do fim de semana. – A enfermeira franziu o nariz ao sorrir de novo. – Que bom, não é? É como dizem, tudo bem quando termina bem.

Rachel conseguiu se lembrar das boas maneiras a tempo de responder um abafado "Obrigada", mas a cabeça girava. Deduziu que Sara tinha dado um jeito de entrar em contato com Becca quando percebeu que ela não havia voltado para casa no dia anterior. Meu Deus. Logo com quem. Não, não tinha certeza de que aquelas eram "boas-novas". A irmã postiça era sinônimo de confusão, simples assim; não era confiável. E, depois de tudo o que ela havia feito com Lawrence, nunca a perdoaria.

Capítulo Treze

Becca desabou de alívio em um choro alto assim que a enfermeira de Manchester explicou que Rachel estava no hospital, tinha acabado de ser operada e passava bem, dadas as circunstâncias. Talvez pudesse ir para a casa em poucos dias.

– Obrigada – disse ela, soluçando, com as emoções à flor da pele. – Meu Deus, eu estava tão preocupada, muito obrigada, isso é maravilhoso. E, claro, vou contar às crianças. Posso buscá-la na semana que vem, sim, sem problemas.

Mesmo após desligar o telefone, as lágrimas não paravam de rolar. A ansiedade que tinha sentido e a noite em claro que havia passado a atingiram como um tsunami. Graças a Deus, pensou, enxugando os olhos e soluçando quando conseguiu se acalmar. Graças a Deus poderia olhar as crianças nos olhos ainda naquela tarde e dizer: "Vai ficar tudo bem. A mamãe está segura e volta para casa logo, logo."

Assoou o nariz e respirou fundo, tremendo. Rachel estava bastante machucada, segundo a enfermeira, e inspirava cuidados. A bolsa dela havia sido roubada, por isso eles não a identificaram imediatamente, e ela também tinha sofrido uma concussão. Coitada, parecia terrível. Mas ela estava viva, era o que importava, pensou Becca. Viva e se recuperando. Em breve ela estaria em casa, e tudo voltaria ao normal.

Tentando se recompor, enviou algumas mensagens no celular, para espalhar as boas-novas a todos. A primeira da lista era Mabel.

Acabei de saber que a sua mãe tá bem. Em Manchester, teve uma queda feia. Quebrou o pulso e a mandíbula, mas VAI FICAR BOA e voltar pra casa daqui a alguns dias. ☺ *bjs P.s.: por favor, venha direto pra casa hoje. Nada de agarração com o boy enquanto eu estiver aqui. Caso contrário, vou te dedurar. Entendido??!*

Depois ligou para a escola primária e falou com uma senhora simpática da secretaria – definitivamente não era a cretina da manhã, graças a Deus. A mulher prometeu que, é claro, diria a Scarlet e Luke que a mãe estava bem, os avisaria imediatamente. Perguntou se havia algo que a escola – ela fez uma pausa diplomática – deveria saber.

– Não – assegurou Becca, com firmeza. Sem dúvida já haveria fofoca suficiente sobre Rachel, graças a fulanas como aquela Sara horrorosa do outro lado da rua. Não queria botar mais lenha na fogueira. – Está tudo bem.

O celular de Becca vibrou com uma nova mensagem de texto assim que ela desligou. Era de Mabel.

Manchester??? Oi??? Como assim?!

Hummm, pensou Becca, franzindo a testa. A sobrinha estava certa. Ao ser engolida por uma enorme onda de alívio, Becca não havia prestado atenção naquele detalhe específico. O que Rachel estava fazendo em Manchester? Ela tinha acessado o site da Didsbury Library, mas Becca não fazia ideia do motivo. E era estranho que ela não mencionasse a viagem para Sara ou para a própria família.

Revirando o assunto na cabeça, perguntou-se se havia algum mistério naquilo. O pai delas era daquela região, é certo; talvez fosse um tipo de peregrinação inspirada pelo luto. Bom, saberia na semana seguinte, supôs.

Então enviou outra mensagem:

Meredith! Drama imenso no pedaço, mas acho que tá tudo bem agora. Devo voltar dentro de alguns dias, só pra você saber. Bjs

A resposta veio dois minutos depois:

Que tenso! Espero que todos estejam bem. P.S. *egoísta*: E O MEU DIADEMA? Brincadeira. Eu me viro. Bjs

Merda. O diadema – ou coroa, para as pessoas normais – era para um banquete medieval que Meredith tinha no sábado à noite, um grande evento em Rutland, para o qual ela vinha preparando um traje havia semanas. Após encenar vários papéis inferiores na Sociedade de Reconstituição Medieval – criada, camponesa etc. –, Meredith teria a honra de se vestir como uma das princesas. Ah, sim. Aquela com certeza era uma ocasião especial, e Becca ficou feliz quando a colega de apartamento pediu a ajuda dela com a joia. Pela primeira vez, desenterraria o ferro de solda e o kit de ourivesaria que estava no armário desde os inebriantes dias em que ela e Debbie comandavam um império empresarial. *E* Meredith disse que em troca pagaria a parte dela na conta de gás. Agora que estava desempregada, uma ajuda financeira viria a calhar.

Foi mal, esqueci. Deixa eu ver o que consigo fazer. Se eu puder, eu volto, digitou, perguntando-se se era a hora de contar a Lawrence o que estava acontecendo. Vamos ser honestos, ela devia tê-lo informado desde o início. Talvez ele pudesse ficar com as crianças no fim de semana. Falaria com Mabel primeiro, decidiu, bocejando em seguida. Meu Deus, estava exausta depois daquele turbilhão emocional. Podia tirar uma soneca antes de pegar as crianças. Só cinco minutinhos.

Com essa excelente ideia, esticou-se no sofá e fechou os olhos.

– É verdade? É verdade? – gritou Luke, correndo na direção de Becca, que esperava no parquinho barulhento em meio a um mar de pais e uma multidão de crianças segurando pinturas, lancheiras e construções tortuosas esquisitíssimas feitas com caixas de ovos e canudos.

Na pressa de ir até ela, ele abrira a porta da escola com um estrondo.

– A mamãe voltou? Ela está bem?

Becca o abraçou. Estava suada e desgrenhada depois de correr da casa à escola, já que dormira profundamente no sofá de Rachel e só tinha acordado com o barulho do jornal local caindo na caixa de correio.

– A mamãe vai ficar boa e volta na semana que vem – garantiu, sentindo o sobrinho amolecer aliviado em seus braços, antes de se recuperar e pular de alegria.

Scarlet também saiu do prédio sorrindo e abraçou Becca com força.

– A gente teve que ir à sala da Sra. Jenkins, que é a diretora. Foi ela que contou da mamãe. Ela deixou a gente comer os biscoitos dela, que eram bons pra cacete.

A menção aos biscoitos fez com que Luke engatilhasse outra pergunta:
– Você trouxe lanche? A mamãe sempre traz um lanche.
– Ah – disse Becca, assim que avistou Sara Fortescue do outro lado do parquinho. Lógico que um pote com o que pareciam ser palitos de cenoura crua e uvas se materializou nas mãos dela, enquanto tudo o que Becca tinha na bolsa eram o celular, as chaves sobressalentes de Rachel e um monte de lixo que ela estava para jogar fora havia seis meses. *Espere um segundo, talvez eu tenha...*
Esperançosa, remexeu a bolsa e retirou dela sua barra de chocolate Snickers emergencial, meio amassada e molenga, mas sem dúvida ainda deliciosa.
– Tcharam! – exclamou, triunfante, erguendo a barra no ar.
– Chocolate! – comemorou Luke, como se não acreditasse na própria sorte.
– Luke não pode comer isso – repreendeu Scarlet, enquanto Becca rasgava a embalagem e partia a barra ao meio.
– Ah, um pouco de chocolate não faz mal a ninguém – respondeu Becca, estendendo um pedaço pegajoso para cada um e sorrindo ao ver Luke engolir o dele com gosto.
Sério, Rachel tinha feito uma *lavagem cerebral* em Scarlet com toda aquela obsessão por comida saudável; era ridículo, o caminho mais curto para se criar um distúrbio alimentar.
– Além do mais... – começou.
– Não é isso, é que ele tem alergia a amendoim! – respondeu Scarlet, tentando arrancar o chocolate das mãos do irmão. – Luke! Cospe! Agora!
Ai, meu Deus. Ah, não. Merda!
– Luke, me desculpa! – Becca engoliu em seco, enquanto ele cuspia o chocolate mastigado no chão. Uma multidão havia se formado. *Vamos todos observar esta péssima tia para aprender como não se deve cuidar de crianças.*
– O que eu faço? – perguntou, em pânico.
Luke começou a chorar.
– Minha boca está estranha.
– Ele precisa de um EpiPen. A Sra. Keyes tem. Vem comigo – disse Scarlet, apressada, arrastando o irmão pela mão. – Não se preocupa, Luke.
– Leva ele para a secretaria – sugeriu uma mãe que estava por perto.
– Será que a gente deve chamar uma ambulância? – perguntou outra.
Becca voou atrás de Scarlet e Luke, sentindo-se péssima – temendo pela saúde do sobrinho e se corroendo de culpa pela irresponsabilidade invo-

77

luntária. Scarlet disse com todas as letras: *Luke não pode comer isso*, e ela ignorou completamente. *Inútil, Becca. Você é uma inútil!*

– A gente precisa de um EpiPen – disse, quando os três irromperam na secretaria.

Ah, ótimo. Inacreditável, a Sra. Keyes era justamente a secretária com quem ela havia falado mais cedo, a que parecia estar sentada em um formigueiro. Isso é que era carma.

– Você tem um EpiPen para o Luke? Por favor?

Felizmente, a Sra. Keyes sabia o que fazer. Em questão de segundos, abriu o gabinete de remédios, pegou um EpiPen e o cravou na perna de Luke com uma eficiência devastadora. De cabeça baixa, com um braço ao redor do garoto, que ainda estava soluçando, Becca jurou ali mesmo que nunca mais criticaria as secretárias de escola. No fim das contas, aquela foi uma verdadeira heroína.

– Me desculpa – disse, segurando-se para não chorar também. – Eu sou uma idiota, Luke, foi tudo minha culpa. E obrigada, senhora... Keyes, certo? Por ter sido tão rápida e ajudado a gente. – A voz dela tremeu. – Eu sou oficialmente a pior tia do mundo.

Talvez a Sra. Keyes já soubesse que Rachel estava no hospital ou talvez salvar a vida de um garotinho fosse o suficiente para amolecer seu coração. Quem sabe ela mesma tivesse sido uma péssima tia no passado. Não importava o motivo, o fato é que ela respondeu com benevolência em vez de crítica.

– Sem problema. Que bom que eu pude ajudar. Luke, quer um pirulito? Você foi tão corajoso.

– A gente deveria... quer dizer, ele pode? – perguntou Becca, hesitante, enquanto Luke fazia que sim com a cabeça, lágrimas ainda molhando os cílios escuros. – Será que ele precisa ir para o pronto-socorro...? – Ela comprimiu os lábios, ainda chocada. As coisas poderiam ter dado muito errado.

– Seria bom – respondeu a Sra. Keyes, pegando a bolsa e tirando dela as chaves do carro. – Eu levo vocês.

Foi como um pesadelo percorrer a curta distância até o hospital, chegar ao pronto-socorro, agradecer a Sra. Keyes pela ajuda e correr para dentro do prédio. O choque era tão grande quanto a culpa. Como ela pôde ser tão burra? *Acorda, idiota! Presta atenção! A vida dessas crianças está nas suas mãos!* Ela não estava à altura da responsabilidade, simples assim. Aliás, como alguém conseguia cuidar de crianças o dia inteiro todos os dias? Era assustador!

Vou voltar um pouco tarde para casa com S e L, escreveu para Mabel com falsa tranquilidade, sentindo-se uma hipócrita. *Vou chegar um pouco tarde porque praticamente matei o seu irmão* seria mais preciso, mas talvez ela não devesse dizer isso em uma mensagem de celular. *Espero que você tenha tido um bom dia. Te vejo em breve. Bjs*

O único consolo era que Luke e Scarlet pareciam ter passado por aquela situação inúmeras vezes. Quando entraram na sala de espera do setor pediátrico, os dois foram direto para uma imensa casa de bonecas no canto, como se ela já fosse familiar, e uma enfermeira até os cumprimentou pelo nome. Então obviamente aquela não fora a primeira ingestão acidental de amendoins. *Tomara que Rachel é que tenha pisado na bola das outras vezes*, desejou, mesmo aquele sendo um pensamento um tanto maléfico. Ainda assim, estava morrendo de medo de ter que admitir para a irmã o que havia acontecido. *Você fez o quê?! Você deu amendoim para ele?* Hum, talvez ela tivesse que guardar a confissão para quando Rachel estivesse recuperada. Tipo em uns seis meses; de preferência quando Becca já estivesse longe dali.

– Não fica se culpando – disse a médica, quando Luke foi examinado. Ela era mais jovem que Becca, bronzeada e forte, e parecia que nunca tinha cometido um erro na vida. Mas havia nela uma sinceridade gentil que era tranquilizadora. – Isso acontece o tempo todo. Você não é a primeira pessoa a passar por isso e não será a última. O mais importante é que agiu rápido, fez tudo certo, e este rapazinho está ótimo agora, não é mesmo?

Becca baixou a cabeça, sem querer admitir que na verdade Scarlet e a Sra. Keyes é que tinham feito tudo certo, não ela. Mas considerou aquilo uma baita sorte e aprendeu com a experiência. De agora em diante, comeria todas as barras de Snickers sozinha.

– Obrigada – disse, com a voz trêmula, e abraçou Luke. – Vamos para casa.

De volta, Becca ficou aliviada ao ver que Mabel não estava com o namorado – embora logo depois tenha notado um chupão no pescoço pálido da sobrinha. Que ótimo. Mas tinha energia para reclamar disso? Não hoje. Não. Fez vista grossa e disfarçou, fingindo que estava servindo copos de suco de laranja para todos. Os dois menores foram para o jardim, e Luke começou a saltar no pula-pula, feliz e saudável, enquanto Mabel se sentou na mesa da cozinha e deixou os sapatos da escola caírem no chão.

– Então, o que a mamãe estava fazendo em Manchester, afinal? – perguntou.

Pois é. Com tanto drama, Becca havia se esquecido completamente daquele detalhe misterioso.

– Manchester? Eu ia lhe perguntar a mesma coisa – respondeu. – Sua mãe tinha algum amigo lá ou... algum trabalho? – Ela hesitou, sem querer admitir que tinha xeretado o notebook. – Ela já comentou sobre a Didsbury Library com você?

Mabel não moveu um músculo do rosto.

– Não – disse a garota, brincando com uma pulseira de caveira no pulso. – De qualquer forma, não deve ser nada de trabalho. Você não soube? Ela foi demitida no ano passado. Quer dizer, o papai meio que fodeu tudo, parece. – Olhou Becca de soslaio, esperando ser repreendida pelo palavrão, e continuou: – Pensei a tarde inteira no que ela poderia estar fazendo lá. Ontem ela falou para a gente que tinha uma reunião, como se não fosse nada de mais. Mas o "trabalho" dela, como você diz, é só tentar convencer pessoas fora de forma a correr no parque, coisas assim. Ela não iria até *Manchester* para fazer isso.

Becca franziu o cenho, intrigada.

– Bom – concluiu, abrindo a geladeira e pensando no que preparar para o jantar –, acho que a gente vai descobrir quando ela voltar, certo? Enquanto isso, precisamos contar para o seu pai o que está acontecendo. Você tem o número dele?

Mabel localizou o contato no celular e passou o aparelho para Becca com os detalhes na tela.

– A gente ia mesmo para a casa da vovó galesa amanhã – avisou ela, dando de ombros. – É o fim de semana dele, então você pode simplesmente esperar.

Mas Becca já havia cometido erros demais com os Jacksons em um dia só. Por mais tentador que fosse evitar o cunhado por mais 24 horas, decidiu lidar logo com aquilo.

– Vou ligar para ele – respondeu, decidida, e respirou fundo.

O dia tinha sido longo e exaustivo e, naquela noite, assim que as crianças jantaram, tomaram banho e foram para a cama, Becca abriu a garrafa de vinho que parecia ser a mais barata da coleção da irmã, se serviu de uma taça imensa e desabou na espreguiçadeira do jardim. *E relaxou.* Meu Deus, como aquilo era bom. O vinho estava refrescante; a grama, fria e suave sob seus pés descalços; e o ar da noite, perfumado por um lilás próximo e pelas aveludadas rosas brancas em plena floração. Se um dia tivesse um jardim daqueles, ela jurou, nunca mais veria televisão; ficaria ali todas as noites, só respirando para esquecer as preocupações do dia e se maravilhando com a paz e o silêncio, observando como as cores do céu mudavam do azul para o pêssego e depois para o dourado.

Ela fechou os olhos e se recostou, ouvindo o som baixo de um irrigador de jardim próximo, o som de uma música abafada vinda de uma janela vizinha, o vento sussurrando através das árvores frondosas. Parecia que estava em Hereford havia muito mais tempo que um dia e uma noite. No dia seguinte, a esta hora, as crianças estariam longe, aos cuidados de Lawrence e da avó, e ela voltaria à vida real durante o fim de semana. Não passava uma sexta à noite sem trabalhar no pub havia tanto tempo que não sabia ao certo o que fazer.

Lawrence fora bem ríspido ao telefone, e ficou surpreso e até desconfiado quando atendeu. Depois metralhou uma série de perguntas: "Ela está onde? Em Manchester? Que diabos ela foi fazer lá?" Como se fosse culpa de Rachel parar no hospital, como se tivesse algo suspeito na história toda. "As crianças estão bem? Quer que eu vá aí?"

Argh, não, era a última coisa que ela queria. Becca falou que podia cuidar das crianças no dia seguinte e que imaginou que ele as buscaria no fim de semana. Decidiu não mencionar que também tinham ido parar na emergência naquela tarde e se despediu. Pronto.

O cansaço já tinha se abatido sobre ela quando o sol finalmente desapareceu no horizonte e o jardim foi banhado por sombras frias. Bebeu o resto do vinho, dobrou a espreguiçadeira, trancou a porta dos fundos e foi ver se todas as crianças estavam dormindo (sim), depois verificou se Luke estava definitivamente respirando (sim). Então, com a promessa silenciosa de lavar toda a roupa de cama no dia seguinte, se aninhou na imensa e confortável cama de Rachel e adormeceu em segundos.

Capítulo Catorze

Deitada na cama do hospital, Rachel não conseguia dormir por causa da dor constante na mandíbula. Por alguma razão, pegou-se pensando em como tudo aquilo havia começado, no dia em que eles conheceram Wendy.

Ironicamente, foi Rachel quem fez aquilo acontecer, que uniu os dois. Se ela não tivesse sido tão mimada ao insistir que queria encomendar um bolo de aniversário como suas duas melhores amigas, as coisas poderiam ter sido diferentes. Mas não, o bolo da última festa de aniversário de Julia Dobbs tinha formato de coelho e dentes de marshmallow, e o de Lorraine Browning era o Caco, dos Muppets, com uma incrível cobertura fondant de um verde berrante – e Rachel estava desesperada para não ficar para trás. "Por favor", implorou ao pai, juntando as mãos como se estivesse rezando. "Por favor, papai, posso?"

Terry era uma negação na cozinha (de alguma forma, os dois sobreviveram comendo almôndegas congeladas e gelatina em pó), e Rachel sabia que ele estava sempre tentando compensar a ausência da mãe, então não foi muito difícil persuadi-lo assim que começou a chorar. Lá foram eles até à confeitaria All You Knead da rua principal, inspirando os aromas celestiais de bolos, biscoitos de gengibre e rolinhos de salsicha, sem suspeitar que tudo estava prestes a mudar.

– A gente queria um bolo em formato de sapatilhas de balé, por favor – pediu o pai à confeiteira. – Para a próxima sexta. É o aniversário de 10 anos da minha filha.

A moça atrás do balcão tinha uma nuvem ruiva e cacheada na cabeça e uma mancha de farinha na bochecha. Até hoje, Rachel se lembra do jeito que ela sorriu ao ouvir as palavras de Terry.

– É seu aniversário? Não me diga! – exclamou ela. – Meu aniversário também é sexta. – Ela enrugou o nariz de um jeito engraçado enquanto olhava para Rachel. – É muito legal que as pessoas sempre soltam fogos no nosso aniversário, não é?

Foi simples assim. Uma coincidência, um mesmo aniversário com fogos de artifício, um pedido de bolo, um brilho nos olhos de Terry. A moça tentou falar com Rachel – "Então quer dizer que você é bailarina? Vai, rodopia para a gente!" –, mas ela ficou com vergonha e escondeu o rosto no corpo do pai, sem vontade de dançar ali, no meio da confeitaria. Se imaginasse o que estava por vir, é claro, o teria arrastado para fora do estabelecimento. Teria dito: *Sabe de uma coisa, papai, acho que prefiro um bolo comum. Vem, vamos embora.*

Mas já era tarde. Terry deixara um cheque, e a moça – Wendy – dera a ele um recibo por escrito.

– Você pode vir pegar na sexta de manhã – disse ela, com um sorriso brilhante.

– Sexta de manhã – repetiu Terry timidamente. – Bom, vou voltar com certeza, então. – Limpou a garganta, soando bastante estranho. – Você vai... Imagino que você não virá trabalhar neste dia, já que é seu aniversário, não é?

Wendy corou, e as bochechas ficaram tão rosadas quanto seu batom metalizado.

– Ah, vou estar por aqui. Eu espero vocês.

Então, a engrenagem começou a girar. Terry não mencionou mais o assunto a Rachel, mas, quando ela foi dormir naquela noite, ouviu o pai conversando com o amigo Pete, que havia passado por lá.

– Ela é muito bonita – disse ele, abrindo uma lata de Guinness. – E já faz muito tempo.

Enquanto Rachel se arrastava para a cama, um arrepio percorreu sua espinha. Enfiou os joelhos dentro da camisola, o sexto sentido enviando um alerta. *Perigo, perigo.* Mas não havia volta. A data estava marcada, os caminhos deles estavam convergindo. *Ela é muito bonita.*

Ao escutar o resto da conversa do pai com Pete naquele fim de semana, Rachel descobriu que Terry levara um buquê de flores quando foi pegar o bolo e convidara Wendy para tomar um café algum dia. Na semana seguinte, Sonia, a vizinha, foi convocada para tomar conta dela enquanto o pai e Wendy saíam para comer camarões-lagosta com batatas fritas e um sundae *knickerbocker glory* no Harvester. Antes que Rachel se desse conta, a dupla feliz "papai e eu" não existia mais, e ela se viu provando um vestido de dama de honra de tafetá verde-maçã (passou a odiar essa cor). "E adivinha?", indagou o pai a ela, radiante. "Wendy também tem uma filhinha, Rebecca. Você vai ter uma irmã!"

– Ah – murmurou Rachel, sem saber o que pensar. Sua amiga Julia tinha uma irmã mais nova, Tracey, que estava sempre reclamando, contando histórias e interrompendo as brincadeiras. Não sabia direito se queria uma irmã *ou* uma madrasta. Por que as coisas não podiam simplesmente voltar a ser como antes?

As pessoas fizeram um alvoroço tão grande no casamento – uma mamãe nova! Não era legal? Que garota de sorte! – e, para ser honesta, Rachel gostou da dança, do bufê e de ganhar uma pulseira de prata especial como presente de dama de honra. Mas de repente se ouviu um imenso clamor, e o pai e Wendy estavam saindo em lua de mel, sem ela. Não parecia certo ter que ficar ali de pé, no meio da multidão, mal conseguindo ver os dois irem embora no carro do pai. Alguém havia amarrado latas na traseira do automóvel, e todos riam com o barulho que elas faziam, chacoalhando pela rua. "Fica tranquila, garota", falou a vizinha Sonia, abraçando-a. "Você vai ficar comigo. Eles vão voltar rapidinho."

Sonia estava certa. O pai e Wendy *voltaram* antes do esperado – na verdade, já no dia seguinte. Infelizmente para Rachel, porém, o retorno foi antecipado pelo motivo errado.

– Olá, está tudo bem? – perguntou a enfermeira, abrindo as cortinas ao redor da cama de Rachel e vendo que ela ainda estava acordada.

Rachel nem tinha percebido que estava chorando de novo até a enfermeira se inclinar sobre ela e gentilmente secar suas lágrimas com um lenço de papel.

– Você quer alguma coisa? Água? Está com dor?

Essa enfermeira era mais velha e mais matrona que as outras que cuidaram dela, tinha o cabelo curto e grisalho e doces olhos castanhos. É a mãe de alguém, imaginou Rachel, enquanto a mulher fazia verificações e recarregava o analgésico; talvez até avó. Como ela queria ter uma mãe a quem abraçar agora! Uma mãe para fazer cafuné no cabelo dela e lhe dar um copo d'água, que dissesse que tudo ficaria bem!

– Tenta dormir – aconselhou a enfermeira, ajeitando as cobertas e dando um tapinha afetuoso no ombro de Rachel. – Isso, olhos fechados. Você passou por maus bocados, não foi, querida? Mas as coisas vão melhorar amanhã. Sempre melhoram.

– Obrigada – murmurou Rachel.

Permaneceu imóvel até ouvir a cortina fechar e a enfermeira passar para o próximo paciente. *As coisas vão melhorar amanhã*, repetiu para si mesma. Tomara que sim.

Capítulo Quinze

Na manhã seguinte, Becca já estava mais acostumada à rotina da semana e até lembrou que Scarlet tinha aula de violino cedo. Café da manhã, uniformes, merendas para o almoço, sair de casa, abraços de despedida no portão da escola... e RESPIRAR. *Boa, Becca*, pensou, se parabenizando por aquela proeza, que exigia perspicácia e resistência. *Medalha de ouro para você*. Hoje seria um dia melhor, ah, com certeza.

Só ao voltar para casa se lembrou, com terrível desamparo, da promessa precipitada que havia feito no dia anterior a Adam, o cliente rabugento de Rachel que deixara todas aquelas mensagens furiosas na secretária eletrônica. *Ah, merda. Merda, merda, merda.* Ela só podia estar fora de si quando se ofereceu para substituir a irmã. Por que foi falar uma coisa tão idiota? E por que, pensou, proferindo palavrões e xingamentos, não conseguia encontrar o papel em que tinha anotado a droga do telefone dele, para ligar e cancelar? Poderia ao menos ter mencionado, no dia anterior, que não era de forma alguma uma personal trainer; com certeza deveria ter oferecido a ele um reembolso ou um desconto imenso. Na hora, simplesmente imaginou que Rachel já estaria de volta e poderia retomar todos os seus compromissos. Mas não foi o que aconteceu.

Tinha marcado às dez horas, e já eram quinze para as nove. Era risível quanto estava despreparada para treinar qualquer ser humano. Becca e Debbie tinham um DVD de Davina McCall, comprado por uma delas em um ataque de motivação de início de ano, e ao qual assistiram dando uns pulos umas poucas vezes antes de assumir que preferiam ir para o pub. Antes disso, quando Becca tinha 20 e poucos anos, a mãe implorou que ela a acompanhasse em umas aulas de aeróbica, e ela se lembrava vagamente de ter feito step, movimentos de hip-hop e polichinelos desafiadores no vestíbulo de uma igreja que cheirava a giz. Mas se esse Adam tivesse a metade da agressividade que parecia ter, soltaria uma gargalhada quando ela começasse a demonstrar os exercícios de Davina ou fazer step para ele.

As bochechas dela queimaram diante do pensamento, e Becca desejou com força nunca ter feito aquela proposta imbecil. A linguaruda atacava novamente. Quando aprenderia a pensar antes de falar?

Ah, que se dane também: tinha que lidar com aquilo, já que não conseguia encontrar o telefone dele. Não podia deixá-lo esperando de novo e depois ouvir aquela ladainha mais uma vez. Ele dispensaria Rachel e exigiria o dinheiro de volta, e ela perderia o cliente. Becca já havia falhado demais como substituta da irmã – precisava dar o seu melhor agora.

Ligou o notebook e digitou "exercícios de *boot camp*" no Google, com um suspiro. Se tinha que fazer aquilo – e não parecia ter escolha –, então que ao menos estivesse preparada.

Uma hora depois, ela havia montado um aquecimento rigoroso, traçado um plano de corrida para ele e praticado alguns exercícios de alongamento para fechar. Pegou muita coisa de um site criado por um ex-fuzileiro da Marinha Real Britânica e, se aquilo não fosse bom o suficiente para o cliente de Rachel, então ela não sabia o que seria. *Prepare-se para eliminar todo este mau humor suando, meu caro Adam*, pensou, anotando a programação com um floreio.

Obviamente, ela não conseguiria acompanhá-lo na corrida, nos polichinelos e nas flexões – estava tão fora de forma que às vezes ficava sem fôlego só de subir os três lances de escada até seu apartamento –, mas já havia pensado nisso. O plano era pegar a bicicleta de Rachel emprestada e ir pedalando ao lado dele, gritando palavras de incentivo de vez em quando, fingindo avaliar o desempenho dele no resto do tempo. Tinha encontrado um app de cronômetro no celular e tudo. *Mais rápido*, gritaria. *Não para! Joelhos para CIMA!*

Becca, imaginou-o dizendo admirado ao se despedir, ele ainda sem fôlego, ela silenciosamente triunfante: *Você pensou em tudo. Treino incrível. Obrigado!*

Até Rachel ficaria satisfeita quando soubesse o que ela fizera. Pela primeira vez. *Uau, excelente iniciativa, Becca. Obrigada, Becca. Você é incrível, Becca.*

Tudo bem, talvez ela estivesse forçando a barra, mas por que não? A pancada na cabeça pode ter exterminado um pouco da frieza com que Rachel a tratava. Vai saber.

Um pouco depois, pedalando pela cidade com a bicicleta um pouco grande demais de Rachel, Becca teve um sentimento inesperado de *joie de vivre*. Fazia séculos que não andava de bicicleta e, embora tivesse vacilado um pouco no início, acabou encontrando um ritmo natural, sentindo suas pernas trabalhando nos pedais e o sol quente nos braços nus. Aquilo a fez se sentir forte e feliz de estar no mundo. Sim! Uma onda de endorfina! Deveria fazer aquilo com mais frequência. Tipo... sempre, na verdade. O problema era que a bicicleta dela tinha sido roubada uns quatro anos antes, e... bom, ela estava a apenas duas estações de trem de New Street, e a pessoa tinha que ser um maníaco suicida para pedalar pelo anel viário de Birmingham só por diversão.

Não importa: estava se divertindo agora, e isso bastava. O cabelo dela voava por baixo do capacete suado quando ela passou pelo terreno da magnífica catedral e sorriu para si mesma, sem se importar que as coxas roliças balançassem no short emprestado. E daí? Que balancem, quem liga? Era uma bela manhã, as árvores estavam frondosas e o ar cheirava a asfalto quente e rosas florescendo. Eram cheiros diferentes dos que tinha em casa: diesel e esgoto, além do restaurante de kebab ao lado de seu prédio.

Eles marcaram de se encontrar no Bishop's Meadow, que o aplicativo de mapas informou ficar perto do rio, e ela estava começando a ficar, se não confiante, um pouco menos apavorada. Ao cruzar o rio atravessando uma antiga ponte de pedra, procurou com os olhos o parque que havia visto no mapa. Virando à esquerda, viu quadras de tênis e uma espécie de prédio comercial, além do rio largo e sereno mais uma vez. Avistou um cara de camiseta larga e short de ciclismo digitando no celular no início da orla. Ahh... Será que era ele? Becca notou que ele calçava tênis branquíssimos, o que era típico de um novato da malhação. Ei, só os iguais se reconhecem.

– Adam? – perguntou, levantando a perna de forma deselegante para descer da bicicleta e caminhar até ele. Soltou o capacete e passou a mão pelo cabelo, torcendo para que não estivesse muito arrepiado. – Oi, sou Becca, irmã da Rachel!

Ela abriu um sorriso charmoso, como se dissesse "Prepare-se!", mas só encontrou descrença no olhar que ele deu como resposta. Descrença e... bem, decepção, se não estava enganada.

– Você só pode estar brincando – disse ele, enfático, balançando a cabeça. – Sem querer ofender, mas... – Ele riu, embora não parecesse estar achando graça. – Olha, não foi para isso que eu paguei.

Becca parou de maneira abrupta, a mão que havia estendido amigavelmente pendendo na lateral do corpo de novo. Por experiência, sabia que sempre que as pessoas diziam "sem querer ofender", era quase certo que iriam ofender. E muito.

– Como assim? – Droga, isso soou meio agressivo. – Olha, eu deveria ter dito que podemos dar um desconto de cinquenta por cento no treino de hoje, se...

Mas ele não quis ouvir.

– Não quero ser grosseiro... – começou a dizer, sem jeito, o olhar flutuando para todos os lugares, menos para o rosto dela.

Becca afundou em desgosto. Errado! Ele estava prestes a ser grosseiro.

– Mas eu me inscrevi em um *programa de fitness*? Feito por uma *especialista*? – Fez uma pausa para dar mais impacto, caso ela tivesse alguma ilusão de que poderia ser considerada uma especialista. (Não tinha.) – Ela ter mandado você no lugar dela... Desculpa, mas não vai dar. Não vai rolar.

O rosto de Becca queimava com os insultos implícitos naquelas palavras. Era porque ela era mais gorda que Rachel, pensou, ofendida. Mais gorda, com o rosto vermelho, o cabelo cheio de frizz e roupas emprestadas e pouco justas demais. Ele olhou uma vez e a descartou. *Desculpa, não vai rolar. Não vai rolar com você*. Não deu nem uma chance a ela!

O cliente tem sempre razão, lembrou-se das palavras do pai e tentou manter a calma.

– Eu preparei um treino completo – disse entre dentes, tirando o plano de exercícios do bolso. – De nada mais, nada menos que um ex-fuzileiro da Marinha Real Britânica! E já que estamos aqui, podemos tentar, ver como você se sai.

Só que ele balançou a cabeça de novo. *Não vou receber ordens de você, gorducha* – estava estampado na cara dele.

– Não vai dar. Olha, sem querer ofender, mas...

Becca pensou, deprimida, que um "sem querer ofender" teria sido suficiente. Ele também não era nenhum Mo Farah com aquela camiseta larga e aqueles tênis novinhos, não é?

– Bom, eu estou ofendida, sim – deixou escapar. – Escuta o que você está dizendo, amigo. Você está sendo grosseiro pra cacete, sabia? E eu só queria ajudar.

Sem conseguir se conter, amassou o papel com o plano de exercícios e jogou na cara dele, montou na bicicleta e pedalou para longe o mais rápido que pôde, com o nariz empinado. Foi tudo o que conseguiu fazer para não virar para trás e berrar um "Vai se ferrar!", já que os pulmões estavam comprimidos pela explosão do exercício e, para a sorte dele, ela não tinha fôlego para mais nada. *Como ele se atreve? Como ele se atreve? Babaca ignorante, sem charme e mal-educado. Animal. Imbecil!*

Seu coração, tão alegre segundos antes, batia forte contra a caixa torácica, criando uma tatuagem de dor. Ok, ela estava mesmo um tanto rechonchuda. Concordava que não era um exemplo de boa saúde e forma física à primeira vista; tampouco tinha o corpo de uma personal trainer padrão. Mas ele podia ter lhe dado uma chance, não? Podia ter sido mais condescendente ou pelo menos educado!

As lágrimas lhe ardiam os olhos enquanto ela pedalava junto ao rio, sem saber ao certo aonde ia. Odiava quando as pessoas julgavam o corpo das outras – você podia ser a melhor pessoa do mundo, mas ainda assim ser descartada com um simples olhar de cima a baixo só porque estava um pouco gordinha. Era tão grosseiro. Tão injusto!

Pedalando mais rápido, piscou para secar as lágrimas, não querendo pensar mais naquilo. Não. Não iria chorar por causa daquele Adam mesquinho e julgador. Tampouco pedalaria até a confeitaria mais próxima para se empanturrar de bombas de chocolate, como Wendy a teria aconselhado (*calórico, mas delicioso!*). Em vez disso, manteria a cabeça erguida, se recusaria a se sentir mal e voltaria para a casa de Rachel o mais rápido possível.

Enquanto isso, Adam Holland podia muito bem dar no pé. Literalmente. Sem ela.

Capítulo Dezesseis

Ironicamente, Rachel estava ansiosa para ficar com a vizinha Sonia enquanto Wendy e o pai passavam a lua de mel em Dorset. Sonia tinha um cabelo louro platinado, passava muito batom e usava suéteres justos como a Barbara Windsor, além de ter uma risada meio travessa. Uma vez atendeu a porta para Terry vestindo uma camisola de cetim preta e pantufas de pompom rosa. O pai corou e desviou o olhar, mas ela deu uma risadinha tapando a boca e falou "Ops! Sem espiar, Tel", depois piscou para Rachel como se não desse a mínima.

Todas as vezes que Sonia foi babá de Rachel, levou biscoitos Pop-Tarts, e elas assistiram *Coronation Street* juntas. Mas naquela vez elas estavam na casa de Sonia, do outro lado da parede contígua, e não mais sozinhas. Também havia Frank, o novo namorado de Sonia, que tinha cara de mau e um cheiro azedo que a Rachel adulta aprenderia a associar aos homens que bebiam demais. Na noite do casamento, enquanto Wendy e o pai estavam em um hotel, a quilômetros de distância, Rachel acordou no pequeno quarto de hóspedes branco de Sonia e viu Frank sentado na beirada da cama, o cheiro do cigarro dele a cobrindo como uma película de poeira, grudando no fundo da garganta dela enquanto ele se debruçava sobre ela no escuro. "Ssshh", sussurrou, escorregando a mão pela coxa dela sob as cobertas, enquanto ela se encolhia contra o travesseiro, confusa e assustada. "Ssshhh."

Quase trinta anos depois, a lembrança ainda a fazia estremecer, e ela afastou as imagens da cabeça com violência quando sentiu o medo e a náusea voltarem. *Não*. Não pense nisso. Coloque essa tampa de volta, tranque tudo. Era assim que sempre lidava com o pavor: enterrando tão fundo as lembranças que elas raramente podiam ser acessadas. "Poderia ter sido pior", dissera uma vez a uma terapeuta, ao contar a história pela primeira vez. Ela teve depressão pós-parto quando Scarlet nasceu e ia uma vez por semana a uma clínica para conversar com uma mulher gentil e calma sobre seus sentimentos. Havia algo naquela silenciosa sala cor de lavanda e no olhar calculado da terapeuta que inspirava confiança. "Quer dizer, eu me sinto uma fraude só de contar isso para você. Ele não me estuprou. Ele não enfiou a língua na minha boca – nem nenhuma outra coisa em nenhum outro lugar. Ele só foi até meu quarto e colocou a mão na minha perna por baixo da coberta. Foi só isso. Não me machucou de verdade. É só que..." Ela abaixou a cabeça. "De alguma forma, o choque foi suficiente para me fazer sentir muito mal. Suja. Como se fosse minha culpa."

A terapeuta era mais velha, tinha fios grisalhos nos volumosos cabelos castanhos, e falou em uma voz lenta e suave: "As crianças ficam muito confusas quando os adultos se comportam de maneira inesperada. E os sentimentos que isso provocou provavelmente vieram à tona porque agora você tem duas filhinhas e..."

Era isso. Aquele era o problema. "E se alguém se atrevesse a fazer isso com uma das minhas filhas, eu ia querer matar", explodiu Rachel imediatamente, os punhos cerrados no colo.

A terapeuta aquiesceu, com olhos compreensivos. "Mas não foi culpa sua", disse ela, inclinando-se para a frente e falando com uma firmeza pouco usual. "Não foi culpa sua, Rachel, ok?"

O incidente acabou em questão de minutos, graças a Deus. Ela não obedeceu ao "sssshh" de Frank, gritando o nome de Sonia em vez disso, que veio correndo, com os peitos balançando dentro da camisola, e o botou para fora de casa. *Poderia ter sido pior*, repetia Rachel para si mesma cada vez que a mente voltava ao episódio; como se isso tornasse as coisas melhores. Mas, na época, foi como se uma fissura tivesse sido aberta na infância dela, como se a camada de proteção ao redor dela fosse rompida, expondo uma verdade horrível: os adultos podiam ser imprevisíveis, perigosos e assustadores. Depois disso, não havia mais volta, não dava para esquecer, remendar ou substituir aquela camada de proteção; ela fora destruída para sempre.

Rachel soluçou sem parar com as mãos no rosto, recusando-se a olhar para Sonia, chorando convulsivamente, chamando o pai. Chorou a noite inteira e o dia seguinte inteiro também, ainda que Frank já estivesse fora de cena havia muito tempo, até que Sonia, desesperada – e, a Rachel adulta entendia, sentindo-se culpada –, conseguiu localizar os recém-casados e persuadi-los a voltar. Não, ela não explicou o motivo de Rachel estar tão chateada. Nem Rachel. Ela guardou aquilo a sete chaves, recusando-se a dizer o que havia acontecido, direcionando os sentimentos agressivos a Wendy e a culpando pela triste história.

É claro que Wendy, por sua vez, nunca perdoou Rachel. A madrasta não disse muita coisa na frente dela, mas Rachel uma vez a ouviu falar ao telefone com uma amiga, choramingando sobre como eles tiveram que interromper a lua de mel porque "a 'princesinha' fez um escarcéu, enquanto Becky ficou na casa da minha mãe, comportadíssima!". Para Rachel, que tinha sentado na escada para escutar a conversa, aquelas palavras eram como facas atravessando seu peito. Até hoje lembrava como se recostou na parede, sentindo aquela injustiça correr no seu sangue.

Um escarcéu, com certeza. Um *escarcéu*. Os dedos duros do homem explorando a perna macia dela, o peso aterrorizante dele na cama, o cheiro de cigarro que Rachel jurava ainda sentir no cabelo semanas depois... ela não chamaria aquilo de *escarcéu*. Mas como poderia se defender sem causar problemas a Sonia?

E eles não acreditariam nela mesmo. Aquilo acabaria sendo culpa dela, uma reação exagerada (talvez fosse culpa dela, afinal, pensou com tristeza).

Depois disso, o mal estava feito. Rachel era uma boa menina e tentava gostar de Wendy, ficar feliz pelo pai; mas o incidente havia estragado tudo, deixado uma mancha na superfície, de modo que ela sempre se sentia suja e envergonhada quando pensava no casamento do pai. E nenhum bolo com cobertura ou pãozinho da confeitaria mudariam isso.

– Bom dia! Como estamos hoje?

Rachel foi arrancada de suas lembranças com a chegada da médica – uma mulher sardenta com sotaque australiano e gestos enérgicos, acompanhada pelo que parecia ser um bando de estudantes de medicina. Rachel estava exausta e com o cabelo ensebado, machucada e dolorida, mas se forçou a sentar. *Sou uma sobrevivente*, lembrou.

– Estou bem – grunhiu.

Capítulo Dezessete

De volta à casa de Rachel após o desastroso encontro com Adam, Becca se jogou no macio sofá bege, enfiou o rosto no estofado, soltando um grito de raiva, e socou o assento de espuma várias vezes, como uma criança. *Idiota. Horroroso. Grosseiro. Estúpido. Babaca!*

Depois do último soco, preparou dois sanduíches de ovos fritos com molho inglês e uma xícara de chá fortíssimo. Ajudou.

O telefone tocou quando ela estava lavando a frigideira e se perguntando o que iria fazer no resto do dia. Secando as mãos no short de ciclismo – o short de ciclismo de Rachel –, atendeu:

– Alô?

– Alô, é Rachel? Meu nome é Michael Jones, recebi seu panfleto e...

Ai, meu Deus, era o senhor galês do dia anterior. Aquele que queria que Rachel o ensinasse a fazer ensopado irlandês. Becca o interrompeu antes que ele contasse a história toda de novo.

– Oi, Michael – disse, educadamente. – A gente se falou ontem. É a Becca. A irmã da Rachel. Infelizmente, ela está no hospital, então...

– Ah, sinto muito – respondeu. Fez uma pausa. – Não é um lugar muito agradável, o hospital, eu sei.

Ele devia estar pensando na esposa, deduziu, lembrando que ele havia mencionado a morte dela.

– Pois é – comentou, com pena dele.

Então, por algum motivo, talvez porque o timbre suave da voz dele a fizesse se lembrar do pai ou porque ela própria estivesse um pouco sensível naquele momento, ou simplesmente porque o resto do dia estava à espera, vazio, e ela não tinha nada melhor para fazer, acabou dizendo:

– Mas eu sei fazer ensopado irlandês. Posso ensinar.

Ele ficou encantado.

– Seria muito gentil da sua parte. E quanto você cobraria?

Quanto ela *cobraria*? Becca ficou confusa por um momento. A parte dela que morria de saudades do pai queria deixar a questão de lado, dizer a ele que não cobraria, que ele não precisava se preocupar com isso. Mas estava desempregada e sem grana, lembrou a seguir. Então a parte sem grana respondeu, vacilante:

– Vinte pratas?

– Maravilha! Quando você pode vir?

Por volta do meio-dia, estava batendo à porta de Michael Jones. Embora cozinhar não fosse exatamente parte do novo plano de negócios da irmã, Becca havia trabalhando na cozinha de um pub por tempo suficiente para aprender algumas receitas, e considerava seu ensopado digno o suficiente. Além disso, a solidão na voz do velho tocou seu coração. Então ali estava ela, segurando um pacote de carne de cordeiro, batatas, cebolas e cenouras. Gostava de pensar que, caso seu pai estivesse em uma situação parecida, viúvo e solitário, alguém teria feito o mesmo por ele.

Michael Jones era alto, embora fosse um pouco encurvado, com cabelo branco ralo e simpáticos olhos castanhos que brilhavam através dos óculos de armação marrom. Devia ter 70 e poucos anos, imaginou, mas era bem-disposto e magro; definitivamente não era o tipo de pessoa que, uma vez aposentada, afundaria em uma poltrona e nunca mais se levantaria.

O endereço que ele deu era de um pequeno bangalô perto do hipódromo – um bangalô que já tinha visto dias melhores, pensou Becca ao segui-lo porta adentro. A solitária lâmpada do corredor estava pendurada por um fio, o papel de parede era marrom e descascado nas bordas, o carpete tinha algumas manchas e havia pilhas de coisas em todos os lugares: sacolas com jornais velhos, vasos de plantas ressecadas e empoeiradas, torres de livros tortuosas e instáveis no chão... *Becca, o que você está fazendo aqui?*, perguntou-se, percebendo com um súbito mal-estar que, a despeito dos sorrisos simpáticos, Michael Jones poderia muito bem ser uma espécie de psicopata com fetiche em ensopados. Mas, enquanto ela o seguia até os fundos da casa, notou um rasgo na costura do ombro do suéter dele e se repreendeu pela imaginação fértil. Ele era apenas um senhor solitário, só isso, um tanto largado desde a morte da esposa.

Além disso, pensou, mesmo se ele *fosse* um serial killer, ela ainda estava um pouco inflamada após o encontro com Adam mais cedo. Ele não teria chance com ela.

– A cozinha é aqui – disse Michael. Assim como os outros, o cômodo também era desorganizado e entulhado, com louça empilhada nas bancadas e o que pareciam ser as partes de um trombone espalhadas em um jornal sobre a mesa. – Está um pouco bagunçado, mas é que eu sou sozinho, sabe. Eu não ligo muito hoje em dia.

– Faz sentido – concordou Becca, tentando não comparar o ambiente com a cozinha da mãe.

Wendy também estava sozinha agora, mas havia ido na direção oposta, consolando-se com o uso frenético do aspirador de pó ou com faxinas rigorosas. Só de pisar na casa dela, você tomava um banho de desengordurante.

Becca avistou uma caneca do Calvin e Haroldo no escorredor de pratos e concluiu que estava segura. Ninguém que gostasse de Calvin e Haroldo poderia ser ruim.

– Então... ensopado irlandês. Eu trouxe os ingredientes de que vamos precisar e imprimi uma boa receita. Vamos começar?

Michael teve uma vida e tanto, descobriu enquanto mostrava a ele como cortar o cordeiro em peças e descascar as batatas. Ele era músico, havia tocado trombone baixo na orquestra da Ópera Nacional Galesa durante muitos anos na juventude, antes de finalmente pendurar o fraque para ensinar o instrumento em aulas particulares e escolas. Ele ainda tocava em uma banda com uns amigos ("Os Malas, esse é o nome do nosso grupo", contou), mas, fora isso, parecia levar uma vida solitária. Com um aperto no peito, Becca notou que havia lembranças da esposa em todos os cantos: fotos dela emolduradas na parede, um avental pendurado em um cabide com a frase "A melhor vovó do mundo", um par de galochas floridas que aparecia de relance através da porta entreaberta de um armário.

– Sua família mora por perto? – perguntou ela, apontando para o avental enquanto colocava as batatas descascadas e cortadas em um prato com água fria, para evitar que escurecessem.

– Austrália – respondeu ele, o brilho dos olhos vacilando por um segundo. – Nossa filha, Shona, se mudou para lá há doze anos e tem duas meninas. – As mãos dele tremeram segurando a cenoura que tentava descascar, e ele abriu um sorriso triste. – Então, *por perto* não, infelizmente. Eles vêm a cada dois anos, mais ou menos, e Danno, um dos caras da banda, me ensinou a usar o Skype, mas não é igual a ver pessoalmente, sabe? Não é a mesma coisa.

– Não mesmo – concordou Becca.

Pensou na mãe, Wendy, que morava na mesma cidade, a uma hora de distância, e com quem ela falava quase todos os dias. Elas tiveram seus arranca-rabos no passado – as duas não tinham "cabelos de fogo" à toa –, mas estavam sempre presentes uma na vida da outra. Era isso que importava.

Como tinham pouco tempo, Becca usou um cubo de caldo de carne, mas mostrou a Michael as instruções no início da receita que explicavam como fazer uma versão caseira, caso ele quisesse tentar depois. A julgar pela coleção de livros de culinária meio gastos acumulando poeira em uma prateleira acima da cabeça deles e pela gaveta de utensílios completa, a esposa de Michael era o tipo de cozinheira que seguia as receitas do início ao fim, usando até as panelas corretas.

– Ela adorava cozinhar, minha Christine – confirmou Michael quando Becca quis saber. – Ah, adorava. Fazia um pão lindo, leve como uma pluma. E um assado maravilhoso aos domingos.

Havia tanta saudade na voz dele que Becca ficou triste. Ela se perguntou se um dia algum homem falaria dela com tanto amor e com lágrimas brilhando nos olhos. Não tivera muita sorte no amor até então.

Foi como se pudesse ler a mente dela, porque ele perguntou, do nada:

– E você, hein? Tem um namorado bacana? Aposto que um monte de rapazes faz fila para ficar com você, não é? Deve ter uma penca de admiradores correndo atrás!

– Rá – respondeu, meio sem graça. – Não exatamente. Nem um pouco, na verdade.

Ultimamente, Becca parecia ter empacado no quesito romance. Houve uma época em que se considerava uma pessoa passional, inconsequente e impulsiva, que se apaixonava e desapaixonava como quem troca de roupa. Mas recentemente parecia que tinha esquecido como fazer isso, era como se aquela sua centelha impetuosa tivesse se apagado. *Meu coração congelou*, pensara algumas vezes, perguntando-se como alguém poderia descongelá-lo.

– Ah, não me venha com essa – provocou Michael. – Com esse cabelo e essas covinhas? Impossível. Os caras que você conhece só podem ser malucos. Malucos, posso garantir!

– Vai ver é isso – disse ela, rindo.

Depois que o ensopado foi para o forno, ela pediu que Michael tocasse uma música. Ele pegou o trombone imediatamente e fez uma rápida apresentação para ela, ali na cozinha mesmo. Becca sempre considerou o trombone um instrumento meio cômico, mas Michael tocou de maneira tão emocionante, e logo depois tão alegre, que a música lhe deu arrepios.

– Isso foi lindo – elogiou no fim, meio tímida.

Ele sorriu para ela e deu um tapinha carinhoso no trombone.

– É o que me ajuda a seguir em frente – respondeu. – Nada melhor que uma boa e velha melodia para levantar o ânimo.

– Bom, você com certeza levantou o meu – comentou ela.

E era verdade mesmo. Após o conturbado início do dia com Adam, a tarde lhe restaurou um pouco de fé na humanidade, a fez gostar muito mais do mundo. Além disso, havia algo em Michael que lhe lembrava o pai, o que era reconfortante.

– É melhor eu ir agora, mas espero que o ensopado tenha ficado uma delícia. O cheiro está maravilhoso.

– Tenho certeza de que vou adorar – assegurou. – Você é uma excelente professora. – Ele a levou até a porta da frente e em seguida puxou uma nota de 20 libras de uma velha carteira marrom, que colocou na mão dela. – Aqui. Será que você pode vir outra vez? Você poderia me ensinar a preparar uma torta de melaço. É a minha preferida.

– Ahh – murmurou Becca. – O problema é que eu moro em Birmingham. Só vim cuidar dos filhos da minha irmã por uns dias enquanto ela está fora. – Ela hesitou, prestes a dizer que Rachel entraria em contato para marcar uma nova aula de culinária, mas se conteve. Melhor não. – Desculpa – acrescentou, sentindo-se mal ao ver o olhar decepcionado de Michael.

– Que pena. – Ele estendeu a mão solenemente, e ela retribuiu o cumprimento. – Mas foi muito bom conhecer você, Becca. Obrigado por ensinar um novo truque a um cachorro velho, como dizem. Vou me deliciar com meu ensopado, tenho certeza. Acho que até vou convidar a banda para jantar aqui uma noite.

– Que ótimo – disse ela, sorrindo. – Obrigada pelo pagamento e pelo concerto. Também gostei muito de conhecê-lo. Cuide-se, Michael. Tchau.

E enquanto caminhava pela rua, sentiu que talvez tivesse feito algo de bom, para variar.

Capítulo Dezoito

– Então, o que a trouxe a Manchester? – A enfermeira loura tinha voltado naquele dia e apareceu para trocar um dos curativos do rosto dela. Rachel sentiu seu perfume quando ela se aproximou.

O que a trouxera a Manchester? Ah, boa pergunta.

– Eu estava procurando uma pessoa que conheceu a minha mãe – respondeu, após um instante.

Os ferros na mandíbula faziam a voz soar tão abafada e indistinta que ela sempre se interrompia, chocada. *Sou eu quem está falando mesmo?*

– Sua mãe? Ah. Certo.

A enfermeira estava ocupada removendo o esparadrapo que mantinha o novo curativo no lugar, mas Rachel percebeu um tom de surpresa na voz dela. Sem dúvida ela esperava uma resposta um pouco mais alegre – *vim visitar uma amiga; fazer compras; passar um dia na cidade grande!*

– É uma longa história – murmurou Rachel, na esperança de evitar outras perguntas.

Não entraria naquele assunto agora de jeito nenhum. Por onde começar?

Por Violet Pewsey, era ali que a história começava, supôs.

Violet Pewsey estava no enterro do pai, com suas clavículas e cotovelos nodosos, vestido verde-sálvia e chapéu de feltro flexível combinando, quando caminhou em direção a Rachel, passando direto pelos sanduíches de ovo empilhados e tigelas de batatas fritas do bufê.

"Eu conheci seus pais. Seu pai já... falou de mim?"

Um ano e um mês depois, Rachel ainda se lembrava daquele perfume enjoativo misturado a naftalina, do toque dos dedos enrugados da mulher, quase translúcidos, segurando seu braço. E, ah, de como o coração dela acelerou com uma alegria tola ao ouvir aquelas palavras. *Eu conheci seus pais* – no plural. Não apenas o pai. A mãe também. A família de Terry respondia sempre de maneira ríspida e taciturna quando alguém falava de Emily. A morte era uma vergonha; as emoções deviam ser escondidas. Quando Rachel chegou à adolescência e começou a disparar perguntas, todos os Durants já estavam mortos e enterrados, portanto não podiam compartilhar com ela as lembranças da mãe. Ninguém nunca contou nada a ela.

"Você conheceu a minha mãe?" A sala encolheu, as pessoas vestidas de preto pareceram recuar, até o odor dos sanduíches de ovo se tornou uma memória distante. A esperança cresceu dentro de Rachel; ela ficou tonta com aquele presente inesperado em um dia tão triste.

"Só pelo seu pai. Eu estava com ele, sabe. Com Terry. Quando tudo aconteceu. Ficamos juntos até..." Ela suspirou, exalando várias décadas de melancolia de uma só vez. Havia um ar de derrota em Violet Pewsey, a despeito do alegre batom rosa que ela usava nos lábios finos. "Bom, você sabe, até o julgamento", disse ela, um tanto sem jeito, desviando o olhar para longe e bebendo um gole de xerez. E então perguntou, com uma mal disfarçada esperança: "Ele alguma vez falou de mim, o seu pai?"

"Hum..." Rachel olhou fixamente para a mulher, ainda pensando na palavra inesperada. O *julgamento*? Sobre o lábio superior de Violet, uma gota de suor brilhava como uma lantejoula. "Não lembro", conseguiu responder, antes de deixar escapar: "Como assim, o julgamento?"

Violet piscou, surpresa. Sua boca pequena se abriu, e ela girou o copo de xerez entre os dedos. Rachel sentiu a cabeça latejar. Um julgamento. Do que a mulher estava falando?

"Me... me desculpa, querida", titubeou Violet, depois uma pausa angustiante. "Eu não devia ter tocado nesse assunto. Pelo menos não hoje. Me perdoe, por favor. Eu só queria prestar minhas homenagens. É que... eu sempre me perguntei o que tinha acontecido com o seu pai. Ele era um homem tão bom. E as coisas teriam sido tão diferentes se... Bom, deixa pra lá. O que passou, passou." Ela sorriu para Rachel, mas aquele era um sorriso nervoso, do tipo "Será que colou?", sem convicção alguma. "Bom, é melhor eu ir", concluiu de maneira apressada, finalizando a bebida com um gole ruidoso. "Foi um prazer conhecê-la."

"Espera", disse Rachel. Não podia deixar a mulher ir embora assim, após abrir uma porta para os segredos do passado de maneira tão tentadora. "Você pode... você pode, por favor, me contar o que se lembra da minha mãe?", implorou. "Qualquer coisa. Qualquer coisa mesmo. Eu era tão pequena quando ela morreu, sabe, e ninguém nunca falou dela para mim."

Mas Violet ficou bastante inquieta com o pedido. Deu um passo para trás, desviou o olhar de Rachel e começou a consultar o relógio, ah, meu Deus, realmente precisava ir, não queria perder o ônibus. Desculpou-se com um tapinha no braço de Rachel – *Sinto muito pelo seu pai* – e então já estava abrindo caminho pela sala cheia, as flores de seda do chapéu sacudindo com a pressa.

Totalmente desconcertada, Rachel a observou ir embora. O que tinha sido aquilo? Por que Violet não conseguia olhá-la nos olhos? E o que ela queria dizer com *julgamento*? Estava prestes a correr atrás dela e implorar que ela se explicasse, quando dois homens grisalhos de olhos marejados a abordaram, contando que eram antigos colegas de trabalho de Terry, dos tempos da Longbridge.

"Seu pai era um bom sujeito", disseram, segurando as mãos dela. "Um cara incrível. Não se fazem mais homens como ele, infelizmente."

O resto do enterro passou como um borrão: Lawrence suavemente solícito, Wendy chorosa, Becca com a cara toda vermelha e bêbada no fim, fungando no ombro de pessoas aleatórias. Mas Rachel estava quieta. Não conseguia pensar direito depois que Violet Pewsey deixou tantas perguntas sem respostas fermentando em sua cabeça. A maior questão de todas era: será que ela teria coragem de investigar?

Teria, é claro. Em algum momento. Como resultado, lá estava ela, com um galo na cabeça e várias partes do corpo quebradas, ouvindo o pedido de desculpas da enfermeira ao limpar seu rosto remendado com um antisséptico que ardia horrores. Quem mandou ser curiosa.

– Pronto – disse a enfermeira ao terminar. – Acabou. – Lavou as mãos e abriu um sorriso sem jeito. – Espero que as coisas se acertem entre você e sua mãe.

– Obrigada – respondeu Rachel, sem se preocupar em corrigi-la. *Minha mãe está morta. Pelo menos era o que eu pensava...*

Capítulo Dezenove

O telefone estava tocando quando Becca chegou em casa com as crianças depois da escola, mas caiu na secretária eletrônica antes que ela pudesse atender.

– Alô... Hum, aqui é Adam Holland – disse a voz, e Becca parou de repente na cozinha, fazendo uma careta. Bem, agora não atenderia de jeito nenhum. – Hum... Olha, sobre hoje cedo... Eu não devia ter... – Obviamente aquele era um homem com nítida dificuldade de pedir desculpas, pensou, elevando o canto do lábio superior com repugnância. Ele mal conseguia encadear uma frase. – Eu estava contando para o meu irmão o que aconteceu e...

Ele estava contando para o *irmão*? Provavelmente rindo da história. Que vergonha.

– ... e ele me falou que talvez eu tenha sido um pouco injusto. A pessoa não precisa ser, bom, pele e osso para estar em forma. Lógico. Você poderia muito bem ser uma atleta olímpica de arremesso de peso ou algo assim.

Vergonha dupla. *Cala a boca, por favor.* Os dois sabiam que ela não era uma atleta olímpica. Então ele estava ligando basicamente para chamá-la de gorda de novo. *Valeu, hein.*

– Daí eu dei uma olhada nos exercícios que você, hum, jogou na minha cara... – Ok, ela não devia ter feito aquilo. – E... olha, tenho que admitir que todos eles pareciam ótimos. Eu não conhecia esse "Body Pump da Davina", mas...

– Ah – murmurou Scarlet, entrando na cozinha naquele instante e achando que Becca estava postada diante do telefone por outro motivo. – É só tirar do gancho. Assim. – Ela removeu o fone do gancho antes que Becca pudesse impedi-la.

– Alô? Você quer falar com a tia Bee? Ela está aqui do lado – comentou Scarlet, antes de passar o telefone para Becca. – É para você.

Maravilha. Agora ela teria que falar com o imbecil.

– Oi – disse, um tanto a contragosto.

– Oi. – Ele também estava constrangido. – Acabei de te deixar uma mensagem meio desconexa. Hum...

– Tudo bem, acho que entendi o cerne da questão – respondeu ela, antes que ele falasse de arremesso de peso de novo.

– Bom... me desculpa. Por ter sido grosseiro. E ter chateado você.

Argh. Ela não queria ouvir aquilo, não queria falar com ele e ponto final.

– Eu não fiquei *chateada* – retrucou com desdém. *Estava era prestes a dar um soco na sua cara*, pensou, revirando os olhos para Scarlet, que estava por perto escutando a conversa sem um pingo de vergonha.

– Ah, ok. Bom, sem ressentimento, então. Certo? Meu próximo treino é na quinta... – Ele hesitou. – A gente se vê, eu acho.

Ele achava que a veria de novo? Não nessa vida. Tinha pirado?

– Certo – concordou ela, sem se comprometer. Estaria muito longe dali na quinta, pensou; Rachel não iria querer vê-la por perto. Com certeza a irmã resolveria tudo quando voltasse. – Tchau.

– Era o seu namorado? – perguntou Scarlet, interessada, quando Becca desligou. A garota daria uma excelente espiã quando fosse mais velha, embora ainda precisasse refinar as habilidades de observação.

– Não! Meu Deus. Sem chance! – exclamou Becca. – Ele é um completo... Deixa pra lá. Vamos fazer um lanche para você. Quer uma torrada? – sugeriu, perguntando-se que tipo de lanche Rachel oferecia aos filhos depois da escola. Definitivamente não era uma barra de Snickers, isso estava claro. – Maçã? Palitos de cenoura?

– Você sabia – continuou Scarlet, sem responder à pergunta – que, com a mesma força que você morde uma cenoura, consegue arrancar a ponta do polegar? Minha amiga Lois que me contou.

– Que nojo – respondeu Becca. – Melhor não tentar isso agora, ok? – Imagens terríveis de dedos decepados e corridas sangrentas ao pronto-socorro surgiram na cabeça dela. Se tivesse que voltar lá pela segunda vez em tão pouco tempo... Não. Era impensável. Olhou para o relógio: quatro horas.

– O que será que aconteceu com a sua irmã? – perguntou, inquieta, lembrando-se da história do namorado e do chupão.

Droga, no meio da confusão da pré-escola naquela manhã, tinha se esquecido de proibir terminantemente qualquer encontro clandestino. Deixou Scarlet e Luke vasculhando a cozinha atrás de comida – "Alguma coisa *saudável*, hein?" – e foi procurar o celular. Lawrence chegaria em duas horas, e Becca temia que ele notasse o que havia acontecido com o delicado pescoço da filha sob os cuidados dela. Se a garota tivesse sumido e sequer estivesse em *casa*, ele falaria ainda mais, e não seriam palavras bonitas.

Oi, enviou à sobrinha por mensagem de texto. *Você já está chegando? Seu pai vem buscar vocês às 6, não esquece. Bjs*

Um barulho veio da cozinha, e ela correu para encontrar as outras duas crianças com cara de culpados ao redor de um pote de geleia – ou melhor, de um ex-pote de geleia, que agora decorava o chão de pedra com cacos de vidro espalhados em todas as direções.

– Ops – disse Scarlet.

Faltando dois minutos para as seis, Becca estava esgotada. Mabel voltou para casa furtivamente perto das cinco. "Foi mal, Clube do Drama! Acabei de ver a sua mensagem", disse, despreocupada, retirando um dos fones de ouvido para logo depois plugá-lo na orelha de novo e subir a escada. Tem drama demais neste lugar, pensou Becca, sem energia para discutir. Já havia recolhido a geleia e os cacos, limpado o chão e providenciado lanches adequados para todos. Em seguida, os três arrumaram suas mochilas para passar o fim de semana com o pai – e depois rearrumaram na frente de Becca, de modo que agora os dois menores estavam levando as escovas de dentes, e Mabel, os livros da escola (*não colou, querida*, pensou). Para completar, Scarlet estava histérica diante da perspectiva de passar o fim de semana com o cachorro e pulava feito louca no sofá, berrando: "Harvey, tô chegando!" Becca nunca teve tanta, mas tanta vontade de beber uma cerveja gelada. Ela estaria entornando uma garrafa naquele exato minuto, se não fosse por um pequeno detalhe: tinha que dirigir até Birmingham mais tarde. Como Rachel lidava com aquilo tudo dia após dia? Como qualquer pai ou mãe conseguia?

– Ele chegou! – gritou Scarlet, quando um carro parou do lado de fora. – PAPAI!

Becca abriu a porta da frente a tempo de ver Lawrence sair do carro. Alto e com ombros largos, ele parecia um modelo de catálogo de roupas masculinas, bonito de um jeito clássico, com o cabelo em leve desalinho e o queixo bem talhado. Pena que era um babaca. Estava de calça jeans, mas era um jeans chique, provavelmente de marca, com uma camisa polo cinza da Ralph Lauren que devia ter custado umas 70 libras. Setenta libras por um pequeno logotipo bordado. Ele era babaca nesse nível.

Enquanto Scarlet e Luke corriam para falar com o pai, Mabel a dois passos frios atrás dos irmãos, Becca percebeu que estava se lembrando daquela noite horrorosa no hotel – e de como ele segurou a mão dela e rabiscou o número do quarto dele no dorso, *312*, como se a estivesse marcando, reivindicando-a para si. Argh.

– Oi, Lawrence – cumprimentou ela, quando ele olhou para cima e a viu no batente da porta.

Ele estava de smoking naquela noite, sorrindo maliciosamente para ela, as mãos grandes e quentes passeando por seu vestido de garçonete de algodão preto. Porco.

– Oi, Becca – respondeu ele, fixando os olhos nos dela. E apesar de suas melhores intenções, ela corou. Pelo amor de Deus, pensou, não vamos enveredar por esse caminho agora. – Bom ver você de novo – continuou ele. Não, não era. – Vou devolver estes pestinhas no domingo à noite, então, está bem? Você vai poder buscar Rachel na segunda mesmo?

– Claro – disse ela. – Esse é o plano.

– Ótimo. A gente se vê lá pelas seis no domingo, então. Ok, povo, hora de ir. – Ele se voltou para ela: – Bom fim de semana. Não faça nada que eu não faria.

Becca sorriu de leve.

– Vou me lembrar disso. Tchau, crianças.

Mabel e Luke já estavam dentro do carro e gritaram "Tchau!", mas Scarlet correu de volta e se jogou nos braços dela, pegando-a de surpresa.

– Te amo, tia Bee. Vou dar um abraço do cacete no Harvey por você.

– Ah, obrigada. Isso, dá, sim. Eu também te amo, sobrinha linda. Divirta-se no País de Gales.

Te amo, tia Bee. Como em um passe de mágica, a exaustão desapareceu e foi substituída por um calor leve e gostoso se espalhando pelo corpo dela e pela sensação de que tudo aquilo valia a pena: os erros, os remendos, as derrapadas. *Te amo.* Tudo bem. Ela aceitava. De repente, ficou feliz de voltar no domingo para passar mais uma noite com as crianças. Quem não ficaria?

Acenou enquanto eles iam embora e entrou, abaixando-se automaticamente para recolher os sapatos da escola e colocá-los na grande cesta de vime. Eram crianças legais. Antes nunca havia passado mais do que algumas horas seguidas com elas, geralmente na casa dos pais, no Natal, em um aniversário ou comemoração de bodas. Não dava para conhecer direito uma criança só com poucas conversas em um ano, principalmente em grandes encontros familiares, quando elas se comportavam da melhor forma possível. Passar dias inteiros com os sobrinhos – sendo a única responsável por eles! – era algo totalmente novo. E, embora não pudesse dizer que era uma especialista na área e sentisse que estava improvisando na maior parte do tempo, tinha sido divertido também. Diferente. Agora sabia que Mabel odiava macarrão e adorava esmalte azul. Também sabia que Scarlet e Luke brincavam de um jogo esquisito que consistia em trocar socos sempre que viam um carro do modelo MiniCooper na rua. Sabia como eles dormiam, riam ou ficavam preocupados. Era... fofo, na verdade.

Mas enquanto isso: a deliciosa perspectiva de um fim de semana só para ela. Dez minutos depois, Becca caiu na estrada, abaixando o vidro para deixar entrar o ar morno de junho. Havia um cheiro agradável de feno, terra e raios de sol até mesmo na rodovia principal que ia para Worcester; nas margens da estrada, flutuavam grupos imensos de flores como cicutas e silenes dioicas, e havia grama alta e ranúnculos nos prados além. A previsão do tempo prometia um fim de semana perfeito para um churrasco, e ainda que ela não tivesse nem churrasqueira nem um jardim de verdade, depois de dois dias estressada e cuidando de crianças, se sentiu livre como um pássaro – como se o mundo estivesse à sua disposição.

O apartamento que dividia com Meredith ficava em Northfield, no lado oeste de Birmingham. Depois de uma hora e meia dirigindo por estradas sinuosas e engarrafadas, a vista dos campos ondulantes e das terras agrícolas havia se transformado em blocos de prédios, ônibus de dois andares, obras rodoviárias e casas geminadas espremidas umas contra as outras; uma expansão urbana desordenada. O sol da tarde ainda estava dourado, cintilando nos capôs e retrovisores dos carros como centenas de borboletas metálicas; gatos caminhavam languidamente pelas calçadas empoeiradas, e o ar estava pesado, com cheiro de diesel e batatas recém-fritas. Enquanto esperava o sinal abrir, um reggae altíssimo soou de uma janela aberta, e ela batucou com os dedos no volante no ritmo da música. *Olá, verão. Olá, melhor cidade do mundo. Estou de volta.*

Capítulo Vinte

Era sexta à noite, e Rachel estava engolindo um shake de proteínas nojento, pensando se Lawrence havia chegado a tempo de buscar as crianças para o fim de semana. Sabendo como ele era, provavelmente não.

Como odiava aquilo, aquele vaivém, o leva e traz das crianças. Não parecia uma boa solução para ninguém. "Eu vou ganhar uma mala de verdade agora?", perguntou Scarlet (ela era uma grande fã de Jacqueline Wilson e seu livro sobre a menina de pais divorciados que tinha uma mala). Tentando fazer algo de bom na pior das situações, Rachel comprou uma mala especial para cada um no primeiro fim de semana; uma tentativa patética de suavizar o golpe. Agora se arrependia. Ao ver as malas alinhadas no vestíbulo de quinze em quinze dias na sexta à tarde, sentia como se os filhos estivessem indo para a guerra, deixando-a para sempre. Era quase como pendurar cartazes de papelão no pescoço deles com os nomes e as idades. *Por favor, cuide destas crianças.*

Pior ainda era ver todas as vezes Lawrence ir embora com as crianças, os quartos vazios, como se a casa inteira prendesse a respiração até que elas voltassem. *Tente se ocupar*, era o conselho dos outros divorciados no fórum de pais solteiros que ela frequentava. *Aproveite um pouco de tempo livre para variar – você merece!* Mas o que ela deveria fazer nesse "tempo livre"? Era impossível relaxar quando você se sentia tão sozinha. Todos que ela conhecia estavam ocupados com suas famílias; os jardins vibrando com churrascos, risadas infantis e música. Os sons a provocavam enquanto ela caminhava pela casa quieta, contando as horas para ouvir o carro dele chegando outra vez.

Não havia vencedores naquele divórcio. Nenhum deles estava mais feliz com isso. Todas as vezes que as crianças pareciam chateadas, tinham um pesadelo, diziam quanto sentiam a falta do pai ou do cachorro ou até ficavam um pouco quietas depois de falar com ele ao telefone, era como se uma mão entrasse no estômago de Rachel, arrancasse suas vísceras e as retorcesse. *A culpa é sua, a culpa é sua*, a consciência acusava. Tecnicamente, a culpa também era de Lawrence, é claro, mas sempre parecia mais fácil culpar a si mesma.

Ela se perguntou como seria a conversa de Lawrence com Becca quando ele fosse buscar as crianças naquela noite. Sorrisos cúmplices, olhares maliciosos? Toques e piscadelas? Argh. Ainda bem que não tinha que presenciar aquilo. Só esperava que eles pelo menos disfarçassem na frente das crianças. *Mãe, foi tão bizarro, sabe, porque quando o papai foi buscar a gente, ele deu um beijão na tia Bee. Tipo, um BEIJAÇO.* Da série "Conversas que você não quer ter com seus filhos", número 3.089.

Suspirou e desejou, pela milionésima vez, que pudesse voltar no tempo e fazer tudo diferente, evitar que a separação fosse tão traumática. Para começar, não falaria de Craig. Sequer pronunciaria o nome dele. Ela devia saber que não podia fazer aquilo, só que... Bom, ele a estava assustando. Ligando e mandando mensagens fora do horário de trabalho, aproximando-se um tanto a mais dela quando os dois conversavam no escritório. E ela tinha certeza de que o colar de prata que havia aparecido misteriosamente na mesa dela era presente dele. "Ah, não enche", murmurou uma noite, quando ele mandou uma mensagem com um link para uma notícia engraçada. *Achei que você ia gostar*, escreveu, animado. Não, Craig. Achou errado.

Lawrence nunca disse abertamente que se ressentia do sucesso de Rachel no trabalho, mas sempre ficava irritado quando o celular dela apitava com mensagens e e-mails à noite. Ao contrário da esposa, odiava o emprego de contador de nível médio e achava que o trabalho terminava no momento em que botava o pé para fora do escritório. "Quem é?", perguntou na mesma hora.

Devia ter dito que a pessoa que estava enchendo seu saco era a chefe, Samantha, ou uma das mães chatas da escola, e encerrado o assunto. Mas não estava pensando direito, estava estressada porque teria uma entrevista no fim da semana para uma promoção, e deixou escapar: "Craig, um cara novo do trabalho."

Pronto, riscou o fósforo nos fogos de artifício. BUM. Seis pequenos detonadores caindo por descuido dos lábios dela porque a mente estava longe dali. E assim começou o interrogatório de um Lawrence de olhos raivosos: quem diabos era Craig? Por que ele estava mandando mensagens para ela? Por que ela nunca tinha falado dele antes? Guardando segredos, era isso? Estava a fim dele, né? O que mais ela convenientemente se esquecera de contar a ele? Podia dizer logo! Cedo ou tarde, ele iria descobrir!

Lawrence rebentou em fúria, como uma tempestade violenta e incansável, recusando-se a se acalmar. Não satisfeito em interrogá-la daquele jeito em casa, apareceu no escritório na manhã seguinte e a beijou ostensivamente na frente dos outros funcionários da equipe, com uma mão possessiva cravada na bunda dela. Uma das secretárias deu um risinho, mas todos os outros, inclusive Rachel, ficaram horrorizados. Craig sequer estava lá para captar a mensagem nem tão sutil.

Em casa, ele continuava insistindo no assunto, perguntando todas as noites como Craig estava, se ela o tinha visto, se eles trabalharam juntos. Rachel era gerente de área e passava vários dias por semana fora do escritório, mas Lawrence estava convencido de que ela escapulia para encontros furtivos com Craig, e não parava de ligar para checar o paradeiro dela. Era como ser perseguida pelo próprio marido; aonde quer que fosse, estava sempre esperando ser surpreendida por uma aparição, um comentário, uma crítica mordaz. Rachel se pegou imaginando câmeras de vigilância apontadas para ela de todos os ângulos, microfones ocultos captando todas as suas conversas, espiões em cada esquina. Começou a ter dificuldades para dormir e não conseguiu a promoção.

As coisas se deterioraram rapidamente em um sábado escuro e sombrio de novembro, quando eles esbarraram em Craig em uma loja da B&Q, com as crianças junto. "Então este é Craig, não é?", rosnou Lawrence por cima da música de Natal, que ressoava metálica pelos alto-falantes. Levantou a cabeça e estufou o peito. "Este é o Casanova, certo? Finalmente nos conhecemos. Eu sou o marido."

"Lawrence, *por favor!*", implorou Rachel, morrendo de vergonha. Eles estavam no corredor dos banheiros, em frente ao mostruário dos espelhos, e, para onde ela olhasse, via seu reflexo perturbado, com as bochechas rosadas, torcendo desesperada para que aquilo não fosse adiante.

Lawrence não se importou. "Eu estou louco para acabar com a sua raça", continuou, avançando de maneira ameaçadora para cima do desnorteado e atônito Craig, enquanto Rachel empurrava as crianças para longe, pedindo que elas procurassem enfeites para a árvore na seção natalina. *We WISH you a merry Christmas*, vibrava a música, *we WISH you a merry Christmas*.

O pobre Craig, que estava inocentemente procurando uma cortina para boxe, recuou até uma prateleira cheia de torneiras cromadas reluzentes, deixando cair a cesta de compras aramada com um estrondo. "Não sei do que você está falando", gaguejou, lançando olhares desesperados para Rachel.

"Está tudo bem aqui?", perguntou um corpulento vendedor, olhando de Lawrence para Craig com as mãos na cintura. *We WISH you a merry Christmas, and a happy new YEAR!*

Meu Deus, foi horrível. Mesmo assim, Lawrence não parou. Durante todo o caminho de volta para casa, ele falou sobre o assunto, selvagem e cruel: "Aquele merdinha covarde. O que foi que você viu *nele*?"

"Pela última vez, Lawrence, eu não vi *nada* nele!", gritou, com vontade de bater a cabeça na janela do carro. "Não aconteceu nada entre nós. Absolutamente nada! Agora, por favor, a gente pode esquecer esse assunto? Eu não quero falar disso na frente das crianças."

"Ah, não. Na frente das crianças, não! A gente não vai querer que elas pensem que a mãe não é perfeita, né? A gente não vai querer que elas saibam a vagabunda que ela é, certo?"

"Para, papai!", disse a corajosa Scarlet do banco de trás, e felizmente isso foi o suficiente para silenciá-lo pelo resto do trajeto. Mas é claro que aquilo não ficaria assim. Na semana seguinte, na festa de fim de ano da empresa dela, Lawrence apareceu, bêbado e agressivo, marchou até a mesa em que estavam os funcionários de chapéus de festa, comendo tortinhas de frutas cristalizadas e pudins fondant de chocolate, e deu um soco em Craig. Alguém – Lacey, a recepcionista, pensou – gritou. Bruce, o diretor de contabilidade, deu um salto e tentou afastar Lawrence. Os homens se atracaram, uma mesa veio abaixo, Samantha berrou "Senhores, *por favor!*" e depois a polícia apareceu, só para fechar a noite com chave de ouro. Boa, Lawrence. E uma droga de feliz Natal para você também.

A raiva e a vergonha corriam dentro de Rachel como as águas lamacentas de um lago, assim como uma resolução nova e inabalável. Era o fim – a corda havia arrebentado. Ela tinha chegado ao seu limite. Não, pensou, não suportaria mais aquele tipo de coisa. Não podia desculpar o comportamento do marido ficando ao lado dele depois *daquilo*. "Acabou", disse a ele na manhã seguinte. "Eu não posso mais viver com você."

Craig não deu queixa (ainda bem), mas a história foi parar no jornal local, e Lawrence acabou perdendo o emprego. Naturalmente, tipos como Sara Fortescue se deleitaram com todo aquele escândalo bem na porta de casa. *Eu não acreditei*, Rachel a ouviu dizer com sua voz estridente para as amigas no portão da escola. *Quer dizer, ele parecia um homem tão bom. Um pouco sexy e perigoso, sabe, mas não violento. Meu Deus. Vocês acham que ele bate nela também? E nas crianças?*

Apesar de todas as discussões e do constante pisar em ovos, o choque das crianças diante da notícia foi unânime. *O papai vai se mudar. A gente não se ama mais, mas ainda ama vocês três.* Nenhuma palavra poderia amenizar o golpe, por mais gentil que você fosse ao dizê-la. Houve um silêncio horrível enquanto elas assimilavam a informação: uma confusão cresceu no rostinho de Luke e uma expressão de traída no de Scarlet. Enquanto isso, Mabel ficou ali sentada com os olhos brilhando, cravando as unhas nas palmas das mãos, antes de se levantar com um salto e explodir. "Eu devia ter percebido!", gritou, furiosa. "Eu devia ter percebido que isso ia acontecer!", e então saiu de casa como um furacão. Rachel teve que sair atrás dela pela rua e tentar abraçá-la enquanto ela se desvencilhava, ambas com lágrimas nos olhos.

Tempos sombrios. Tempos ruins. E, é claro, depois do desastre da festa de fim de ano, embora talvez esta tivesse sido a pior decisão que ela poderia ter tomado do ponto de vista financeiro, sentiu que não tinha escolha a não ser pedir demissão da GoActive, o emprego que ela tanto amava e no qual era excelente também. Afinal, como poderia voltar lá e trabalhar ao lado de Craig, depois de Lawrence ter sido tão agressivo com ele? Samantha nem argumentou quando Rachel entregou a carta de demissão. "Bom, ficamos tristes com o seu desligamento, mas, diante das circunstâncias...", disse ela, sem completar a frase.

Pois é. Diante das circunstâncias, você pode pegar esse estúpido do seu marido e dar o fora, querida.

O pior de tudo – o ápice do pior – foi o que ele disse a Rachel ao arrumar as malas no último dia, com ódio irradiando do corpo todo. "A propósito, ela é melhor na cama que você, sabia?", falou casualmente, como se não fosse nada, dando a última palavra. "Muito melhor. A sua irmã."

Capítulo Vinte e Um

Ah, como era bom estar em casa, Becca pensou ao entrar no apartamento. A alegria de não ter ninguém para cuidar ou com quem se preocupar. O cheiro da própria cama. Um fim de semana inteiro sem nada para fazer. Bom, ok, não exatamente *nada* – tinha o diadema medieval de Meredith para fazer e o almoço semanal com sua mãe no domingo, mas essas coisas eram legais e não contavam. Ninguém precisava ser alimentado, acalmado ou levado a lugar algum. Que venha o fim de semana.

Meredith gritou "oi" da copa-cozinha. Ela estava vestindo um macacão de panda, embora a temperatura passasse dos 20 graus do lado de fora (e parecesse ainda mais quente dentro do abafado apartamento do último andar), e comendo um Cup Noodles. Apesar de ser inteligentíssima – era pesquisadora associada no Departamento de História de uma universidade –, Meredith raramente se aventurava a cozinhar qualquer coisa mais complicada que um sanduíche. Na verdade, aquele macarrão instantâneo era um raro feito culinário.

– E aí – disse ela, acenando com o garfo no ar e quase acertando um fiapo de miojo na colega de apartamento. – Você voltou. Como foi lá?

– Entre mortos e feridos, salvaram-se todos, mas a Rachel ainda vai ficar no hospital até semana que vem – resumiu Becca, pegando duas garrafas de cerveja na geladeira. – As crianças vão passar o fim de semana com o pai. – Abriu uma das garrafas e passou para Meredith. – Então, sobre o diadema. Qual é o plano?

Meredith sorriu, radiante.

– Bom, você conhece a Galadriel? – perguntou, levando a garrafa até os lábios. – A propósito, obrigada por isso.

– Hum... – respondeu Becca, bebendo um gole gelado e delicioso da cerveja.

Galadriel? Uma das amigas estranhas de Meredith, imaginou. Becca uma vez a acompanhou à encenação de uma batalha e conheceu tanta gente com nomes como Althanos e Peronell que parou de prestar atenção depois de um tempo. De qualquer forma, era quase certo que essas pessoas tinham nomes comuns, como Steve ou Alison, na vida real.

– Acho que eu não me lembro dela. Quer dizer, dele – admitiu, confusa, enquanto Meredith parecia se divertir. Merda. Talvez fosse alguma rainha famosa que ela deveria saber quem era.

– De *O Senhor dos Anéis*? Ela é uma elfa real. A Cate Blanchett fez o papel dela no filme. Ah, vai, você *se lembra*! – Ao ver a cara de paisagem de Becca, Meredith abandonou o Cup Noodles e começou a vasculhar o celular atrás de uma imagem. – Bom, não importa, é que ela usa um diadema muito legal no filme. Tipo este aqui.

Ela passou o celular, e Becca deu uma olhada na imagem. Além de impressionantes orelhas de elfa, de fato Cate Blanchett estava usando uma tiara de ouro e prata que formava um V sobre a testa e se retorcia na ponta como uma lágrima.

– Bonita – disse ela, devolvendo o aparelho para Meredith, já botando a cabeça para pensar em como fazer algo semelhante.

O negócio de joalheria de Becca e Debbie começou bem simples – com brincos e pulseiras –, mas depois elas ficaram tão empolgadas que se matricularam em aulas noturnas de ourivesaria para criar designs e projetos mais elaborados. Becca lembrava que em algum lugar do quarto, junto com o resto do kit, havia um lindo fio grosso folheado a prata que não devia ser muito difícil de malear naquelas curvas élficas.

– Eu queria que a minha fosse um pouco mais simples – continuou Meredith ("mais simples" é ótimo, pensou Becca). – Talvez com uma pedra grande no meio. Um cristal azul-escuro para combinar com o meu vestido, se você tiver um.

– Vou ter que dar uma olhada nas cores, mas, sim, com certeza posso fazer uma destas para você.

Meredith não era muito de abraços, por isso bateu de leve a garrafa de cerveja na de Becca e sorriu.

– Que bom que você está de volta.

* * *

Becca passou a noite de sexta e a manhã de sábado trabalhando na tiara e – sem se importar de ser chamada de metida – ficou extremamente orgulhosa com o resultado. A peça estava linda de morrer! Becca encontrou um cabuchão oval de pedra da lua com brilho azul e dourado para usar como a joia central da testa e, a partir dela, maleou três fios de prata para cima e para fora de cada lado como asas, enrolando-os suavemente para que formassem padrões brilhantes e retorcidos ao redor da cabeça da amiga. A parte de trás do diadema deveria ser presa com uma fita preta, que ficaria invisível sob o longo cabelo castanho de Meredith.

– Meu Deus, Becca, está incrível! – exclamou Meredith, admirando-se no espelho do banheiro. – Ficou muito bonito. Muito melhor do que eu imaginei. – Ela girou a cabeça para os lados, passando um dedo ao longo da peça de prata ondulada. – Muito obrigada. Pode considerar a conta de gás paga.

Becca respondeu com um sorriso, iluminando-se de satisfação. *Obrigada VOCÊ*, quis dizer. Obrigada por pedir que eu fizesse isso. Ela amou resgatar o equipamento de soldagem e se dedicar a um novo projeto criativo; tinha tanto tempo que não fazia nada artístico. Desde... Na verdade, desde antes de o pai morrer, pensava agora. Havia encontrado uma poeira grossa sobre a caixa de pedras e contas, e o tubo de pasta para soldagem estava seco (felizmente, encontrou outros tubos fechados). Tinha se esquecido de como ficava animada com trabalhos criativos, da sensação única de realização após fazer algo com as próprias mãos.

– De nada – disse, feliz. – Eu curti fazer.

Decidiu organizar o resto do material de artesanato enquanto Meredith se arrumava para o banquete. Junto com o kit para joalheria, havia todos os tipos de peças e materiais – lã e outros tecidos, restos de pelo falso do penúltimo inverno, quando ela tentou costurar um casaco, aros para abajur, potes de tinta, prata em pó, até umas sacolas com olhinhos de plástico remanescentes de uma curta temporada como voluntária no contraturno de uma escola. Ela havia encaixotado tudo e guardado por mais de um ano, como se tivesse trancado completamente aquela parte sua. Olhar para o conteúdo de novo foi como acordar algo dentro de si. Lá estava o caderno de esboços que parou na metade quando o pai morreu: desenhos ligeiros a lápis de um abafador de chá com tema de bolo que planejou fazer para a mãe e nunca tirou do papel; ideias para bichos de pelúcia que imaginou propor para uma loja chique de brinquedos da cidade; ilustrações de lindos brincos pendentes, espirais de prata cravejadas com pedras preciosas. Onde foi parar aquela imaginação toda, aquele amor pela criação? Folheava o caderno, e parecia que outra pessoa havia feito todos aqueles desenhos e tido aquelas ideias. E mesmo assim...

A cabeça fervilhava. Encontrou uma sacola com pequenas caveiras prateadas, de quando ela e Debbie haviam feito uma coleção de brincos grunge inspirados em Alexander McQueen (ok, copiados, é a mesma coisa). Mabel iria adorar, pensou, pegando a sacola e manuseando o conteúdo macabro. Em seguida, acariciou os restos de tecidos e virou as páginas do caderno até encontrar o abafador de chá, ponderando se deveria ressuscitar a ideia para o aniversário de Wendy, em novembro. Se isso a fazia feliz, por que não?

– Como estou? – Meredith bateu à porta do quarto e enfiou a cabeça para espiar.

Ela estava usando um vestido longo de veludo azul com a parte de baixo pregueada e um corpete apertado na parte de cima. Os cabelos compridos penteados caíam sobre os ombros dela, e a pedra da lua do diadema brilhava suavemente em sua testa.

– Deslumbrante – respondeu Becca sinceramente.

Meredith não tinha a beleza convencional do século XXI. Com traços faciais fortes e uma estrutura óssea larga e masculina, não ficava tão bem de jeans, calça legging ou minissaia. Mas, de alguma forma, o traje antigo caiu como uma luva nela. Ficou tão bom que Becca podia imaginá-la com um falcão em um dos braços ou galopando de lado sobre a sela lateral de um cavalo, voltando para seu castelo.

– Você está *maravilhosa* – continuou. – Todos os lordes e condes vão disputar você no tapa. Espere só para ver os volumes debaixo das túnicas e dos mantos deles.

Sentiu uma inveja inesperada diante do pensamento. As duas dividiam o apartamento por quase um ano, e durante aquele tempo nenhuma delas tivera um relacionamento sério. Alguns encontros às cegas pavorosos, um punhado de flertes terríveis e crushes ocasionais, mas nada além disso. Quando ia a um encontro às cegas, Becca se sentia desconfortável e tensa e tentava se encaixar em ideias preconcebidas de como deveria se comportar. Interpretava o papel direitinho, porque havia perdido toda a confiança em si mesma. Encolhia a barriga, tentava não rir muito alto, escolhia uma salada para não parecer muito gulosa. Na esperança de que gostassem dela. Mas nunca funcionava. "Prazer em conhecê-la, Sally", dissera o último cara quando eles se despediram, depois de uma noite em um restaurante francês pontuada por silêncios desconfortáveis. Nunca mais teve notícias dele.

Se Meredith arranjasse um namorado, se apaixonasse e começasse a ficar toda boba por causa de um idiota barbado de gibão e meia... uma parte ciumenta e egoísta de Becca ficaria chateada com a amiga e seria incapaz de reagir com a alegria apropriada. *Que ótimo! Legal!*, imaginou-se dizendo pouco antes de se trancar no quarto para chorar desesperadamente no travesseiro, sozinha.

– Obrigada. Eu convidaria você, mas precisa de ingresso, e eu não sei se sobrou algum. Tem planos para hoje à noite?

Becca forçou um sorriso. Planos para a noite? O único plano que ela tinha era ficar em casa de novo, zapeando os canais da TV na esperança de encontrar um bom filme e talvez dar uma saidinha para comprar uma pizza para viagem e mais cerveja. Estava tão acostumada a trabalhar quase todas as noites no pub que nem pensou em organizar algo mais sociável.

– Não, mas eu preciso fazer umas coisas – respondeu, com o sorriso engessado –, e eu tenho um dia cheio amanhã. Tem almoço do pai na casa da minha mãe, e depois eu tenho que voltar para a casa da Rachel, então... – A voz dela foi sumindo, e ela começou a se sentir estranha.

– Vocês ainda fazem isso? O almoço do pai? Bacana – disse Meredith, antes de ser interrompida pelo interfone. – Ah, deve ser Leofrick. Vejo você amanhã!

Por algum motivo, Becca ficou meio deprimida quando a colega de apartamento saiu apressada, a longa saia arrastando pelo chão com um barulho suave. Aquilo estava errado. Por mais maldoso que fosse, ela sempre se sentiu um pouquinho superior a Meredith – convivia com os modos um tanto excêntricos da amiga enquanto pensava "pelo menos eu não sou tão esquisita quanto ela". Mesmo assim, das duas, era Meredith quem tinha se arrumado para sair em uma noitada com os amigos, beber taças de hidromel e devorar um porco assado ou fazer seja lá o que esses tipos históricos fizessem para se divertir. Enquanto Becca estava em casa num sábado à noite, na companhia da péssima programação de verão da TV, tagarelando sobre o almoço do pai como se aquilo fosse o ápice da semana. Quem estava por baixo agora?

Ela suspirou e ligou a TV. A verdade é que o almoço do pai geralmente *era* o ápice da semana. Na casa da mãe havia torta de carne, batatas fritas e ervilhas em homenagem a Terry (era o prato preferido dele), com um terceiro lugar posto na mesa, como se ele ainda estivesse ali. Elas falavam dele, folheavam álbuns de fotos e às vezes choravam um pouco. Era ótimo.

Vocês ainda fazem isso?, perguntou Meredith, parecendo surpresa, e Becca instintivamente ficou na defensiva. Sim. Elas ainda faziam isso. Qual o problema?

No dia seguinte, Becca ficou na cama até as dez, tomou um banho demorado e arrumou uma mala para voltar à casa de Rachel, desta vez com escova de dentes e uma muda de roupas. Meredith ainda não havia voltado quando ela saiu, mas tinha enviado uma mensagem: *Todo mundo AMOU o diadema! A noite foi incrível! Bjs*

Tentando controlar a inveja, Becca respondeu: *Legal! Indo para Hereford hoje. Devo voltar na terça. Bjs*

Então entrou no carro e partiu para a casa da mãe.

– Becky, meu amor! Como está, querida? Que bom ver você!

Parada na porta com os pés descalços e um cafetã largo de estampa floral, Wendy estava bronzeada e radiante após as férias sob o sol. Unhas dos pés pintadas, Becca reparou ao ser envolvida em um abraço de mangas ondulantes. Elas nunca tinham ficado tanto tempo sem se ver desde a morte do pai.

– Estou bem. Como foram as férias? Você está ótima.

– Foram maravilhosas. Divertidas. Exatamente o que eu precisava. Drinques todas as noites e um pouco de dança...

Os olhos de Wendy brilharam, e Becca ficou feliz por ela. O luto havia derrubado as duas por tanto tempo que era bom ver a mãe toda serelepe de novo.

– Entra, entra, o dia não está lindo? – continuou ela. – O voo de volta foi horrível. A gente pousou às nove da manhã e não tinha dormido nada na noite anterior, então eu cochilei no jardim para manter o bronzeado. Legal, não é? Eu até me aventurei a vestir um biquíni, sabe. Pensei: dane-se, quem liga? Todas as garotas estavam usando, então foi tipo um grupo de apoio para gordinhas. A gente se jogou! E, na verdade, apesar dessa preocupação toda, os homens gostaram *bastante* da gente.

– Você está com uma cor ótima – elogiou Becca. – Que bom. E, ei, sem essa de "gordinhas", por favor – acrescentou automaticamente. – Você é linda do jeito que é.

Wendy tinha uma relação de amor e ódio com a comida desde que Becca se entendia por gente. Principalmente de amor. Havia uma placa na cozinha dela que dizia: "Eu vivo perdendo peso, mas ele sempre me encontra de novo." Trabalhar anos a fio em uma confeitaria não tinha ajudado muito, já que ela sempre levava para casa sobras de bolo, doces folheados e pãezinhos, que passou a consumir quase por obrigação. "Sem desperdício!", costumava dizer. "E quem em sã consciência joga um profiterole no lixo, não é? Eu é que não vou jogar!"

Wendy abriu uma espreguiçadeira extra para Becca no pequeno jardim ensolarado e pediu que ela ficasse à vontade enquanto servia as bebidas. Mas não havia nem sinal do familiar almoço com torta de carne, o que era estranho; geralmente, ele já estava no forno quando Becca chegava, com os aromas deliciosos do molho e da carne flutuando pela casa. Talvez a mãe estivesse fazendo alguma dieta pós-férias, pensou (mas será que *alguém* fazia mesmo uma dieta ao voltar de férias?), ou talvez ainda estivesse um pouco relaxada depois da viagem. Sem pressa. Afinal, Becca só precisava estar de volta a Hereford às seis.

Ela tirou os pés dos chinelos e se recostou naquele calor, observando uma borboleta branca voar bêbada pelo ar, fazendo voltas aleatórias e lentas. Ouviu risadas de crianças nas casas ao redor e se perguntou como os sobrinhos estavam se saindo em Builth Wells. Na mais calma paz familiar, esperava.

Wendy voltou com dois copos de limonada tilintando com cubos de gelo e se sentou perto da filha.

– Escuta – disse ela, afastando o cafetã para exibir as coxas roliças e bronzeadas –, eu estive pensando.

Becca olhou para ela, surpresa.

– O quê?

Wendy se espichou para pegar a mão de Becca.

– Enquanto estive fora... Bom, eu percebi que a gente tem que voltar a viver, querida. A gente precisa se reerguer e seguir em frente. Continuar fazendo isso, os nossos almoços do pai... tem sido ótimo, mas talvez seja a hora de... – ela engoliu em seco e apertou os dedos de Becca, o queixo tremendo pela ansiedade – ...de parar.

Becca ficou boquiaberta por cinco segundos inteiros. Só fechou quando viu uma mosca se aproximar.

– Eu não... Por quê? Você quer mesmo...? Ah – respondeu, deixando suas frases incompletas no ar.

Wendy continuou, os ombros bronzeados rígidos pela determinação:

– Eu tenho pensado muito nisso, e, embora tenha certeza de que foi a coisa certa a se fazer naquela época, já se passou um ano. Seu pai odiaria pensar que nós duas ainda estamos nos encontrando para chafurdar na tristeza.

– Não estamos chafurdando!

Becca se sentiu ferida com a acusação. Nem em um milhão de anos imaginaria que a conversa tomasse aquele rumo.

– Estamos, sim, meu amor – rebateu Wendy categoricamente. – Pelo menos eu estou. De maneira consciente ou inconsciente, usei isso como desculpa para não fazer nada por muito tempo. *Ah, não posso sair, meu marido acabou de morrer. Ah, hoje à noite, não, estou um pouco triste por causa do Terry. Ah, eu até iria, mas, sabe, não é fácil ser viúva.* – Ela fez uma careta. – Se não fosse Jen e Pamela enchendo o meu ouvido nessas férias em Creta, não aceitando "não" como resposta, eu também não teria ido, mas eu fui, e... quer saber? Foi ótimo. Eu me diverti de novo. Fiquei horas e horas sem pensar nele uma única vez sequer. – Ela bebericou a limonada, seus olhos tentando ler a expressão de Becca. – Acho que nós caímos na rotina, querida. Nós duas empacamos.

– Fale por você! – retrucou Becca.

Uma coisa era se preocupar por ter caído na rotina, como ela estava fazendo naquele fim de semana; outra totalmente diferente era ouvir alguém dizer isso. Houve um momento de silêncio enquanto ela vasculhava a cabeça, na esperança de encontrar alguns exemplos de como estava tocando muito bem a vida, de como estava ótima. Irritada, notou que não havia nenhum.

– Cadê aquela minha filha corajosa e ousada que foi dirigindo até a Espanha porque estava apaixonada por um garoto? – continuou Wendy. – Cadê aquele brilho que ela tinha nos olhos? Vai, Becca, admite. Acho que você se perdeu um pouco este ano. Há séculos não vejo você rir, rir de verdade.

Becca ainda estava se recuperando do ataque inesperado. A mãe nunca falava daquele jeito com ela.

– Bom... – começou, confusa. – Acabou que o garoto da Espanha era um babaca, né, então...

Mais precisamente, aquilo havia acontecido oito anos antes, quando ela tinha 22 e pensava que podia conquistar o mundo. Ela havia amadurecido, só isso. Será que Wendy não via?

– Essa não é a questão, e nós duas sabemos disso. – Wendy se inclinou na direção da filha. – Qual foi a última vez que você paquerou alguém? Riu com os seus amigos? Trabalhou com algo que realmente ama, saiu da cama animada para começar o dia?

– Mãe! – protestou Becca. – O que isso tem a ver com...?

– Nem eu – murmurou Wendy.

– O quê?

– Eu disse "nem eu". Antes de sair de férias com as meninas, eu também estava péssima. Me arrastando pelos dias. Vendo as semanas passarem como se estivesse cumprindo uma pena, sem me preocupar com nada. E você fez a mesma coisa. Pegou esses trabalhos noturnos para não ter que sair com os amigos, e... Não discute comigo! Nós duas sabemos que é verdade! Desistiu da sua vida amorosa. Durante esse tempo todo, você teve algum encontro, beijou alguém pelo menos uma vez?

– Não acredito que você está...

Becca se lembrou do terrível último encontro, com o cara que a chamou de Sally, e sentiu um nó na garganta. Ele deixou o celular na mesa o tempo todo e agarrava o aparelho cada vez que chegava uma mensagem, como se ela nem estivesse ali. Antes disso, saíra com um cara que tinha cecê e só falava de futebol. Ele também não ligou de novo. O que estava fazendo de errado que nem um idiota como aquele queria ficar com ela?

– Vou interpretar isso como um "não". Mas isso tem que mudar, garota. Ouviu o que eu falei?

– Eu não vou para a gandaia com você e ponto final – disse Becca, sentindo-se acuada. – Você tem Jen e Pamela para fazer esse tipo de coisa, não precisa de mim.

Wendy riu.

– Não se preocupa, eu já passei dessa fase. Eu tive o melhor de todos; ninguém se compara ao meu Terry. Mas você... você precisa me prometer que vai tirar a bunda do sofá e encontrar os seus amigos de novo. De verdade. Nos pubs que os gatos solteiros frequentam. Combinado?

– Mãe! Eu não sou tão lerda. Pelo amor de Deus!

– Combinado? Isso foi um sim?

Becca revirou os olhos. O que deu na sua mãe naquele dia?

– Está bom! Ok? SIM. Combinado. E, a propósito – disse rapidamente, antes que Wendy perguntasse sobre o trabalho e ela tivesse que confessar que tinha sido demitida –, eu *tenho* feito coisas. Fiz tipo uma coroa para a Meredith. Fui para Hereford cuidar dos filhos da Rachel. E eu vou... O que foi?

Ela ia contar para Wendy que estava levando uma caixa inteira de materiais de artesanato para Hereford, mas os olhos da mãe se arregalaram de surpresa, e Becca percebeu que ela tinha parado de escutar na frase anterior.

– Você estava na casa da Rachel? Ah, que bom! Desde quando vocês são tão amigas? Quer dizer, não me leve a mal, *fico muito feliz*, mas ela tem estado tão distante, não mandou nem um cartão de Natal desde que Terry morreu. Deduzi que ela não queria contato.

Diante daquele sermão, Becca não havia tido a oportunidade de contar as novidades para a mãe.

– Desculpa, eu devia ter explicado antes. Ela está no hospital. Foi assaltada em Manchester e...

– Em Manchester? – Por alguma razão, Wendy pareceu se agarrar àquela informação como se ela fosse o elemento-chave da história, em vez das partes mais dramáticas, como o assalto e o hospital. – O que ela estava fazendo em Manchester?

– Não sei, mas a derrubaram no chão e... Por quê? O que tem em Manchester?

Wendy abriu a boca, mas hesitou. Ela era péssima mentirosa.

– Hum... Nada. Como ela está? Meu Deus! Ela vai ficar bem? E como as crianças estão?

– Ela vai ter alta amanhã, espero – respondeu Becca, ainda se perguntando por que a mãe estava tão estranha. *Manchester? Como assim?*, lembrou-se da mensagem de Mabel. Também tinha aquela história da Didsbury Library, da pesquisa do Google, mas ela nunca havia investigado. – Hum... – murmurou, tentando voltar para a conversa. – E as crianças estão ótimas, na verdade. Um caos total, mas é divertido também. Luke é superdoce, Scarlet é sarcástica e espirituosa, e Mabel... Mabel tem um *namorado* e pintou o cabelo de azul, acredita? Está uma moça.

– Cabelo azul, é? Caramba. Parece rebelde como a tia. – Wendy deu um chutinho na perna de Becca com o pé descalço e sorriu. – Ei, acho que é disso que a gente precisa, eu e você, de um tapa no visual para comemorar a nossa nova visão positiva da vida.

– Pintar o cabelo de azul? O que você botou nessa limonada, sua louca?

Enfim começaram a rir, a tensão foi embora e tudo pareceu um pouco mais normal. Um pouco. Agora tinha que distrair a mãe para evitar os assuntos "seguir em frente" e "gatos solteiros" pelo resto da tarde.

– Então, vai me mostrar as fotos da viagem ou não? – perguntou Becca. Isso ocuparia algumas horas, para começar.

Capítulo Vinte e Dois

– Bom, espero que seja a sua última noite com a gente – comentou a enfermeira no fim do domingo, enquanto examinava os pontos de Rachel e a pressão arterial com murmúrios de aprovação. – Sua irmã deve chegar amanhã perto de meio-dia, acho. Isso é ótimo, não é?

– Humm – disse Rachel, de maneira evasiva. "Ótimo" era muito relativo.

Na verdade, nunca tinha se dado bem com a irmã postiça, desde que o pai se casou com Wendy e ela teve que dividi-lo de repente com uma criança de 1 ano. Odiou aquilo, na verdade. "Me leva!", Rachel choramingava quando era hora de dormir, estendendo os braços no ar. "Me leva para a cama!"

Ela também queria ser paparicada, mas o pai ria. "Deixa de ser boba! Carregar uma menina grande que nem você? De jeito nenhum, Rach." Então, ela subia a escada para seu quarto todas as noites, desolada, rezando para que o pai caísse em si e colocasse aquelas duas para fora. *Por favor, Deus, só queria que tudo voltasse a ser como antes, só eu e o papai.*

Conforme Becca crescia, o ressentimento de Rachel começava a se expandir, como células cancerosas mutantes se espalhando pelo corpo. Não era só ouvir a irmã postiça chamá-lo de "pai" que a incomodava ("Ele não é seu pai!", queria gritar sempre), mas a forma como ela monopolizava a atenção dele todas as noites quando ele chegava do trabalho – para o banho, para contar histórias e para os infindáveis abraços de boa-noite, os bracinhos rechonchudos e pálidos dela enrolados no pescoço dele. *Ele é meu agora*, os sorrisos e risinhos dela pareciam dizer. *Olha só como tenho o papai na palma da minha mão!* Rachel geralmente fechava a cara, interrompia o dever de casa e subia a escada pisando duro para ouvir música no quarto.

Então veio a adolescência rebelde, em que Becca quebrou todas as regras da casa, foi advertida pela polícia por furtar uma loja, ameaçada de expulsão pela escola por tentar botar fogo no laboratório de ciências e parecia estar sempre debruçada na janela do quarto fumando ou engatada em um amasso com um daqueles namorados terríveis quando Rachel ia visitar. Ela basicamente deixou Terry de cabelo branco de tanto estresse. E no dia em que Mabel nasceu – uma das ocasiões mais importantes da vida dela! –, Rachel não conseguiu falar com o pai ao telefone porque ele estava na delegacia pagando a fiança de Becca, presa por sabotagem à caça... Se você contasse, ninguém acreditaria.

Nunca perdoou a irmã postiça por isso; pelo cansaço na voz do pai quando finalmente conseguiu falar com ele. *Ah, uma menininha, que bom. Parabéns, meu amor!* Era para ser o momento de glória dela, era ela quem devia estar sob os holofotes – mas tudo o que conseguia ouvir no fundo era Becca gritando com Wendy, e é claro que teve que perguntar o que havia acontecido. Mabel estava aninhada na curva do braço de Rachel, rosada e perfeita, as pálpebras tremulando com seu primeiro sonho de bebê, e Rachel sentiu vontade de desligar quando o pai começou a detalhar as últimas travessuras da adolescente da casa. *Na verdade, quer saber? Eu não estou nem aí,* quis dizer. *A gente pode voltar a falar de mim e do meu bebê agora?*

Se Rachel achava difícil perdoar aquilo, o pai e a madrasta tinham uma opinião bem diferente. Ora, eles desculpavam Becca todas as vezes, não importava quão mal ela se comportasse: a mimavam, a resgatavam de vários apuros, deixando-a sair impune de qualquer besteira que aprontasse, enquanto Rachel estava na batalha, a diligente primogênita, discretamente se formando em Newcastle com as melhores notas, casando e virando mãe. Havia feito tudo certo e, mesmo assim, a rebelde irmã postiça é que era o centro das atenções. A vida não era justa.

Quanto ao que Becca havia feito recentemente, ao que ela tinha aprontado com Lawrence, a dupla traição deles... Bom. Francamente, Rachel não devia estar surpresa. Se tivesse prestado mais atenção nela, teria até previsto aquilo. Afinal, não era a primeira vez que a irmã postiça se comportava de maneira inadequada com os homens – houve aquela cena constrangedora no batizado de Mabel, em que Becca, bêbada, flertou ostensivamente com Sam, amigo de Lawrence, além da noite de Natal na casa do pai anos antes, quando ela agarrou o barman do pub local. "A gente estava debaixo do visco! E é uma tradição do Natal!", dissera quando viu a expressão de censura de Rachel, como se aquilo justificasse alguma coisa. *Cresce, Becca*, pensou, franzindo os lábios.

Ser um pouco rebelde era uma coisa. Mas dar mole para o próprio cunhado daquele jeito... Não ter nenhuma vergonha, não dar a mínima... Aquilo a chocou, ah, chocou. Principalmente agora, que ela tinha aparecido na casa de Rachel como se nada tivesse acontecido. Defina cara de pau.

Rachel percebeu que estava agarrando as cobertas ao ver os nós dos dedos brancos e pontudos enquanto a enfermeira se afastava, verificações concluídas. A essa hora na manhã seguinte, estaria em casa e na própria cama, lembrou-se, deixando aqueles pensamentos irem embora. E mesmo tendo que lidar com a irmã postiça por algumas horas, tudo acabaria valendo a pena. Não é?

Naquela tarde, Becca voltou para Hereford com a mente agitada. Havia muito a digerir além do enorme assado de domingo que ela tinha devorado, cortesia do pub local. A maneira como a mãe falara com ela... Isso nunca havia acontecido antes. Pelo menos desde o sermão sobre a revisão para os exames da escola secundária e as escolhas da vida e do escarcéu que Wendy fez uma vez quando descobriu um pacote de cigarros no bolso da jaqueta dela. Mas, como adulta, a mãe sempre pareceu se orgulhar dela. Ela e o pai ajudaram Becca com a mudança para o novo apartamento e compraram uma garrafa de espumante e um vaso de plantas, dizendo como estavam felizes de vê-la caminhar com as próprias pernas (a entrelinha era, é claro, "ainda bem que você não vai mais sugar a gente e vamos ter um quarto extra", mas, sabe, o fato é que eles a apoiaram). Ela foi junto quando Becca e Debbie fizeram a primeira feira no Centro de Exibição Nacional, mesmo que fosse um evento de noivas e ela estivesse longe de ser a cliente ideal. Becca sempre se sentiu tão amada pelos pais, tão adorada, que ouvir Wendy dizer que ela precisava se esforçar mais era como levar um tapa na cara. Da maneira mais gentil possível.

Então a mãe achava que ela era uma perdedora. *Você se perdeu* (qual *era* mesmo o caminho dela, afinal? Como poderia encontrá-lo?). A colega de apartamento claramente concordava com Wendy. *Ah, vocês ainda fazem isso?* O cunhado a enxergava como uma vadia. *Oi, tudo bem?* As sobrinhas e o sobrinho agora sabiam que não deveriam confiar suas vidas a ela depois do episódio com o chocolate. E a irmã – perdão, *irmã postiça* – foi rápida em cortar os laços e ir embora. Em suma, parecia que não havia sobrado ninguém que acreditasse nela. Apenas um doce senhor galês em seu solitário chalé, embora talvez até ele já tivesse esquecido que ela estivera lá.

O pior é que sabia que a mãe estava certa. Ela parou de avançar desde que perdera o pai. O coração calcificou, a risada morreu, a luz desapareceu da vida dela. Tinha um namorado na época, Ben; eles estavam morando juntos havia seis meses quando o acidente aconteceu, mas ele terminou com ela e se mudou logo depois, incapaz de lidar com o dilúvio emocional que ela derramava incessantemente, constrangido e desconfortável sempre que ela começava a chorar no ombro dele. O mundo dela fora reduzido ao emprego em um pub e à segurança do apartamento. Meredith respondeu ao anúncio de quarto para alugar, a Meredith com a cabeça nas nuvens, que era gentil e felizmente não se importava se ela começasse a chorar sem motivo aparente. Becca se tornou a rainha má dos contos de fadas, banindo a alegria e deixando um emaranhado de espinhos crescer ao seu redor, denso demais para qualquer pessoa quebrar.

A gente tem que seguir em frente, insistiu a mãe, os olhos brilhando com convicção. Becca se pegou suspirando enquanto dirigia.

Mas por quê? Por que tinham que seguir em frente? A ideia de se lançar de volta no mundo, dançar em festas, passar batom, paquerar, tudo isso parecia um desrespeito à memória do pai. Inapropriado para uma filha enlutada. Então Wendy veio com aquela frase matadora – ele não ia querer que a gente ficasse curtindo a tristeza para sempre ou algo assim –, e as palavras penetraram direto na pele de Becca, afiadas com a pertinência. Era verdade. O pai odiaria que elas se afundassem na tristeza para sempre. Ele era um homem alegre, ocupado, e nada o fazia mais feliz que resolver um problema ou consertar algo mecânico. Talvez ele estivesse olhando para elas lá de cima esse tempo todo, horrorizado com aqueles melancólicos "almoços do pai". *Vamos lá, garotas! Melhorem essas caras, pelo amor de Deus! Otimismo, não pessimismo!*

Sorriu com tristeza. Otimismo, não pessimismo. Foi o bordão dele quando ela fez os exames finais, e ela podia imaginá-lo dizendo isso agora, com a voz cheia de esperança.

– Está bem, está bem – murmurou baixinho enquanto se aproximava da saída para a rua de Rachel. – Vou tentar.

No dia seguinte, a irmã estaria em casa de novo, e Becca poderia voltar logo depois para Birmingham para encarar a Vida, Parte Dois. Pensaria bastante, traçaria um plano, decidiria para onde iria a partir dali, em vez de correr direto para o primeiro trabalho braçal que aparecesse. Talvez pudesse voltar para a faculdade, estudar de novo e se animar com o trabalho outra vez. Faria um esforço para se reconectar com os amigos de quem havia se afastado e quem sabe organizar algum tipo de evento no aniversário dela, que era no fim do mês. E só para a mãe largar do seu pé, podia até perguntar para Meredith se Baldrick, ou qualquer que fosse o nome dele, tinha algum amigo gato. Pensamento positivo de agora em diante, disse a si mesma. Sem olhar para trás.

Capítulo Vinte e Três

Na segunda-feira, o médico considerou que Rachel estava bem o suficiente para ir para casa. Formulários foram ticados, papéis, assinados e remédios, prescritos. Estava quase lá. Em questão de horas, veria as crianças de novo, as abraçaria e cuidaria delas, se aninharia no próprio sofá, dormiria na própria cama. Não era muito de trocar intimidades ou beijos com estranhos, mas teve que se controlar muito para não enroscar os braços ao redor do pescoço do escriturário quando a notícia foi confirmada.

– Vamos enviar as informações da senhora para Hereford e pedir que eles entrem em contato para agendar a primeira consulta de acompanhamento na clínica ortopédica – disse ele, um homem alto e careca com uma gravata troncha. – Enquanto isso, descanse e não faça esforço. A senhora não pode praticar atividade física por seis semanas, obviamente não pode dirigir antes de tirar o gesso do braço, e vou pedir que uma das enfermeiras lhe dê um panfleto com algumas instruções, tipo como cuidar do gesso, se alimentar, escovar os dentes, essas coisas.

– Seis *semanas* sem atividade física? – repetiu, de forma meio boba.

Ele já estava indo embora, mas ela quis agarrar aquela gravata troncha para detê-lo. *Espera um segundo, meu bem.* Na verdade, não havia pensado em nada além de chegar em casa e ver as crianças de novo, mas é claro que também tinha que levar em consideração todos os clientes novos – Adam, Hayley, Elaine *et al.* –, pessoas que pagaram adiantado pelas aulas. Se não podia fazer exercícios por seis semanas, então sua incipiente carreira teria as asas cortadas e se espatifaria antes mesmo de decolar.

– Definitivamente não. A senhora tem que descansar muito enquanto as fraturas cicatrizam. Pode fazer caminhadas leves quando estiver se sentindo bem, mas nenhuma atividade de impacto por enquanto. – Ele sorriu, parecendo não notar como ela estava arrasada com a notícia. – Pense nisso como uma chance de botar os pés para cima para variar, deixe as pessoas cuidarem da senhora, está bem? Melhoras.

Rachel tentou sorrir ao agradecer, mas por dentro não sentia nada além de desânimo. Deixar que os outros cuidassem dela? Quem, as três crianças? Não havia *ninguém* para cuidar dela, nenhum marido amoroso, nenhuma mãe dedicada; será que ele não considerava essa possibilidade? Tudo bem, tinha amigos que moravam perto, mas... Um suspiro saiu como um assovio de seus lábios. Bom, ela tinha o orgulho, não é? Por mais legais que os amigos fossem, Rachel não era do tipo que aceitava caridade – não por seis semanas.

Se pelo menos o pai ainda estivesse ali! Tinha certeza de que ele largaria tudo para ajudar – arregaçaria as mangas, preparando tortas salgadas e salsichas enlatadas para o jantar todos os dias, da mesma forma que fazia quando ela era criança. Meu Deus, como ainda sentia a falta dele, um ano depois de sua morte. Na primavera, comemorou o aniversário dele com uma vela na mesa do jantar, e Luke perguntou: "A gente vai ver o vovô de novo?"

"Não, querido", teve que responder. "A gente nunca mais vai ver o vovô de novo, infelizmente." Foi uma das frases mais tristes da história mundial.

Sentiu o coração apertado quando o escriturário foi embora e começou a entrar em pânico ao se perguntar como lidaria com aquilo. Até mesmo uma tarefa simples como levar as crianças para a escola todas as manhãs parecia ser demais para ela agora. A ideia de sair de casa toda machucada e desfigurada, com hematomas roxos e pretos na mandíbula, a fez suar de ansiedade.

Uma lágrima escorreu pela bochecha dela. O que iria fazer?

– Meu Deus. Caramba. Rachel, sou eu. Você está bem?

Rachel havia caído no sono, mas foi acordada pela voz incrédula da irmã postiça algumas horas depois. Abriu os olhos, tentando manter a compostura enquanto uma complexa mistura de sentimentos se agitava dentro dela: alívio, raiva e mágoa. Surpresa também, ao ver como Becca tinha engordado e como seu rosto estava inchado.

– Oi – disse através dos lábios travados.

Vai em frente, fala logo, pensou. *Pode dizer como eu estou horrível, vamos acabar logo com isso.*

Becca não desviava o olhar, chocada.

– *Cacete* – comentou, engolindo em seco. – Cara, é pior do que eu pensava. Eles explicaram que você estava bem machucada, mas não imaginei...

– Tapou a boca rapidamente. – Desculpa. Eu e minha língua grande. Não estou ajudando muito, estou?

– Não. Não mesmo.

Nem um pouco, na verdade. Rachel nunca se achou de uma beleza deslumbrante, mas, quando se olhou no espelho depois da cirurgia e viu pela primeira vez sua nova versão enfaixada e inchada a encarando com horror, teve uma reação parecida. Ela olhou por muito tempo, tentando reconciliar o rosto machucado e costurado do espelho com o que conhecia de si. "Parece que engoliu um enxame de abelhas", o pai teria brincado. Uma das bochechas estava inchada tão grotescamente que dava para colocar a colmeia inteira ali.

– Eu tenho que assinar algum papel? Trouxe alguma coisa com você? – perguntou Becca, e Rachel voltou a si.

– Não – respondeu com desinteresse. – Eles levaram a minha bolsa.

– Claro que levaram. – Havia uma ferocidade nos olhos de Becca, e ela estendeu a mão como se quisesse abraçar Rachel, mas depois pareceu mudar de ideia. – Aqueles idiotas. Canalhas. A polícia falou alguma coisa? Tinha alguma câmera de vigilância na estação ou...?

– Não – repetiu Rachel.

Dois policiais apareceram ao lado da cama dela na quinta – ou teria sido na sexta? –, mas ela não foi capaz de ajudar com nenhum detalhe além de dizer *dois homens, altura média, um deles talvez usando uma camiseta preta*. Dava para ver na cara deles que era uma causa perdida. Eles a lembraram de bloquear os cartões de crédito assim que possível e foram embora, provavelmente jogando o depoimento todo fora ao sair da enfermaria.

– Nossa. Sinto muito. Que situação horrível – retrucou Becca, e Rachel fechou os olhos por um momento.

Nem tenta ser legal agora, pensou. *Não depois do que você fez.*

– Mas vamos levar você para casa, não é? – continuou Becca. – As crianças estão desesperadas para ver você. Elas foram maravilhosas – acrescentou imediatamente quando Rachel abriu os olhos, e as lágrimas começaram a brotar de novo. – Muito valentes. E tenho certeza de que tudo vai melhorar quando você estiver de volta. Aqui, eu trouxe uma muda de roupas, espero que estas sirvam. Quer que eu a ajude?

– Não, obrigada.

De maneira desajeitada e lenta, Rachel desamarrou a camisola hospitalar e tentou se vestir. Meu Deus, fechar o sutiã com apenas uma das mãos era extremamente difícil. Irritantemente difícil, na verdade. Odiando sua própria impotência, resmungou, por fim:

– Você pode só...? – E virou de costas para que Becca a ajudasse.

– Pronto. Quer ajuda com a blusa também?

– Não.

Se já era ruim ter que aceitar favores dos outros enquanto estava se recuperando, de Becca, então... Era como se o universo quisesse esfregar aquilo na cara dela. *Então, me conta*, imaginou-se dizendo, *você daria uma nota tão boa para o meu marido na cama quanto ele deu para você? Sua traidorazinha nojenta. Não resistiu, não foi? Primeiro manipulou o meu pai e acabou com a vida dele. Depois botou os olhos no meu marido. Vai. Se. Foder.*

Finalmente estava vestida e apresentável de novo. Ela se levantou com cuidado, o mundo balançando e girando enquanto dava os primeiros passos hesitantes.

– Cuide-se, viu? – disse a enfermeira de plantão, abrindo as cortinas de novo e começando a arrumar a cama. – Nada de bungee-jump por um tempo, está bem?

E lá foram elas, Rachel carregando um saco de papel com analgésicos pesados e vários panfletos que explicavam como cuidar das partes do corpo em recuperação. Era um alívio ficar na vertical de novo depois de cinco dias sem fazer nada além de permanecer deitada, alternando sonhos de morfina e dor; mas era estranho também. Ela era uma corredora, não suportava caminhar como um caracol, mas agora arrastava os pés, sentindo-se vulnerável e quebrada com o pulso em uma tipoia, temendo que o metal em sua cabeça começasse a vibrar se andasse mais rápido.

Becca ofereceu o braço e Rachel disse que não precisava, não era uma aleijada. Talvez com uma voz irritada demais, porque Becca se retraiu e recuou. Mas, assim que elas se viram do lado de fora e Rachel sentiu o ar fresco no rosto pela primeira vez no que pareciam ser semanas, o resto do mundo a atingiu de uma vez – carros, pessoas, o uivo distante de uma sirene –, e um pânico inesperado tomou conta dela. Tudo voltou como um flash: o medo, o choque, a dor do impacto contra o chão frio – e ela começou a tremer e respirar com dificuldade, como se estivesse se preparando para passar por tudo aquilo de novo.

– Estacionei o carro logo ali. Você está bem? – indagou Becca, insegura. Provavelmente pensou que teria a cabeça arrancada de novo por ousar fazer outra pergunta.

Os ombros de Rachel estavam tensos e curvos, seu corpo tomado pela adrenalina. Os pelos do braço se arrepiaram, a cabeça começou a latejar e o suor molhava as axilas e as costas.

– Estou bem – conseguiu dizer, engolindo em seco. Não ia admitir o súbito pânico a Becca, isso era fato.

– Ok. Porque você parece mesmo bem – respondeu Becca, incrédula, mas não falou mais nada.

Felizmente elas chegaram ao carro, e Becca abriu a porta do carona para que Rachel pudesse entrar com cuidado, os pulmões arfando com o esforço.

Respira, disse Rachel a si mesma. *Está tudo bem. Não vai ter um ataque histérico agora, pelo amor de Deus.*

O carro de Becca tinha cheiro de salgadinho de queijo e cebola misturado a perfume barato. Um boneco do Meu Pequeno Pônei balançava, pendurado no espelho retrovisor, e havia uma lata de Coca diet no chão do carona. Enquanto Rachel tentava se ajeitar, algo farfalhou sob ela – um pacote de balas, descobriu, estendendo o braço bom para investigar. Que maravilha.

– Desculpa pelo estado desta lata-velha – comentou Becca, enquanto pulava para o banco do motorista e prendia o cinto de segurança. – Pronta para ir? Pé na tábua!

Capítulo Vinte e Quatro

A viagem até Manchester foi bastante desconfortável. Becca havia se imaginado irrompendo na enfermaria e abraçando a irmã, as duas talvez com lágrimas de emoção nos olhos, mas, mesmo em um leito de hospital, tendo sido assaltada recentemente, Rachel ainda conseguia emitir nítidas vibrações que diziam "não ouse sentir pena de mim", e os braços de Becca penderam inúteis ao lado do corpo. Abraços não eram permitidos, isso estava evidente. Enfie a sua empatia naquele lugar.

Becca nunca foi do tipo que seguia totalmente as regras – além disso, era impossível *não* sentir pena da irmã naquele momento. Ainda mais com aqueles hematomas roxos e pretos ao redor dos olhos e o rosto tão inchado. E quando ela falou daquele jeito estranho, sem conseguir abrir a boca, tão diferente de seu habitual tom assertivo... foi de partir o coração. Ela também estava magra. Rachel sempre fora esguia e atlética, a sortuda, mas de uma forma saudável. Agora estava esquelética. Não que Becca ousasse dizer nada disso em voz alta depois do choque inicial. Ela podia ter uma boca grande, mas não era uma completa idiota.

– Ouvi dizer que você é uma personal trainer! – comentou ao sair do estacionamento e voltar para o anel viário. – Que legal. Vários clientes seus ligaram.

– Quem? – perguntou Rachel, embora parecesse que não estava se importando muito.

Com o pulso, a mandíbula e a maçã do rosto quebrados, não poderia fazer praticamente nada nas semanas seguintes exceto ficar de molho, e com certeza não poderia treinar ninguém por um bom tempo. Ops. Talvez aquele não fosse o melhor assunto para puxar, afinal.

– Deixa eu ver. Uma senhora chamada Rita foi a primeira a ligar, cancelando. Mabel disse que ela já fez isso antes.

– Hummm.

– E um senhorzinho adorável chamado Michael ligou, depois um outro cara, Adam, reclamando de um treino perdido. – Becca se interrompeu, sem querer falar de Adam. Desde aquela despedida amarga, se irritava ao pensar nele. – Mas que ótima ideia montar seu próprio negócio – emendou, rapidamente. – Ser sua própria chefe. Muito bom.

– Obrigada – respondeu Rachel.

Com o pulso envolto no gesso, apoiado inutilmente no colo, lembrava a Becca um pássaro com a asa quebrada. Mais precisamente uma ave de rapina com a asa quebrada. Uma águia de mau humor. Um abutre irritado que arrancaria seus olhos na primeira oportunidade.

– Esse cara, Michael, deve ter entendido seu anúncio errado, porque queria saber como fazer um ensopado irlandês! – continuou Becca, com uma risadinha. Ela não suportava o silêncio prolongado entre duas pessoas, ficava nervosa. – Coitado, só deve ter chegado até aquela parte do panfleto que dizia "Posso ajudar?" e discado sem ler o resto.

Rachel bufou.

– Aparecem alguns malucos.

Becca se sentiu inclinada a defender Michael:

– Ah, ele não é maluco, não. É superdoce. Só é solitário. A mulher dele morreu e ele ficou sozinho, não se cuida muito. Então dei um pulo na casa dele e o ensinei a fazer um ensopado...

– Você fez *o quê?*

– Bom... – Becca sentiu que deu um passo em falso. Era difícil ter certeza com a grade de metal na mandíbula de Rachel, mas a última palavra tinha um claro tom de desdém. – Eu fui até lá – comentou ela, desejando nunca ter tocado no assunto – porque fiquei com pena dele, foi isso.

Rachel parecia exasperada.

– Eu não estou fazendo caridade.

Era a frase mais longa que ela havia dito até então e, infelizmente, não tinha um tom muito alegre.

– Eu sei que não! E expliquei isso para ele – apressou-se em dizer. – Eu fui até lá por conta própria, enquanto as crianças estavam na escola, foi só isso. Quando eu não estava ocupada falando com os seus vizinhos, ligando para a polícia e tentando descobrir o que tinha acontecido com você. – Becca ergueu a voz com um rompante, sentindo-se na defensiva, e comprimiu os lábios com força para não dizer mais nada. *Fala sério, Rachel! Eu só estava tentando ajudar.* – De qualquer forma, deu tudo certo – concluiu. Hora de mudar de assunto. – Então... Você quer... falar sobre o que aconteceu em Manchester?

– Não – respondeu Rachel, virando o rosto para a janela.

– Ou então – insistiu, embora toda a linguagem corporal da irmã indicasse "CALA A BOCA!" – sobre o que estava fazendo lá?

– Não – repetiu Rachel, ainda mais assertiva, e fechou os olhos.

Becca olhou de soslaio para ela, pensando se fazia algum sentido perguntar qualquer outra coisa. Provavelmente não. Ela se pegou pensando nas amigas que tinham irmãs – Lorna, que passava dias em um spa com a irmã, as duas sentadas de roupão de algodão piquet discutindo os problemas do mundo; Michelle, que era tão próxima das irmãs que recentemente tinha contado com as duas no nascimento do filho; e Aimee, que saía de férias com a irmã e contava tudo da vida para ela.

Por mais que Becca quisesse ter esse tipo de relacionamento com Rachel – simplesmente *gostar* uma da outra já seria um começo –, sabia também que só dava para ajudar alguém se ela quisesse ser ajudada. Ainda que elas não se vissem havia anos e tivessem passado a infância juntas debaixo do mesmo teto, tinha a nítida sensação de que estava perdendo seu tempo. Debilitada ou não, de alguma forma Rachel sempre fazia Becca sentir que estava errada.

Elas seguiram em silêncio por mais uma hora e quarenta minutos, e Becca estava estacionando na entrada da casa quando Rachel arregalou os olhos como se tivesse lembrado de alguma coisa.

– Ah. Meu carro.

– Pois é, eu ia lhe perguntar. Onde você deixou?

– Merda. Deixei na estação de trem – retrucou ela, fazendo um grunhido com a garganta que podia tanto ser uma tentativa de riso quanto um soluço de choro. – A essa altura já foi rebocado. O tíquete só vale por doze horas.

Becca desligou o motor, aliviada por ter conseguido ir e voltar de Manchester sem precisar abastecer ou parar no acostamento. *Obrigada, Deusa das Latas-Velhas Decrépitas.*

– Entendi – respondeu ela. – Bom, eu posso ir até a estação se você quiser, ver se consigo localizá-lo. Mas acho que você não vai poder dirigir por um bom tempo por causa do pulso.

Teve um súbito lampejo de memória de quando Rachel passou na autoescola. O pai comprou um Mini Metro azul-bebê gasto, que ela enfeitou com assentos de pelo roxo e adesivos no painel, e Becca – então com uns 8 ou 9 anos – pensou que aquela era coisa mais legal e adulta do mundo. Por um tempo, Rachel só queria sair de carro – para a faculdade, a loja da esquina e a casa dos amigos, com as janelas abertas e a música aos berros. Até se ofereceu para levar Becca às reuniões de escoteiras todas as semanas naquele primeiro verão, uma rara experiência de união entre irmãs. Mesmo agora, Becca ainda podia sentir o pelo roxo debaixo das pernas nuas e o cheiro do aromatizante de laranja pendurado no espelho; as duas cantando bem alto ao som da Kiss FM. Sempre lamentou secretamente que a viagem durasse tão pouco.

O queixo de Rachel caiu.

– Não, não vou poder dirigir.

– E as coisas que eles roubaram? Alguém ligou para cancelar os cartões de crédito ou tomou alguma providência sobre o celular?

– Não. – Rachel suspirou. – Droga. As contas do próximo mês vão ser lindas.

– Tudo bem, não se preocupa. Eu resolvo isso tudo antes de as crianças chegarem em casa – acalmou Becca, tentando soar otimista. – Ainda fico aqui com você por mais um dia, lembra? A enfermeira falou que tenho que ficar de olho em você, então pode me usar para essas coisas.

Obrigada, murmurou para si mesma com sarcasmo quando a resposta não veio. Saiu do carro para que Rachel não visse a sua expressão. *É muito gentil da sua parte, Becca. Uau, mais um gesto delicado seu para me ajudar. Fico tãoooo agradecida.*

Tirou as chaves da casa da bolsa, mas hesitou, constrangida.

– Isso não parece certo, abrir a porta da sua própria casa para você – disse ela, estendendo as chaves para Rachel enquanto a irmã emergia devagar do carro.

Os ombros dela estavam encolhidos e a cabeça baixa, como se ela não quisesse ser vista – embora fosse um pouco tarde, porque Becca tinha certeza de que a cortina de Sara Fortescue havia se mexido do outro lado da rua.

Com o pulso direito aninhado em uma tipoia, Rachel pegou as chaves com a mão esquerda e tentou, trêmula, abrir a porta da frente. Ai, Deus, como aquilo era lamentável. É claro que se Becca tivesse sido autorizada a demonstrar qualquer sinal de compaixão, teria tirado as chaves da mão da irmã e aberto a porta ela mesma; elas estariam dentro de casa em dois segundos. Em vez disso, teve que fingir que estava trancando o carro para não assistir àquela provação.

A certa altura, a porta se abriu e elas entraram.

– Bem-vinda de volta – disse Becca apreensiva, torcendo para que Rachel não sentisse o leve cheiro de torrada queimada que permanecia na casa desde o início da manhã.

Estava prestes a fechar a porta e sugerir um almoço fora de hora, quando notou uma figura familiar atravessando a rua apressada, com o rabo de cavalo louro balançando e sandálias brancas imaculadas brilhando a cada passo. Ah, ótimo. Sua mais nova amiga. Não tinha esperado nem cinco minutos para meter o bedelho.

– Foi Rachel que eu vi chegando? – perguntou Sara, seu sotaque elegante agitando o ar parado. O rosto dela estava iluminado pela expectativa. – Como ela está? O que *aconteceu*?

Capítulo Vinte e Cinco

Rachel enrijeceu ao ouvir a voz e entrou rapidamente na sala, saindo de vista. O que havia feito para merecer morar em frente a Sara Fortescue, com seu narizinho arrebitado e aqueles olhos de águia que viam tudo? Tentou não grunhir alto ao escutar a mulher conversar com Becca com um tom meloso de falsa simpatia, mal disfarçando uma ânsia ofegante de saber a fofoca. Francamente, era um milagre que ela tivesse demorado tanto a aparecer.

Para alívio de Rachel, Becca não mordeu a isca.

– Ela está bem – respondeu friamente. – Eu vou ter que entrar agora, então...

– Mas está tudo bem? – Sara não seria enrolada com tanta facilidade. Rachel podia imaginá-la entrelaçando as mãos, toda séria, mexendo as anteninhas detectoras de escândalos. – Todo mundo ficou tão *preocupado*!

Rachel revirou os olhos. Até parece. Estavam curiosos, isso sim. *Por favor, Becca*, pensou, sentindo-se cansada, dolorida e vulnerável. *Não deixa essa mulher entrar*. A última coisa de que precisava era ser importunada pela rainha dos Furos de Reportagens.

– Vocês não precisam se preocupar. Como eu disse, está tudo bem. Vou transmitir seus votos de melhoras. Tchau.

Então veio o abençoado barulho da porta se fechando. Graças a Deus. Rachel se recostou na cadeira com uma forte dor nas têmporas. Pela janela, viu Sara voltando para a própria casa com os ombros rígidos e um bico que com certeza era de irritação.

Becca entrou na sala discretamente, com um ar evasivo.

– Hum... Era a sua vizinha. Espero não ter sido muito grosseira com ela, mas... – Ela fez uma careta. – Bom, eu não confio nela, é isso. Ela é mesmo sua amiga ou faz parte da vigilância do bairro?

– Ela não é minha amiga – respondeu Rachel. Fez uma pausa e acrescentou: – Obrigada por se livrar dela.

– Sem problemas – retrucou Becca, olhando pela janela com um pouco de culpa. – Bom, a gente precisa almoçar. Eu estou faminta, e você também deve estar. Vou fazer alguma coisa para a gente.

Rachel ficou ainda mais deprimida. Ela gostava tanto de comer, mas perdera esse prazer depois da cirurgia. Desde que a mandíbula fora fixada, sua dieta teria que ser exclusivamente líquida: sopas, vitaminas, mingau de aveia, purê de maçã... basicamente tudo que não exigia mastigar. Comida de bebê. Teve um flashback de todas as papinhas que fizera para os filhos na época da introdução alimentar – a batata-doce amassada e a pera cozida armazenadas em fôrmas de gelo e congeladas por conveniência. Os sacos com os cubos no congelador, cuidadosamente etiquetados e datados. Naquela época, ela se achava a expert em maternidade. Rá!

– Não estou com muita fome – mentiu. – Acho que vou para a cama.

– Come alguma coisa antes – insistiu Becca. – Fica aqui, vou fazer uma sopa. Não demoro.

Antes que Rachel pudesse argumentar, Becca já estava na cozinha descascando e picando cenouras, vasculhando os potes de temperos atrás de cominho e coentro e arrastando a panela maior para a boca do fogão. Por mais que soubesse que a irmã estava sendo gentil, era irritante vê-la se movimentar, ágil, pela cozinha, batendo as panelas como se fosse dona do lugar. Só quando lembrou que Becca estava havia vários dias à frente do forte, cuidando dos filhos dela, conseguiu engolir o desgosto.

– Vou fazer o suficiente para render algumas refeições – comentou Becca, enquanto Rachel mancava e se sentava à mesa.

– Obrigada – disse Rachel sem muito entusiasmo.

Sopas a lembravam de Wendy e suas dietas ridículas. Uma vez, durante o mês de janeiro, ela fez todos tomarem sopa de repolho por dias a fio após uma resolução de ano-novo. A casa cheirava tão mal que Rachel resolveu entrar para o clube de atletismo da escola. Preferiu passar aquelas noites chuvosas e escuras correndo em uma pista iluminada por holofotes em vez de dentro de casa, envenenando-se lentamente com o cheiro de repolhos e peidos.

– Fiquei triste de saber sobre você e Lawrence. – Becca arriscou dizer depois de um tempo, afastando do rosto o cabelo grudado pelo calor do cozimento. – Você não precisa me contar se não quiser, mas... enfim, o que aconteceu?

A mão boa de Rachel cerrou em punho sob a mesa enquanto Becca esfarelava os cubos do caldo de legumes em uma jarra. *Não se atreva*, pensou. *Não se atreva sequer a mencionar o nome dele para mim.* Desviou o olhar de maneira incisiva para que a irmã se calasse, e Becca, pela primeira vez, captou a mensagem.

– Desculpa. Não é da minha conta – falou ela, sem jeito. – Esquece o que eu disse.

Becca cutucou um pedaço de cenoura com uma faca, depois escorreu a água da panela e bateu as cenouras cozidas no liquidificador, adicionando pitadas de temperos e moendo pimenta antes de devolver tudo ao fogão e misturar o caldo de legumes. Enquanto isso, Rachel se recostou na cadeira, exaurida pelo cansaço, pensando que em uma hora seus bebês sairiam da escola e estariam em casa.

Mas é claro que Becca não conseguia ficar quieta por muito tempo.

– Bom, parece que você passou por maus bocados – acabou dizendo. – Mas quer saber? Você seguiu em frente, segurou as pontas e até abriu um negócio, enquanto a maioria das mulheres estaria choramingando pelos cantos. Posso demonstrar a minha admiração oferecendo uma tigela de sopa de cenoura e especiarias?

Rachel forçou um sorriso. O cheiro e o aspecto da sopa eram terríveis, mas ela temia não ter muita escolha.

– Claro, por favor – disfarçou.

– MÃE! – gritou Scarlet mais tarde, ao entrar em casa correndo e irromper na sala de estar.

Esgotada após a viagem de volta para casa, Rachel havia se recostado no sofá enquanto Becca foi buscar as crianças na escola e acabou cochilando. Ela se sentou com dificuldade quando ouviu a porta da frente se abrir, mas Scarlet parou de repente quando a viu.

– Nossa – disse ela, arregalando os olhos atrás dos óculos. – Que merda, mãe. Luke, vem ver.

– Scarlet! – protestou Rachel debilmente. Embora não houvesse mãe no mundo que quisesse ouvir a filha de 10 anos dizer coisas como "que merda", sabia que aquela não era a hora de dar bronca. – Vem aqui me dar um abraço. Ah, eu senti tanta saudade! – exclamou, chorando, quando Scarlet se aventurou a chegar mais perto e depois a envolveu em um abraço.

Rachel apoiou o queixo na cabeça da filha e cheirou o cabelo dela, sentindo seu próprio corpo relaxar. Agora sim estava em casa. Era disso que precisava – não de sopa ou morfina: a melhor cura era ter os filhos nos braços de novo, seguros e próximos.

– Como você está? Como está a escola? Tudo bem?

– Sua voz está bizarra – respondeu Scarlet, com a própria voz abafada pelo abraço forte. – É como se você estivesse rangendo os dentes o tempo todo.

Rachel a afastou um pouco e fez um carinho na bochecha sardenta da filha. Menina adorável. Adorável, engraçada, sincera, pensou.

– Foi por isso que não liguei para vocês. Sei que é um pouco difícil entender o que eu falo, mas vocês vão se acostumar, prometo. Oi, Luke – chamou o filho, ao vê-lo entrar furtivamente na sala. – Oi, querido. Você está bem? Ainda sou eu debaixo desses machucados, não se preocupa.

Luke a encarava com olhos arregalados, parado na porta como se estivesse com medo dela, como se não tivesse certeza de que *era* ela mesmo.

– Vem, Luke, dá para ver todos os pontos e pedaços de metal onde eles consertaram a mamãe – disse Scarlet, que tinha bem menos medo daquelas coisas.

– Você brigou com alguém? – perguntou Luke, arriscando alguns passos corajosos. – Dói muito muito?

Rachel tentou sorrir com os olhos, porque sabia que a boca não se moveria na direção correta.

– Dói um pouco, sim – admitiu –, mas vou ficar bem. Isso é o mais importante, tá? Vou ficar boa. E como vocês estão? Como foi a escola? Contem como foi o dia de vocês.

Demorou uns dois minutos para as crianças superarem o choque de vê-la tão machucada e diferente, mas elas acabaram se recostando na mãe, contando as histórias do dia delas na escola, atualizando-a sobre tudo o que ela havia perdido – que Scarlet quase conseguiu ensinar Harvey a rolar no fim de semana, que Luke foi convidado para uma festa na piscina na semana seguinte e que Scarlet tinha uma nova melhor amiga, uma garota que acabara de entrar na turma e se chamava Lois.

– Ah, sim – comentou Scarlet, como se resgatasse uma memória anterior, a coisa menos importante do período –, e Luke foi parar no hospital na quinta.

– Ah, é, a Sra. Keyes levou a gente de *carro* – disse ele. – E teve que espetar a minha *perna*, mas ela me deu um pirulito porque fui muito corajoso.

Rachel ficou muda por um instante. *O QUÊ?*, queria gritar.

Becca entrou na sala naquele momento, pegando justamente o fim da conversa, e sua pele clara e sardenta corou.

– Aham, pois é, eu ia contar – falou ela, culpada, depositando uma bandeja com suco de laranja e um prato com pedaços de maçãs cortadas na frente deles. – Mil desculpas, Rach. Foi tudo culpa minha. Eu não sabia que Luke tinha alergia a amendoim e dei um pedaço de Snickers para ele. Mas ele está bem, tudo foi resolvido muito rápido e sem sequelas.

– A não ser pela injeção na minha perna – lembrou Luke.

– Verdade, a não ser por isso – disse Becca, censurando-se.

Ai, meu Deus. Rachel ficou tonta de pavor. Olhou para a irmã se perguntando se aquilo era alguma piada. A julgar pela luz suplicante dos olhos dela e pela forma como ela retorcia as mãos nervosamente, não era.

– Eu ajudei – argumentou Scarlet, dando-se importância. – Eu levei Luke para a secretaria.

– É verdade – respondeu Becca. – Scarlet manteve a cabeça fria na crise.

– E eu fui corajoso – insistiu Luke, determinado a permanecer sob os holofotes.

– Você foi muito corajoso. – Becca mordeu o lábio e olhou para Rachel. – E eu peço mil desculpas. Obviamente, ele está ótimo agora. É que... eu não sabia.

Como eu ia saber?, suplicavam aqueles olhos azuis.

– Certo – pontuou Rachel, sem saber mais o que dizer.

Felizmente, a porta da frente se abriu de novo e Mabel entrou, com maquiagem carregada (proibida na escola), os pulsos cheios de pulseiras (proibidas na escola) e a saia dobrada até o meio da coxa (o que a escola também proibia).

– Oi, meu amor – cumprimentou Rachel, perguntando-se se tinha energia ou não para repreender a filha por todos aqueles crimes. – Teve um bom dia?

Mabel olhou para ela.

– Meu Deus, mãe, você está parecendo o Stephen Hawking! – exclamou, pegando o celular. – Posso tirar uma foto sua e postar no Instagram?

Rachel não estava acostumada a ser uma inválida. Fora saudável e forte a vida inteira, dormia bem, comia bem, adorava correr, nadar e dançar. Crescer sem mãe a ensinou a ser independente, a cuidar de si mesma e dos outros. Tinha tanto medo de que seus filhos enfrentassem o mesmo destino que fez de tudo para se manter em forma tanto para o bem dela quanto para o deles. Só passou pela experiência de ser cuidada no pós-parto, mas mesmo assim insistiu em se levantar e tocar a vida o mais rápido possível. Não precisava de ajuda, muito obrigada.

No hospital, sentiu aquela mesma vontade de fugir. É claro que ficaria bem, lógico que daria um jeito, será que eles não sabiam com quem estavam falando? Mas bastaram algumas horas em casa para que ela reconsiderasse isso. Por mais que odiasse admitir, as coisas seriam bem difíceis por algum tempo. Por exemplo, tomar banho com um dos braços engessado e mantê-lo completamente seco. Tentar ajudar seu filho a fazer o dever de casa quando o cérebro estava tão confuso pelos analgésicos pesados que ela mal conseguia manter os olhos abertos. Fazer compras no supermercado sem o carro, que fora rebocado (Becca estava cuidando disso), cancelar todos os cartões de crédito (idem) e sair em público... Sem falar que ela tinha treinos marcados com os clientes e contas para pagar. As próximas seis semanas de pausa forçada já estavam à espreita, assustadoras. O que ela faria? Ah, como desejava que nada daquilo tivesse acontecido, que nunca tivesse encontrado Violet Pewsey e pegado o trem para Manchester em busca da verdade!

Após desejar uma boa noite para Luke, Rachel estava tendo um pequeno ataque de pânico em seu quarto quando Becca bateu à porta com o telefone na mão.

– É para você. Uma pessoa chamada Hayley George, perguntando sobre amanhã.

Ah, sim, a simpática Hayley, uma das clientes novas. Seu rosto sorridente surgiu na mente de Rachel, e ela hesitou, sem saber o que fazer.

– Posso ligar de volta em cinco minutos? – perguntou com a voz baixa, e Becca aquiesceu e foi embora.

Essa era a desvantagem de não trabalhar para uma grande empresa, é claro. Não havia um auxílio-doença, um time de funcionários para cobrir uma folga quando necessário, ninguém disponível para substituí-la. Teria que cancelar todos os clientes, um por um, porque nenhum deles iria esperar seis semanas até que ela estivesse recuperada o suficiente para treinar. O que era uma pena. Logo quando tinha conseguido uma quantidade razoável de clientes, quando estava começando a sentir que podia chegar a algum lugar... Ah, se houvesse alguma forma de contornar aquilo!

Outra leve batida à porta. Becca de novo.

– Anotei o número dela. Ou eu posso ligar para ela e dar o recado, se for mais fácil. E... olha, você pode me mandar para o inferno se quiser, mas... tem certeza de que vai ficar bem se eu for embora amanhã? Sei que o médico disse para eu esperar só 24 horas, mas... – Ela deu de ombros. – É o seguinte: perdi meu emprego na semana passada, então se você quiser que eu fique mais alguns dias, tudo bem. Posso levar as crianças para a escola, cozinhar, basicamente tentar substituir você da melhor maneira possível. – Sorriu de forma estranha. – Juro que aprendi a lição no quesito amendoins também.

Rachel refletiu sobre a oferta. Por mais raiva que tivesse sentido de Becca nos últimos sete meses, não tinha como não reconhecer que a irmã postiça estava sendo uma heroína nos últimos dias, prontificando-se para ajudar e cuidando da casa na ausência de Rachel.

– Por que você perdeu o emprego? – indagou, enquanto tentava se decidir.

– Hum... Para ser sincera, era para eu estar trabalhando na noite que vim para cá – confessou Becca, arrastando um dos pés no carpete como se fosse uma criança. – Dei uma desculpa para o meu chefe, mas ele percebeu que era mentira e me botou na rua.

– Caramba. Desculpa.

Rachel nem havia pensado nas consequências após o telefonema de Sara, deixando sua vida em espera.

– Tudo bem. Era uma droga de trabalho mesmo. Mas o que eu quero dizer é que não tenho pressa de voltar. E já falei com alguns dos seus clientes, então se você quiser que eu ligue para outros também ou... qualquer outra coisa, é só falar. – Ela fez uma pausa. – Tem sido bom passar um tempo com as crianças, elas são incríveis. E talvez eu e você pudéssemos... – Houve outro estranho dar de ombros. – Talvez pudéssemos nos conhecer de novo?

Hum. Rachel não estava certa sobre essa última parte – *Assim como você conheceu o meu marido, quer dizer? Acho que não* –, mas pensou em um dos comentários anteriores de Becca, de que ela poderia substituí-la. Era um tiro no escuro, mas talvez, apenas talvez, valesse a pena tentar. Só havia um jeito de descobrir. Ela respirou fundo.

– Posso lhe pedir um favor?

Capítulo Vinte e Seis

Rachel quase não tinha sido ela mesma desde que voltara para casa, Becca pensou: quieta e contida, sem fazer muito contato visual. Essa era uma versão editada da irmã, sem a determinação e a energia que sempre fizeram Becca se sentir morosa e desleixada, ao se comparar a ela. O único momento em que pareceu remotamente viva foi quando falou com as crianças e seu rosto se suavizou pelo amor por elas. Pobre Rachel. Becca ficou desconfortável ao vê-la tão sem brilho. Era como se o eixo do mundo estivesse deslocado e o apocalipse zumbi se aproximasse.

Mesmo assim, elas fizeram uma espécie de acordo motivado pela necessidade. Becca ficaria mais uma semana para cuidar de todos enquanto Rachel descansava. Com relutância, Mabel permitiu que Scarlet ficasse em seu quarto durante aquele período, para que Becca dormisse na cama da irmã mais nova (cercada por umas cem fotos de Harvey, o golden retriever, com sua língua rosa pendente e seus olhos adoráveis). Becca também – e essa era a parte que mais a apavorava – cuidaria dos clientes de Rachel. Sim. Sem brincadeira. Rachel criaria uma série detalhada para cada um deles e Becca os guiaria nos treinos, exercício por exercício.

– Eu só posso estar maluca – sussurrou para a mãe ao telefone naquela noite, na segurança da cama de Scarlet. – Quer dizer, *eu* vou orientar os clientes dela em um treino pesado de verdade. Vão todos rir de mim que nem aquele Adam nojento. Vai ser horrível.

– Vai dar tudo certo! – assegurou Wendy. – Eles vão amar você. E pensa como seu pai ficaria emocionado de saber o que você está fazendo pela sua irmã. Como ele ficaria feliz de ver vocês duas debaixo do mesmo teto se dando tão bem!

Becca fez uma careta. Não estava certa de que elas *estavam* de fato se dando tão bem. Rachel ainda era bastante fria com ela; distante, como se só a tolerasse por não ter outro jeito. Provavelmente seria ainda mais hostil, ficaria irritada até, quando Becca estragasse tudo com os clientes dela também, pensou, melancólica. Mas havia prometido tentar.

– Eu fiquei surpresa só de ela *perguntar*, mãe – confessou. – Isso me pegou desprevenida. Acho que ela nunca me pediu um favor antes. Você vai achar meio patético, mas eu me senti até... lisonjeada.

– Acho isso ótimo – respondeu Wendy. – Talvez esse seja o início de uma nova amizade entre vocês duas, nunca se sabe. De qualquer forma, boa sorte. Pronta para o que der e vier, como diria o seu pai.

– Obrigada, mãe.

Assim que desligou, o celular de Becca apitou com uma nova mensagem: Meredith.

Ei! Há quanto tempo. Como você está? O banquete foi DIVINO. Todo mundo amou o diadema. Minha amiga Alianor também quer um. Posso dar seu número pra ela? Bjs P.S.: Estou bem caída pelo Leofrick.

Leofrick, era isso – não Baldrick, como ela o chamou outro dia. Becca leu a mensagem de novo e sorriu ao notar que era a cara de Meredith.

SIM!, respondeu. *Pode dar o meu número. Diz pra ela pagar a conta de luz (BRINCADEIRA). Vou ficar mais uma semana aqui. Saudades! O que rolou com o gato do L? Conta tudo. Bjs*

Estava prestes a apertar "Enviar", mas as palavras de Wendy na conversa catastrófica de domingo ecoaram em sua cabeça, como se a mãe estivesse bem ali diante dela, sacudindo o dedo de novo. *Tá bem,* pensou. *Já que você insiste.*

P.S.: A propósito, o L tem algum amigo gato?

Fez uma careta, mas apertou "Enviar". Dane-se. Pelo menos podia dizer à mãe que havia tentado.

***

Na terça de manhã, depois de deixar as crianças em segurança na escola, Becca se preparou para a próxima tarefa da lista: o treino das dez com Hayley. Após a experiência desastrosa com Adam Holland, a última coisa que ela queria fazer era se submeter a mais um ritual de humilhação nas mãos de um esportista, mas, quando ligou para Hayley na noite anterior, explicou a situação e ofereceu um desconto de cinquenta por cento, ela foi um milhão de vezes mais simpática que Adam.

– A única coisa que você precisa fazer é dizer as palavras mágicas "vestido de noiva" para mim sempre que eu estiver prestes a desistir – disse ela a Becca, com um leve sotaque de Liverpool. – E melhoras para Rachel.

Ser legal ao telefone era fácil, mas Becca ainda sentia um frio na barriga ao pedalar pela cidade para encontrar a cliente. Torcia para que Hayley continuasse lidando tão bem com a situação quando abrisse a porta e visse Becca postada ali nervosa, com suas coxas brancas e moles e sua barriga que definitivamente não era do tipo tanquinho. *Ah*, imaginou a outra mulher falar com educada consternação – o que já seria um avanço em relação ao *Você só pode estar brincando* do rabugento do Adam, é claro, mas ainda assim o suficiente para fazê-la se sentir péssima. E se ela, Becca, fosse a única razão para os clientes de Rachel pularem fora, um por um, porque não estava à altura do trabalho? Sentiu seu rosto queimar diante da ideia. A vergonha que causaria seria suficiente para acender todas as luzes de Natal de Birmingham.

A casa de Hayley era uma bela e antiga mansão vitoriana geminada com a porta verde-oliva, perto da Holmer Road. A tênue esperança de que Hayley seria como Becca e elas conversariam sobre seus sabores preferidos de batatinhas e as injustiças do metabolismo lento foram por água abaixo quando a porta se abriu e revelou uma mulher magra e sorridente, com longos cabelos castanhos presos em um rabo de cavalo. Ó, céus. Hayley era gata *e* magra. Por que diabos *ela* precisava de uma personal trainer? Com grandes olhos castanhos e covinhas, além de pernas lindas, era o tipo de mulher que já ficaria maravilhosa em um saco de batatas, quanto mais com um belo vestido de noiva e flores no cabelo.

– Oi – cumprimentou Becca, apreensiva, posicionando o capacete de ciclismo de maneira falsamente casual para esconder a barriga e tentando controlar a onda nauseante de nervosismo. – Eu sou Becca. Logicamente. Olá.

– Oi. Caramba, você não tem nada a ver com a Rachel. Eu sou Hayley, prazer. E este é Wilf – acrescentou, quando um greyhound apareceu atrás dela no corredor e inclinou a cabeça elegante na direção de Becca. – Você não se importa se ele for com a gente, né? É que eu tenho tanto trabalho para fazer, além do estresse do casamento e – ela ergueu as mãos para o ar – *coisas* acontecendo no geral, daí pensei que podia combinar meu treino de hoje com o passeio dele. Dar uma voltinha fora de casa juntos.

– Sem problema – disse Becca.

Estava tão desesperada por aprovação e ansiosa para não hostilizar outro cliente que teria concordado com qualquer coisa. Pigarreou e deu uma última olhada no papel com a lista de exercícios de Rachel.

– Então... vamos começar?

Becca orientou Hayley durante uma série de exercícios de aquecimento e depois elas correram por uma alameda até um bosque próximo, com Wilf trotando atrás. Bom, "correr" não foi bem o caso de Becca, porque na verdade ela foi pedalando – pela simples razão que seu rosto certamente ficaria vermelho como um tomate se tentasse fazer isso. Ela mal conseguiria respirar, quanto mais dar instruções. Rachel, naturalmente, teria corrido ao lado da cliente, dando orientações sobre a técnica e marcando o ritmo, mas tudo bem. Se pelo menos Becca conseguisse dizer algo condizente com uma instrutora de fitness além de elogiar os belos tênis azul-néon de Hayley...

– Ahh, ar fresco – disse Hayley, antes que Becca pudesse fazer outro comentário cretino. – Assim é bem melhor. Não faz sentido morar perto do campo se a gente fica o dia inteiro trancada, trabalhando igual a uma escrava na frente de um notebook quente, não é? Isso é uma delícia.

– Entendo o que você quer dizer. É uma mudança e tanto em relação ao anel viário de Birmingham também – concordou Becca.

O ar fresco *era* mesmo bom, pensou, para a sua surpresa. Nunca fora o tipo de pessoa que gostava de ficar ao ar livre, a não ser no jardim de um pub, mas ficou feliz por não estar trabalhando na cozinha calorenta de um restaurante ou de um café agora, com acesso limitado à luz do dia. Ainda era cedo o suficiente para que o clima estivesse agradável em vez de quente e úmido, e o sol filtrado pelas árvores do bosque fazia desenhos de luz no caminho. Podia ouvir o motor lento de um trator bem longe e, mais perto, o canto dos pássaros. Por mais que se orgulhasse de ser de Birmingham, morar no interior definitivamente tinha as suas vantagens.

– Você é de lá, certo? Ah, eu amo Birmingham. Meu pai é fã do Villa. O resto da família é de Liverpool, então você deve imaginar quanto a gente fala no ouvido dele.

– Coitado – retrucou Becca com uma risada polida, embora não entendesse nada de futebol. – Então, quando é o grande dia? – perguntou, mudando de assunto. – Você deve estar superanimada, né?

A roda dianteira da bicicleta balançou ligeiramente quando Becca virou na direção de Hayley, e ela teve medo de atropelar o cachorro. Com certeza havia um jeito de conversar e apontar a bicicleta para a frente ao mesmo tempo, mas ela ainda não sabia como.

– No primeiro sábado de outubro – respondeu Hayley, sem parar de correr. – E eu *estou* animada. Bom, pelo menos vou ficar, assim que parar de me estressar. Argh. Bom, a mãe do noivo está mexendo um pouco com a minha cabeça. Imagina o Gengis Khan com um vestido de poliéster pastel: é ela.

– Complicado.

– É que ela... – Hayley fez um som como se estivesse sendo estrangulada, e o cachorro olhou para ela, alarmado. – É que ela pensa que o casamento é dela, entende? Tipo, só porque o filho vai casar, ela acha que pode mandar em tudo, tomar todas as decisões. – Ela deu uma risada triste. – Bom, pode escrever, isso não vai acontecer. Mesmo se a gente acabar brigando em cima do bolo do casamento. *Meu* bolo, a propósito, com macarons coloridos lindos no topo, não o bolo de frutas quebra-dentes de vovó que ela queria.

Becca riu.

– Ai, meu Deus.

– "Ai, meu Deus" mesmo. Esse é um dos motivos que me faz gostar de correr. Sem telefonemas, mensagens ou e-mails me falando da Dorothy, uma amiga horrorosa dela que dobra guardanapos em formato de cisne: será que ela poderia dobrar os nossos para a recepção do casamento? – Hayley socou o ar enquanto corria, e Becca deu uma risadinha. – Não, Dorothy, não poderia, mas... Desculpa – interrompeu-se. – Estou reclamando muito, não é? E a gente nem se conhece. Juro que não sou sempre assim. Aquela mulher desperta o pior de mim.

– Ei, pode reclamar – aconselhou Becca. – Coloca isso para fora. Dá uns gritos primitivos, se não for assustar o cachorro.

– Ah, ele está acostumado. De qualquer forma, era para eu estar aproveitando este tempo longe dela. E você, é casada? Eu aceito dicas, se tiver.

– Que nada – respondeu Becca. – Sou um caso perdido. Na verdade, está num nível que até a minha mãe me mandou sair para conhecer alguém. – Becca ergueu uma sobrancelha e Hayley caiu na risada. – Ela me fez prometer que eu ia "sair por aí" e arrumar um "gato". Como se fosse fácil!

Elas conversaram por algum tempo, Hayley correndo e Becca pedalando, e ela sentiu o nó de tensão que havia carregado durante toda a manhã desatar lentamente. Hayley era *muito legal*, agradável, alegre e boa de papo. Àquela altura, a trilha havia desaparecido, e elas seguiam pelo chão do bosque, que estava lamacento em alguns pedaços por causa da chuva da noite anterior, mas tinha um cheiro fresco maravilhoso – uma mistura de terra úmida e folhas de pinheiros. Aquilo era bom, Becca se surpreendeu pensando, sacudindo no selim ao passar por cima da raiz de uma árvore. Era estranho, mas a verdade é que ela estava se divertindo, mesmo sabendo que a bunda ficaria roxa no fim do dia. Poderia competir de igual para igual com Rachel no quesito hematomas. Ah, mas falando em Rachel...

– Merda! – Becca engoliu em seco ao lembrar de repente o que deveria estar fazendo: trabalhando, e não apenas fofocando e pedalando aleatoriamente. – Desculpa. Acho que a gente já devia ter começado uma coisa chamada treinamento intervalado. Gostei tanto da nossa conversa que acabei esquecendo. Você se importa se a gente parar um minuto para eu confirmar?

Hayley parou de maneira abrupta e botou as mãos nos quadris, arfando, enquanto Becca consultava o papel amassado que havia tirado do bolso.

– Ah, sim. Treinamento intervalado – disse, examinando as instruções. – Caramba, isso é puxado. Você vai ter que correr um pouco mais rápido agora por um minuto. Em um ritmo mais desafiador, de acordo com Rachel. Depois, você anda por dois minutos para recuperar o fôlego. Corre, anda, corre, anda e repete até cair. – Ela fez uma careta. – Antes você do que eu, garota.

Hayley soltou um gemido.

– E ela falou para eu ser bem rigorosa. Eu tenho um cronômetro no celular, e ela me mandou fazer você correr até o último segundo de cada minuto. – Ela franziu o cenho, imaginando como faria aquilo. – Não sei *muito* bem como pedalar e olhar para o cronômetro, então vou programar um alarme, tudo bem? Pronto, vamos lá. Preparada? Pensando no vestido de noiva? Nos suspiros de admiração quando você pisar na igreja?

– Sempre pensando no vestido de noiva – confirmou Hayley. – Vamos acabar logo com isso, então.

O treinamento intervalado parecia exaustivo, era preciso dizer. Becca tentou animar a cliente com gritos de incentivo e acabou pedalando de maneira ainda mais caótica. Depois um esquilo deu um pulo camicase na frente dela, o que se provou ser irresistível para Wilf, que correu excitado atrás dele, passando bem na frente da bicicleta e fazendo Becca se chocar direto contra uma árvore. Becca e Hayley acabaram rindo loucamente, embora a última mal conseguisse respirar.

– Desculpa – murmurou Becca. – Sou péssima nisso, não sou? Sou uma personal trainer horrível, eu sei. Mas juro que estou dando o meu melhor. Não conta para Rachel que sou tão ruim, ok?

– Não, é claro que não – disse Hayley, tentando se recuperar. – E você não é péssima. Na verdade, foi bem divertido. Aliás, você está bem? Sério, você tinha que ver a sua cara... Muito bom. Wilf, você está proibido de vir ao próximo treino, seu louco. Vem cá!

Becca ergueu a bicicleta e voltou para a trilha. Um dos pedais havia arranhado sua canela quando ela perdeu o controle, e ela tinha batido tão forte no guidão que sabia que iria sentir a pancada pelo resto do dia.

– Como sou desastrada... – disse com deboche, esfregando o cotovelo.

– Ah, não, você é muito profissional – balbuciou Hayley, entre risos. – Parece que estou treinando com atletas como Kelly Holmes ou Jess Ennis.

Becca abriu um sorriso largo, empurrando uma mecha de cabelo rebelde para dentro do capacete.

– Todo mundo me confunde com essas duas – disse, consultando o celular e tentando reunir os últimos resquícios de dignidade. – Pronto, só cinco segundos para o próximo tiro. Prepara: vai!

Ao fim daquela sessão, enquanto elas alongavam no jardim dos fundos, era difícil dizer qual das duas estava mais cansada: Hayley ou sua personal. Ambas estavam vermelhas e suadas, além de fracas de tanto rir.

– Foi incrível – comentou Hayley, soltando o rabo de cavalo e sacudindo os cabelos. – Muito bom. Amei!

Becca ficou encantada.

– Achou mesmo?

– Claro! Nunca ri tanto com uma série de exercícios. *E* foi um excelente treino também. Obrigada.

Becca estava radiante.

– Bom, obrigada *você*. Obrigada por ser tão legal e não... bom, não me julgar pela aparência, basicamente. Por me dar uma chance. Na semana passada, um cliente da Rachel olhou para mim e me dispensou, então...

– Sério? Que grosseiro!

– Pois é. – Becca suspirou. – E o pior é que depois ele pediu desculpas, então Rachel insistiu para eu continuar com ele, a partir de quinta-feira. – Ela fez uma cara de desgosto. – Eu *mal* posso esperar. Enfim! Chega de reclamar, tenho que ir. Prazer. Mesmo horário na semana que vem?

– Com certeza. – respondeu Hayley. – Até mais.

Capítulo Vinte e Sete

Prezada Violet,
Desculpe escrever do nada. Nós nos conhecemos no enterro do meu pai, Terry Farnham, no ano passado, e desde então tenho pensado em algumas das coisas que você me disse naquela ocasião, principalmente sobre a minha mãe, Emily. Quando você mencionou "o julgamento", fiquei confusa e não sabia do que você estava falando, mas depois fiz uma pesquisa e encontrei uma reportagem de 1978 do Evening Post *que fazia referência a uma acusação de abandono de incapaz. Obviamente, isso foi um choque...*

As crianças estavam na escola, Becca tinha ido encontrar Hayley e Rachel digitava com uma única mão no notebook. Sua missão de falar com Violet pessoalmente podia ter falhado, mas as perguntas sobre a mãe não lhe saíam da cabeça. Precisava de algumas respostas, cavar mais fundo para desenterrar a verdade, nem que fosse para se distrair dos hematomas.

Depois que elas tiveram aquela conversa estranha no enterro, Rachel decidiu tirar aquilo da cabeça. Ela não queria saber, disse para si mesma; às vezes é melhor continuar na ignorância. Além disso, já tivera que lidar com muita coisa naqueles meses: o luto, o fim do casamento, o desemprego, toda aquela diversão. Mas as palavras da outra mulher voltavam de vez em quando como sussurros em um sonho, atormentando-a com suas entrelinhas. *Eu estava com o seu pai, sabe, quando aconteceu. Ele alguma vez falou de mim?*

A tentação de descobrir a verdade acabou vencendo e, quase um ano depois de falar com Violet, Rachel cedeu. Certa noite, após várias taças de vinho, recorreu ao Google e digitou o nome da mãe. Um segundo depois, veio a reportagem acusatória no arquivo do jornal, como se estivesse esperando por ela em silêncio todo aquele tempo. "Mãe troca bebê por 24 horas de farra", dizia a manchete. Naquele momento, a caixa de Pandora se abriu. Não dava para voltar atrás.

O artigo se referia à bela e amorosa Emily como bêbada, agressiva e irresponsável; detalhava que, na noite de uma sexta-feira de dezembro, ela havia deixado a filha Rachel, de 2 anos, sozinha no pequeno apartamento em que elas moravam para ir dançar. Uma vizinha chamou a polícia quando ouviu a bebê chorar na manhã seguinte. "Foi de dar pena", dissera a Sra. Ruth Farraday, "era como se ela soubesse que havia sido abandonada". E a polícia acabou arrombando a porta para resgatar a garotinha. Que era ela.

Ler aquelas palavras, aquela história, no papel preto e branco do jornal, a devastou. Era como se alguém pegasse tudo o que ela achava que sabia sobre seu passado e virado de cabeça para baixo. No início, disse a si mesma que só podia ser engano – uma coincidência, talvez, outra Emily Farnham. Não podia ser verdade. A mãe a amava! *Meu pequeno dente-de-leão*, era assim que a chamava; ela mesma havia escrito as palavras no verso da fotografia, com aquela caligrafia inclinada tão característica.

Mas Violet mencionou um julgamento, não foi? E no fundo de seu coração, Rachel sabia que a história era verdadeira. Ela se debruçou sobre aquela pequena notícia repetidas vezes até decorá-la de trás para a frente. Em seguida, vasculhou posteriores edições on-line do jornal, atrás de notícias sobre o processo judicial. Emily foi acusada de abandono de incapaz, mas Rachel não encontrou nenhuma outra informação sobre o caso. Será que ela havia perdido a guarda da filha? Tinha sido presa? O que aconteceu depois?

As perguntas giravam na cabeça dela: todas as lacunas da reportagem e os detalhes ausentes que ela queria saber. O que mais o pai não havia contado? E onde ele estava, afinal, enquanto a família mergulhava no caos e sua filha chorava abandonada em um apartamento nojento no terceiro andar? Fora de cena, pegando Violet Pewsey, pelo jeito. Ele devia ter encoberto aquela verdade intragável, o real motivo pelo qual os dois foram embora de Manchester, maquiando a história com suas mentiras.

Em meio à incerteza, havia uma pergunta que gritava mais alto que todas as outras, e de maneira mais insistente. E se Emily não tivesse morrido de câncer ósseo, como Terry sempre contara? E se ela ainda estivesse viva?

Não foi difícil rastrear Violet um ano depois. Wendy havia criado uma página no Facebook para homenagear Terry, e Rachel esquadrinhou as postagens arquivadas atrás de pistas. Como o pai adorava mídias sociais, a página recebeu várias mensagens de condolências: antigos colegas, amigos do time de críquete e do pub, vizinhos e um monte de fãs do Manchester United com quem ele havia conversado em vários fóruns. O coração dela batia forte cada vez que via um comentário de alguma Emily, mas uma investigação mais aprofundada logo os descartava. Então encontrou a mensagem de Violet.

Violet Pewsey: Que notícia triste. Terry, vc era um bom homem. Nunca vou me esquecer das risadas que demos naquele fim de semana em Blackpool. Uma estrela se apagou no céu. Saudades. Bjs

Fim de semana em Blackpool, é? Foi a isso que Violet se referiu ao mencionar que eles estavam juntos "quando aconteceu"? Será que o pai tinha traído Emily e ela se vingou enchendo a cara, deixando a cautela de lado e largando Rachel sozinha? Talvez ela só quisesse sair para tomar um drinque. Talvez estivesse segurando a barra sozinha, chateada com Terry – *só uma tacinha rápida,* pensou, fechando silenciosamente a porta do apartamento para não acordar a bebê antes de se esgueirar até o pub mais próximo. Mas de alguma forma tudo deu errado...

Rachel sabia como era duro ser mãe solteira – era o trabalho mais difícil do mundo. Odiava pensar na mãe no auge do inverno, com frio e o coração partido, cansada e infeliz, tendo só uma bebê como companhia. Todo mundo comete erros, certo? E se Emily tivesse deixado Rachel sozinha naquela noite por cerca de uma hora para tomar um drinque rápido com uma amiga e levantar o moral? Aquilo não seria a pior coisa do mundo, seria? Podia ter ficado presa em alguma conversa. Quem sabe sido até sequestrada! Atacada em um beco a caminho de casa – essas coisas podiam ter acontecido!

Talvez, porém – e esse era o pensamento mais sombrio de todos, o que se recusava a ir embora –, tivesse sido culpa de Rachel. Talvez ela tivesse aprontado naquele dia, reclamado e choramingado, irritando Emily até que a mãe perdesse a paciência. Talvez Emily não gostasse dela, desejasse nunca ter tido uma filha para atrapalhar sua vida. Será que Rachel era a verdadeira culpada pelas ações da mãe?

Ela se recostou na cadeira dura da cozinha, sentindo-se péssima. Depois de encontrar Violet no Facebook quinze dias antes, bastaram alguns cliques rápidos para saber mais sobre a mulher. Violet não parecia ter habilitado as configurações de privacidade na conta, e Rachel descobriu que ela morava em Manchester, trabalhava como bibliotecária e era solteira, embora, como ela mesma escreveu, ainda estivesse "esperando pelo homem certo!!!". Era vegetariana, amante da vida selvagem e ativa no grupo voluntário local. Em poucos minutos, Rachel telefonou para as bibliotecas de Manchester e a localizou na de Didsbury. Bingo.

O plano da quarta-feira anterior era viajar até Didsbury, aparecer na biblioteca e convencer Violet a tomar um café ou almoçar com ela para responder a algumas perguntas, cara a cara; espantar de vez aqueles fantasmas – ou não. É claro que uma pancada na cabeça e um encontro com o chão de concreto da estação puseram fim àquela ideia. Não estava exatamente em condições de repetir a viagem tão cedo também. Em vez disso, poderia enviar uma mensagem, palavra por palavra, pergunta por pergunta.

Voltou a redigir, decidida a encontrar a verdade de uma vez por todas.

Capítulo Vinte e Oito

A segunda cliente de Becca naquele dia era a esquiva Rita Blackwell. Por volta dos 70 anos e agora em uma casa de repouso, ela ganhou um pacote de sessões de treinos da filha, que ligou para Rachel preocupada porque a mãe estava sedentária e havia engordado. Mas, após uma única sessão, a Sra. Blackwell passou a desmarcar todas as vezes, sempre com uma desculpa.

– Eu tento reagendar os treinos, argumento com ela que eles já estão pagos – explicou Rachel –, mas a mulher está obviamente muito ocupada porque nunca tem tempo para mim.

Becca engoliu o resto do café. Ainda estava exultante pelo sucesso daquela manhã com Hayley – mas talvez fosse só o efeito da cafeína. Rachel chegou a agradecê-la e dizer a palavra mágica "Parabéns", o que foi como ganhar o Prêmio Nobel da fraternidade.

– Então, o que você quer que eu faça? Tente descobrir por que ela não está a fim? – perguntou.

Ouça o que ela está dizendo, a especialista! A psiquiatra esportiva! Mas, ah, era bom conversar com a irmã sobre isso, como se elas formassem um time depois de tantos anos. *Você está vendo isso, pai?*, pensou, olhando subitamente para o teto. *Olha como eu posso ser uma boa irmã também!*

– Se você puder. Ela ligou enquanto você estava fora para dizer que não poderia aparecer no treino de 13h45 porque... Eu nem lembro mais, foram tantas desculpas. Talvez tenha sido o dentista desta vez. Mas se você chegar cedo lá, tipo à uma, talvez consiga encontrar com ela e conversar.

– Entendido.

Até que Becca gostou da ideia de lidar com uma cliente resistente a exercícios. Pelo menos elas teriam algo em comum. Era legal, também, a forma como Rachel estava falando com ela – quase de igual para igual, como uma colega. Desde que Rachel se casara e tivera filhos, agia de maneira arrogante e condescendente, como se a vida dela valesse mais que a de Becca, como se ela fosse melhor, ponto final. Pelo menos o acidente parecia tê-la tornado mais humilde, mais civilizada. Quase humana, na verdade.

A casa de repouso ficava na Ledbury Road e era bem fácil de chegar de bicicleta. Becca já estava mais confiante nos pedais e curtia passar zunindo pela fila de carros parados no sinal. Que clientes que nada, pensou, alegre, pedalando pela cidade. Ao término da temporada com Rachel, era ela quem teria coxas como as de Victoria Pendleton e uma bunda minúscula. *Manda ver!*

O Willow Lodge cheirava a peixe cozido e amônia, com uma leve nota de aromatizador de rosas. A manhã clara e brilhante de junho pareceu a Becca uma lembrança distante quando ela foi conduzida até uma sala quente onde um grupo de moradores apáticos estava sentado em semicírculo, assistindo a um episódio de *Bargain Hunt*. Uma estava tricotando, o choque constante das agulhas soando como o teclado de uma máquina de escrever, mas os outros afundavam no assento em um silêncio estupefato, os olhos grudados na tela.

– Rita! Visita para você, querida – chamou a recepcionista.

A velhinha do tricô ergueu os olhos. Becca estava torcendo para que fosse ela. A mulher tinha um rosto redondo e alegre, com várias marcas de expressão de sorriso, emoldurado por cachos prateados, e estava vestindo uma blusa de algodão branca com um botão de rosa, além de uma calça folgada azul-marinho.

– Ah, meu Deus – disse ela ao ver Becca ali parada. Havia um brilho arteiro em seus olhos. – Você é da prefeitura, não é? Fiz alguma coisa errada?

– Eu não sou da prefeitura – respondeu Becca, ao mesmo tempo que o único homem do grupo soltou uma gargalhada.

– Eles vão levar a Rita embora! – gritou ele, alegremente. – Já não era sem tempo!

– Ninguém vai levar ninguém embora – esclareceu Becca. – Eu só queria dar uma palavrinha com a senhora, só isso. Pode ser lá fora?

Rita largou o tricô.

– Uma palavrinha lá fora! A trama se adensa! – anunciou ao grupo, que a ignorou, com exceção do homem, que deu outra risada ofegante e um tapa na perna ossuda vestida de veludo cotelê. – Por aqui, querida – disse Rita, apontando para a porta. – A gente pode sentar no pátio, longe destes enxeridos. Não quero que tipos como Malcolm escutem que ganhei na loteria ou seja lá o que você veio me contar.

Do lado de fora, elas se acomodaram em um banco ao sol. O pátio era pequeno e retangular, com três dos lados cercados pela casa, e Becca ouviu o som de alguém lavando a louça em uma janela próxima, além do ruído distante dos carros. O quarto lado do retângulo consistia em um carrinho de mão de madeira com gerânios roxos plantados e um caminho que levava ao jardim principal. Um pombo gordo desfilava com o peito estufado em um gramado além, como se fosse o dono da propriedade.

Becca explicou quem ela era e por que estava ali, e a alegria no semblante de Rita imediatamente se transmutou em culpa.

– Ah, não! Me desculpa – falou ela, com uma risada envergonhada. – Você me pegou. Eu não tenho dentista mais tarde – confessou, com o olhar baixo. – E também não tinha médico na semana passada. Sou uma mulher horrível, não sou? Uma velha ingrata, eu sei.

– Não! – exclamou Becca. – Claro que não. E eu também não vim aqui para dar bronca ou constranger a senhora. A gente só quer entender o motivo.

De olhos baixos, Rita parecia uma penitente.

– É que minha filha, Carol, tem boas intenções, mas nem sempre se dá ao trabalho de pensar direito nas coisas. Eu peço desculpas, mas acho que esse negócio de exercício não é para mim. Pronto, falei.

– A senhora não gostou do treino com Rachel? Não é a sua praia?

– Não! Não mesmo. – Ela olhou para Becca, soturna. – Não quero deixar a sua irmã chateada, tenho certeza de que ela fez o melhor possível, mas... Bom, ela pediu que eu fizesse polichinelos e corresse aqui mesmo no jardim. Todo mundo viu! Foi tão constrangedor. Malcolm, aquele velho desagradável que você acabou de conhecer, ficou me chamando de Jane Fonda por semanas! Ele só parou agora, e estou torcendo para ele ter se esquecido disso. Ele tem Alzheimer. Na metade das vezes, ele não se lembra nem dos nossos nomes. Mas é claro que *disso* ele não se esqueceu! Meu Deus, como ele gostou de me provocar!

Rita tinha as bochechas rosadas, e Becca sentiu pena dela. Se *ela* tivesse sido obrigada a botar os bofes para fora com polichinelos e corridas na frente das pessoas com quem vivia, também teria odiado.

– Ok, entendi. Mas me conta como a senhora costumava se exercitar no passado. Será que a gente pode tentar outra coisa? Natação, talvez, ou ciclismo? Eu também não sou a pessoa mais ativa do mundo, como pode ver, mas ultimamente tenho gostado muito de andar de bicicleta. A gente pode tentar fazer isso, se a senhora quiser, encontrar uma ciclovia plana e tranquila, sem carros...

Rita olhou aliviada ao perceber que Becca não iria forçá-la a fazer uma rodada de flexões ali mesmo, com aquelas calças largas. Mas agora balançava a cabeça.

– Ciclismo? Faz vinte anos que não subo em uma bicicleta, querida. E eu também teria um pouco de medo, depois da minha queda. Foi assim que eu vim parar aqui, sabe, porque caí na minha cozinha feito uma idiota e quebrei o quadril. Carol e o marido dela acharam que eu estava muito velha e fraca para continuar morando sozinha. Muito velha, é mole?! Eu só tenho 77, sou praticamente uma adolescente perto da maioria das pessoas daqui.

Becca sentiu um pouco de pena dela.

– A senhora não me parece muito frágil – comentou.

Rita projetou o queixo.

– É o que estou dizendo, garota! Não sou! Não suporto ficar presa aqui – desabafou ela. – Quando penso que os novos moradores da minha casa estão deixando a grama crescer... Ah, sim, eu voltei lá e dei uma olhada no que eles fizeram. Aqueles bárbaros botaram a minha pereira abaixo e passaram cimento em cima. Como é que alguém faz uma coisa dessas?

Becca não sabia o que dizer.

– Sinto muito. A senhora gosta de jardinagem, então, certo?

– Ah, sim. Passava os dias no jardim, amava. E compartilhava uma horta com uns amigos, então estava sempre ocupada lá também. Não há nada como ficar ao ar livre vendo as plantas crescerem, sentindo a passagem das estações. – Seus olhos marejaram. – Eu sinto muita falta disso.

Becca olhou em volta. O pátio tinha alguns vasos grandes – um com lírios, outros dois com oliveiras –, mas no caminho e atrás da casa havia um jardim com laterais frondosas e árvores maduras.

– A senhora não poderia trabalhar neste jardim? – perguntou. – Acho que eles iam adorar se alguém os ajudasse. Eu já li que jardinagem é um excelente exercício, porque a pessoa se agacha e alonga o tempo todo.

– É um excelente exercício – concordou Rita. – E faz a gente se sentir muito bem também! Mas ajudar? Bom, eu tentei. Eles alegaram que precisam seguir as normas de saúde e segurança. – Ela bufou, deixando bem claro o que pensava das normas de saúde e segurança do lugar. – Não sei o que acham que vou fazer. Cortar meus dedos do pé com uma pá ou tropeçar em uma margarida? Só Deus sabe. Provavelmente têm medo de que eu entre com um processo. Logo eu!

– Que bobagem – disse Becca. – Que tal se a gente desse uma caminhada hoje? – sugeriu. – Para esticar as pernas. Talvez tomar um café em algum lugar legal, conversar um pouco. Ninguém chamaria a senhora de Jane Fonda por causa disso, chamaria?

Rita hesitou, depois assentiu.

– Vamos lá, então. Já que você está aqui. Uma caminhada, tudo bem.

– A senhora também pode me falar do seu tricô – continuou Becca, enquanto elas se levantavam e começavam a caminhar devagar. – Eu também faço. Quer dizer, fazia. Aquilo que a senhora estava fazendo era um ponto chevron triplo?

Rita sorriu.

– Isso mesmo – confirmou. – Muito bom! – Ela deu o braço a Becca de maneira afetuosa. – Sabe, eu tenho a sensação de que a gente vai se dar bem.

Capítulo Vinte e Nove

Era quarta-feira de manhã e o telefone estava tocando, mas Rachel não se levantou da cadeira. A amiga Jo já havia deixado duas mensagens – fofas, do tipo "está tudo bem?" –, mas ela ignorou todas, assim como ignorou outra amiga, Diane, que batera à porta de surpresa no dia anterior. Rachel se escondeu na cozinha, em silêncio, enquanto a outra mulher a chamava pela caixa de correio ("Rach? Você está aí? É a Di"), só saindo quando teve certeza de que ela tinha ido embora. Desde o acidente, deixara que Becca e as crianças atendessem à porta e aos telefonemas – era mais fácil assim. Infelizmente, quem estava ligando agora não teve sorte, porque Becca havia acabado de sair com o saco de lixo.

A chamada caiu na secretária eletrônica. *Por favor, deixe seu nome e telefone depois do sinal.* Então veio uma voz:

– Rachel? É Wendy. – A madrasta parecia estranhamente tímida. – Becca me contou o que aconteceu, e eu só queria dizer que sinto muito pelo seu acidente. Me diz se você precisar de ajuda a qualquer momento, está bem? Ou se quiser... bom, conversar. Sobre qualquer coisa. É só me avisar. Um beijo grande em vocês todos. Então é isso, tchau.

Rachel mancou até o telefone e apagou a mensagem. Se ela quisesse *conversar* sobre qualquer coisa... O que Wendy queria dizer com isso?

Becca entrou na cozinha enxugando as mãos na calça jeans. Estava usando um lenço turquesa no cabelo e uma blusa rosa-choque com estampa de papagaio; uma combinação bastante chamativa diante dos cachos vermelho-fogo.

– Pronto, resolvido. Vamos logo para a clínica ortopédica? Se o hospital for como o de Birmingham, pode demorar um pouco para a gente conseguir uma vaga no estacionamento.

– Claro – respondeu Rachel. – Obrigada.

– A propósito – comentou Becca, pegando a chave do carro –, o telefone tocou?

– Tocou – disse Rachel, virando o rosto enquanto calçava os sapatos –, mas não era nada, só telemarketing. Ninguém importante.

A clínica ortopédica estava cheia de gente quebrada: membros engessados, alguns pacientes deslocando-se cuidadosamente com a ajuda de muletas ou cadeiras de rodas e crianças de uniforme escolar com braços em tipoias, apoiando-se nas mães, entediadas. Era a primeira vez que Rachel saía de casa desde a volta para Hereford dois dias antes, e assim que pisou na rua sentiu de novo aquele pânico horrível, o coração acelerado e a respiração curta. *Ah, não, não, não.* As pessoas a veriam. Poderiam machucá-la de novo. Fariam perguntas, lançariam olhares e mais olhares. Será que ela conseguiria fazer isso? De verdade?

Mas, antes que o pavor a dominasse, Becca segurou firme no braço esquerdo dela e a conduziu até o carro. Quando se deu conta, elas já estavam dirigindo pela rua. A irmã salvadora, pensou Rachel, tonta de alívio. Essa inversão de papéis era estranha. Sempre vira Becca como uma pessoa instável, inábil e mimada, acostumada a ter a presença do pai para consertar o carro ou a máquina de lavar. Rachel sentia um desprezo secreto pelas mulheres que não sabiam trocar um fusível – nunca precisara ser resgatada antes. No entanto, lá estavam elas: ela submissa no banco do passageiro, enquanto Becca assumia a liderança e dirigia confiante. Talvez fosse possível que um pau nascido torto se endireitasse. Ou talvez a irmã tivesse finalmente amadurecido um pouco depois de tanto tempo. Quem sabe?

TEMPO DE ESPERA: APROXIMADAMENTE 50 MINUTOS, avisava um grande quadro branco na recepção da clínica, e Rachel gemeu frustrada ao afundar em um dos assentos de vinil verde.

– Ah, fala sério – reclamou Becca. – Vamos tomar um café em algum lugar e voltar mais tarde?

Rachel, que não gostava de correr riscos (nem sonhava em ultrapassar o limite de velocidade ao dirigir, mesmo nas estradas mais vazias do país), balançou a cabeça. Conhecendo a própria sorte, era só sair dali para seu nome ser chamado e a fila diminuir milagrosamente, por alguma força do destino.

– Vou ficar aqui. Vai que eles me chamam.

Becca saiu para procurar o café mais próximo enquanto Rachel tentava se acomodar, os pensamentos voltando para a mensagem que enviara a Violet no Facebook no dia anterior. Será que ela já tinha lido? O que responderia? E como Rachel se sentiria quando a verdade surgisse em sua caixa de entrada?

Procurar respostas na internet tinha se provado inócuo. O pai a tirou de Manchester, isso estava claro, e eles foram juntos para Birmingham – provavelmente para começar uma vida nova, esquecer a polícia, a assistência social e os processos judiciais. Mas e Emily, que ficou para trás? Ninguém ia para a prisão por negligenciar a filha uma única vez, ia? Era sempre bom para a criança ficar com a mãe, certo? A não ser que a mãe em questão fosse realmente terrível ou não quisesse a filha...

O pensamento era doloroso. Aquilo não podia ser verdade, podia? Rachel com certeza teria lembranças traumáticas de medo e infelicidade se Emily não fosse uma mãe amorosa. Os breves lampejos de memória que ela tinha eram bons – a mão da mãe na sua, a risada dela. *Meu pequeno dente-de-leão...*

A cabeça girava enquanto ela tentava entender a situação. E se aquelas lembranças fossem falsas? Isso acontece às vezes, nossa mente nos prega peças. Talvez aquela mão calma e tranquilizadora fosse de outra mulher: a professora do jardim de infância, Sra. Carlton, talvez, ou até uma vizinha gentil. Ah, vai saber! Como ela poderia saber, depois de tantos anos? Mesmo assim, odiava duvidar de si mesma. Detestava tatear no escuro buscando informações, adivinhar, especular.

– Rachel Jackson?

Rachel acordou do devaneio ao ouvir seu nome e respondeu "Aqui", como uma criança na escola, ao enfermeiro postado no canto da recepção.

– A senhora pode levar isso para o setor de raios X, por favor? – pediu o enfermeiro ao vê-la se aproximar, antes que uma voz alta e estridente atrás de Rachel abafasse a fala dele.

– Rachel? É você? Rachel Jackson? Meu Deus. Que diabos aconteceu com você?

Ah, não, pensou Rachel, sentindo uma onda de alarme crescer como uma maré viva, e então o pânico voltou, inundando seu sistema nervoso como se nunca tivesse ido embora. De todas as pessoas que podiam aparecer ali, tinha que ser Melanie Cripps, chefe da associação de pais da escola e abelha-rainha do parquinho. Melanie Cripps, a melhor amiga de Sara, que nunca aceitava um não como resposta, que ficava no seu pé até que você comprasse um bilhete de rifa ou se oferecesse para ajudar na noite de queijos e vinhos. E Becca não estava lá para resgatá-la agora.

– Eu... – gaguejou, confusa, e deu um passo para trás, as palavras presas na garganta.

O rosto arredondado de Melanie pairava, enquadrando Rachel com um olhar franco. Ela era grande e peituda, com uma boca imensa e uma voz estridente.

– Deixa eu ver... CARAMBA. Que horror. Meu Deus! Deu com a cara no poste três vezes ou algo assim?

Todo mundo estava olhando. A recepção ficou em silêncio; todos os olhos e ouvidos se concentraram no drama. Rachel sentiu os joelhos cederem. *Não cai de novo*, pensou assustada. *Não cai!*

– Eu... – tentou ela uma segunda vez, e a voz era quase um gemido.

– Estou brincando! – exclamou Melanie, mas seus grandes olhos azuis olhavam de um lado para outro, esquadrinhando todos os detalhes do rosto machucado de Rachel, como se fosse sacar uma câmera a qualquer momento. *Vamos tirar uma selfie!* – Nossa, querida. O que você *aprontou*? Um tornozelo torcido não é nada perto disso, não é, Jodie?

A pequena e magra Jodie Cripps era a filha dela e andava sempre com o dedo enfiado no nariz. Pobre Jodie, condenada a passar a vida abaixando a cabeça em obediência ao furacão categoria 5 que era a mãe.

– A senhora nos dá licença – disse então o enfermeiro atrás de Rachel, enquanto Melanie pegava fôlego para fazer mais perguntas. A voz dele era educada, mas firme, e ele deu um passo à frente para ficar entre as duas mulheres e proteger Rachel com o corpo. – Estamos indo para o setor de raios X. Pode se sentar, alguém já vai atender a senhora.

– Ah. Claro. Certo. – Melanie não ficou muito feliz de ser interrompida no meio do espetáculo, mas o enfermeiro já estava conduzindo Rachel para longe. – Me liga! – Rachel a ouviu gritar enquanto o enfermeiro a levava até um canto da sala, longe da vista da mulher.

O perigo passou, ela se sentiu mole, a adrenalina baixando como uma maré sugada de volta para o mar. Estava tremendo, com a vista turva, e lutou para se controlar.

– Desculpa por isso – murmurou.

Estava agarrada ao braço dele com a mão boa, percebeu a seguir, e o soltou imediatamente. Ele com certeza pensaria que ela era uma completa idiota.

– Imagina, não precisa se desculpar! – respondeu ele.

O enfermeiro era mais ou menos da idade dela, tinha cabelos castanhos com alguns fios grisalhos nas têmporas e um ar de autoridade tranquila. Envergonhada pela fraqueza, Rachel desviou o olhar ao perceber que a manga do uniforme dele estava amassada onde ela havia segurado. Nunca se sentira tão indefesa.

– Espero que a senhora não tenha se incomodado com a minha interrupção – continuou ele, enquanto eles caminhavam pelo corredor. – Aquela é... sua amiga?

Rachel deu uma risada irônica.

– Não, de jeito nenhum. Ela é uma das mães da escola que... – Ah, por que ela estava falando de mães da escola para aquele homem gentil que provavelmente não dava a mínima? – Ela é só um pouco... intrometida – completou, com as bochechas queimando. *Não me diga, Sherlock.*

– É. Foi a impressão que eu tive – disse ele, secamente. – Bom, chegamos. – Eles estavam em outra sala de espera, e o enfermeiro colocou uma folha de papel na bandeja da recepcionista. – Pode se sentar, a senhora já vai ser atendida. Depois do raio X, a senhora vai receber um formulário. É só me entregar na recepção ou deixar em uma caixa que vai ver na parede, está bem?

– Está bem – ecoou Rachel, mal absorvendo as informações.

Ele tinha olhos tão gentis, pensou: olhos cor de café com manchas âmbar, o tipo de olhos nos quais dava para confiar. Rachel piscou e desviou o olhar, com medo de que ele percebesse que ela o estava encarando, e assentiu.

– Claro.

– Ótimo. Vejo a senhora daqui a pouco, então – despediu-se ele antes de desaparecer pelo corredor.

Logo após o raio X, ela voltou para a recepção, mas conforme se aproximava sentiu a respiração acelerar de novo, o medo dominando as entranhas ao pensar em esbarrar com Melanie mais uma vez. A mulher retumbava como um sistema de alto-falante e tinha o tato e a sensibilidade de uma tábua de passar roupa. Se fosse realmente uma tábua de passar, pelo menos poderia ser guardada no armário e trancada à chave. Infelizmente não era. Rachel já podia imaginar a fofoca no parquinho: *igual ao monstro do Frankenstein, estou falando sério. Pontos no rosto inteiro e ferros na boca...*

Ouvi dizer que foi o marido. Quer dizer, o ex-marido. Lembra que no ano passado ele bateu em um colega de trabalho dela?

Não dá para confiar em homem bonito, não é? Não dá mesmo.

Ela estremeceu e parou de maneira abrupta no corredor. Os pés se recusavam a se mexer. No passado, teria desviado das perguntas pessoais gritadas por Melanie com um sorriso gracioso e uma frase casual, antes de entrar rapidamente no tópico preferido da mulher: ela mesma. Só que agora estava tão frágil, tão vulnerável. Até o acidente, não havia percebido quanto sua autoconfiança estava ligada à aparência – e como aquele novo rosto remendado a fazia se sentir mal. As pessoas costumavam notá-la, principalmente os homens; e, sem querer se gabar, ela sabia que era porque tinha determinada beleza. Alta, magra, loura e com belas maçãs do rosto... certo ou errado, aquela combinação havia conferido a ela algum prestígio.

No entanto, os primeiros e segundos olhares que ela recebia agora eram de um tipo diferente. Os hematomas do rosto passavam gradualmente de roxo a azul e verde e as bochechas continuavam inchadas. Mesmo na recepção da clínica, onde todos estavam machucados, sentia que os olhos dos outros se detinham um pouco mais nela. Era horrível, como se ela fosse um animal em uma jaula, uma aberração.

Ainda assim, seus pés não a tiravam de lá. Ainda assim, o coração batia acelerado. Rachel se recostou na parede, imaginando-se presa naquele corredor para sempre porque estava apavorada demais para seguir adiante e enfrentar Melanie Cripps e sua boca grande.

– Ah, você está aqui!

Graças a Deus Becca surgiu no corredor, copos de café nas mãos, chinelos estalando no chão pela pressa.

– Achei que você tinha fugido de mim. Está tudo bem?

Rachel deu uma risada trêmula.

– Só... descansando um pouco – respondeu, sentindo-se uma idiota. – Você viu se...

– O quê? Você está bem? – Os olhos de Becca tentaram ler a expressão do rosto dela. – Você está pálida.

– Tem uma...? Você viu se...? – Rachel fez um esforço imenso para se recompor. Respirações profundas. – Uma mulher. Grande, alta, e uma garotinha com um uniforme escolar igual ao da Scarlet...

– Com o cabelo meio bolo de noiva? Voz alta? – perguntou Becca, imitando Melanie. – Jodie, não coça aí. Jodie, senta direitinho. Jodie, começa a economizar para a terapia, querida, porque você vai precisar quando for adolescente. – Ela ergueu uma sobrancelha. – Essa?

Rachel assentiu.

– É. Essa mesma.

– Acabaram de sair. Ela estava reclamando que o valor do estacionamento é uma desgraça neste lugar ou algo do gênero, não sei direito porque parei de prestar atenção. – O rosto de Becca mudou. – Ahhh, *é claro*. Eu a vi na escola da Scarlet e do Luke tagarelando em alto e bom som. Enfim, ela já foi. Caminho livre. A propósito... – Ela se aproximou. – Você está perdendo o enfermeiro gostosão que trabalha aqui. Esse cara que está de plantão é um gato. A gente pode dar uma conferida descarada enquanto espera.

Conferida descarada mesmo. Só Becca para sugerir uma coisa dessas em uma clínica ortopédica. No entanto...

– Acho que sei de quem você está falando – confessou Rachel. – Um metro e oitenta, cabelo castanho, olhos bonitos?

– Bunda bonita, você quer dizer. Nossa! – Os olhos de Becca estavam brilhantes pelo entusiasmo. – Não finge que não viu, porque não vou acreditar.

Elas estavam ali cochichando como... bom, como *irmãs*, pensou Rachel, sendo pega de surpresa pela palavra. Como irmãs de verdade, amigas, fazendo confidências e confissões.

– Eu não sei *do que* você está falando – tentou dizer com afetação, mas Becca a encarou de um jeito que a fez rir.

Ela e Becca rindo juntas! E então, é claro, quem apareceu no corredor senão o próprio homem, o dos olhos bonitos e bundinha arrebatada (sim, ok, ela *havia* notado), empurrando uma senhora na cadeira de rodas?

– Tudo bem por aqui? – perguntou ele. – Vocês não estão perdidas, estão?

Becca deu uma cotovelada em Rachel de maneira bem pouco sutil.

– Não, estamos bem, obrigada. Aliás – disse Becca, olhando para Rachel e comprimindo os lábios com malícia –, pode-se dizer que estamos mais do que bem. Não é, Rach?

Rachel ficou vermelha de vergonha.

– É – confirmou com uma voz aguda.

O enfermeiro devolveu um olhar desconfiado, mas não comentou nada. *Patrick*, Rachel leu o nome no crachá quando ele passou por elas.

– Ótimo. Só vou levar a Sra. Amos aqui para o raio X e depois eu volto. Acho que está quase na sua vez.

– Obrigada – conseguiu dizer Rachel, sem ousar olhar para Becca de novo. Meu Deus, ela parecia uma adolescente!

– *Vraaaau* – sussurrou Becca enquanto elas voltavam pelo corredor.

A mandíbula fixa não deixava Rachel rir direito, mas ela estava ficando histérica por dentro, reduzida a uma colegial por aquela situação bizarra.

– Você é uma péssima influência – sibilou para Becca quando elas chegaram à recepção e desabaram em duas cadeiras no canto. Rachel sentia que estava vermelha como um tomate e tentou se recompor. – Você é um pesadelo!

Becca estava rindo, maliciosa, e seus olhos brilhavam.

– Não vem com essa – respondeu. – Você amou. – Ela deu outra cotovelada na irmã, imitando beijos estalados. – Hum, Patrick. Hum.

– Cala a boca – disse Rachel, devolvendo a cotovelada e não conseguindo evitar um risinho entre arquejos, principalmente quando Becca começou a entretê-la com várias fotos e descrições bizarras de homens que a colega de apartamento, Meredith, enviara a ela recentemente.

– Isso é para eu aprender a não sair por aí perguntando se o crush dela tem algum amigo gostosão – resmungou Becca depois de uma foto particularmente terrível de um Sr. Cabeça de Batata barbado de capa que se autodenominava Ulric, o Lobo.

Cuidado, uma voz advertiu Rachel em sua cabeça quando ela se pegou sentindo uma inesperada onda de afeto pela irmã mais nova travessa. *Não se aproxima muito dela, lembre-se disso. Principalmente depois do que ela fez.*

– Rachel Jackson? – chamou um enfermeiro, e ela se levantou.

– Quer que eu vá com você? – ofereceu Becca, mas Rachel balançou a cabeça. Tinha que manter Becca a uma distância segura. Seu perdão precisava ser conquistado. Mas, ao mesmo tempo, se sentiu desconcertada ao caminhar para a sala do médico. Vira e mexe se esquecia de ficar brava e se via *gostando* da irmã. Era tudo muito confuso.

Capítulo Trinta

Becca acordou no dia seguinte com uma sensação de tragédia iminente. Ah, que alegria, naquela manhã tinha um encontro com a pessoa que mais lhe desagradava no universo: o cretino do Adam Holland em pessoa. Sabia de antemão que aquela hora de treino se arrastaria como se fosse uma semana inteira.

– Ele parecia normal quando a gente se conheceu – disse Rachel, surpresa com as ressalvas de Becca.

Mas isso não a convenceu. É, pensou amargamente enquanto se enfiava em uma calça legging que quase passava por roupa esportiva. É claro que deu tudo certo entre *Rachel* e Adam – porque Rachel é uma treinadora de verdade, respeitada por pessoas adultas devido às impressionantes habilidades atléticas e ao ar natural de competência. Já Becca, com seus peitos que sacolejavam e sua bunda gorda... Bem, não precisava chover no molhado. Todo mundo sabia o que havia acontecido da última vez, e ela sentia um arrepio de humilhação sempre que repassava a cena. A essa altura, havia imaginado esse segundo encontro tantas vezes que tinha medo de empurrar Adam direto no rio assim que colocasse os olhos nele.

– Por favor, não faz isso – pediu Rachel, exausta, quando Becca expressou sua preocupação.

Ela estava um pouco rabugenta desde que avistara outro chupão no pescoço de Mabel e as duas tiveram um arranca-rabo no café da manhã (Scarlet imediatamente começou a compor uma música ao violino sobre o incidente, intitulada "Namorado vampiro, você é nojento").

Tendo assegurado à irmã que não haveria nenhuma queda no rio ou cliente morto, Becca pedalou para encontrar o temido Adam no mesmo local da última vez, sem ousar se atrasar um minuto sequer. Rachel havia digitado com esforço uma série para Becca supervisionar, que começava com um aquecimento de cinco minutos (que incluía fazer polichinelos e pular corda – rá!), depois uma corrida de 5 quilômetros, alguns agachamentos aparentemente torturantes, abdominais e flexões e outra corrida curta, porém mais rápida, seguida por um alongamento final. Por mais que não quisesse encontrar aquele cliente de novo, Becca tinha a sensação de que iria gostar de assisti-lo sofrer durante o treino. Além disso, ela seria *muito rigorosa* e apitaria todas as vezes que ele fraquejasse. Isso talvez o ensinasse a ter boas maneiras no futuro. Sim!

De volta ao centro da cidade, ziguezagueou de bicicleta rua abaixo até passar pela majestosa catedral e o Bishop's Palace, virando a curva até ver a orla do rio. Havia chovido de noite, e o rio Wye parecia cheio e agitado enquanto ela pedalava sobre a antiga ponte de pedra. Estava quase lá. *Fica fria*, disse a si mesma. Uma hora e tudo estaria acabado. Além disso, se ela o fizesse correr e pular rápido o suficiente, ele não teria fôlego para xingá-la.

– Olá de novo. – Ela ouviu a voz de Adam enquanto empurrava a bicicleta pela grama até a orla do rio.

Ele estava caminhando na direção dela com seu uniforme de corrida e uma expressão inescrutável. Pelo menos não parecia carrancudo ou debochado. Mas mesmo assim foi estranho vê-lo outra vez, dado que o último encontro havia envolvido uma bola de papel amassado sendo jogada na cara dele.

– Olá – respondeu ela secamente.

Profissional e séria, esse era o lema do dia. Nada que ele dissesse poderia afetá-la: fato. Pegou o plano de exercícios de Rachel e fingiu estudá-lo, aliviada por ele não saber que suas mãos ficaram úmidas de repente.

– Então! Vamos começar – acrescentou ela.

– Ahh – disse ele, como se achasse algo engraçado. – Você ainda está de bico? Achei que a gente já tinha superado isso.

Aquela expressão de "desculpa, mas não foi nada de mais" era a mesma que Becca vira na cara de Scarlet de manhã, quando Rachel a repreendeu porque ela havia ligado para a Sociedade Protetora dos Animais e denunciado a mãe de Lawrence por não cuidar de Harvey direito ("Mas é verdade!", respondeu ela, sem um pingo de arrependimento. "Ela quase não o abraça. E nunca escova o cachorro direito, como eu fazia").

– Eu não estou de bico – assegurou. – Só...

– Já pedi desculpas. *Me desculpa.* Isso tudo é novidade para mim, sabe.

– O quê, treinar? Ou ser educado com as pessoas que estão tentando ajudar?

Ops. Isso não foi muito profissional. Agora ele estava carrancudo de novo, com a mandíbula tensa e ameaçadora.

– É brincadeira, óbvio – ela se apressou em dizer. – E desculpas aceitas. Agora, vamos começar?

Ele a ignorou e começou a mexer em um app no celular; um daqueles que mediam passos e distâncias, imaginou, e a determinação inicial de Becca começou a ceder. Não era muito boa naquilo, pensou, pessimista. Bem, pelo menos não com ele. E ainda faltavam 58 minutos.

– Bom, sem mais delongas – continuou ela –, vamos aquecer. Primeiro marchar sem sair do lugar, com os braços ao lado do corpo. Vamos começar!

Não demorou muito para que Becca começasse a se divertir. Sinceramente, era maravilhoso ter o poder de fazer um homem adulto executar todo tipo de ordem estúpida em público. Principalmente quando ela decidiu improvisar um pouco e aprimorar algumas das instruções (meio entediantes) de Rachel. Ah, ela o fez pular, bater palmas sobre a cabeça enquanto marchava, executar o agachamento da aula de aeróbica dela de anos antes. "E *bate palma*, assim!", gritava, tentando não rir enquanto ele agachava desajeitado, descoordenado e bastante ridículo pela orla do rio, na frente de pessoas que passeavam com cães e que empurravam carrinhos de bebê. A vingança era *doce*.

– Que diabo de aquecimento é este? – reclamou ele, a certa altura. – Estou parecendo a Beyoncé.

Talvez fosse hora de parar de fazer o cara passar vergonha. Os homens odiavam perceber que uma mulher estava tirando sarro deles, não é? E a última coisa que ela queria era que ele reclamasse dela para a irmã. Becca deu de ombros inocentemente. *A culpa não é minha, amigo. Só estou seguindo ordens.*

– Rachel diz que é ótimo – garantiu ela, tentando manter uma expressão séria. – E você não está aquecido?

– Estou – teve que concordar.

– Excelente! Aquecimento concluído – comentou ela, ticando no ar um dos itens de uma lista imaginária. – Agora vem a parte difícil. Vamos fazer uma bela corrida de 5 quilômetros. Bom, *você* vai. Eu vou pedalar do seu lado para incentivar.

Ele levantou uma sobrancelha.

– Para me incentivar? – repetiu.

– É! Isso! Vai! Mais um pouco! Bela corrida! Maravilhoso! Uhul! Você consegue! Isso! Sente queimar! – gritou ela, esquecendo por um momento que deveria ser séria e profissional. A espontaneidade nunca fora o seu forte. – Não – corrigiu-se modestamente, vendo que ele a olhava horrorizado –, brincadeira de novo. Bom, vamos lá.

Agora ele ficou bravo – talvez ela tivesse entornado o caldo –, mas pelo menos começou a correr, e ela subiu rapidamente na bicicleta, pedalando com força para alcançá-lo. Tinha só que torcer para que nenhum esquilo rebelde ou cão empolgado a derrubasse. Ele iria adorar, não é? Talvez até abrisse um sorriso pela primeira vez.

– Então – disse ela ao se estabilizar na bicicleta –, por que você decidiu procurar uma personal trainer? Me conta a sua história.

Ele olhou de soslaio para ela sem reduzir o passo.

– Minha história? Eu preciso ter uma história?

Ela refletiu sobre a pergunta e depois se lembrou de Hayley, a noiva estressada; Rita, a senhora que comia compulsivamente por sentir falta dos amigos e da horta; e das duas mulheres que veria mais tarde, Jackie e Elaine, determinadas a perder alguns quilos porque temiam que os maridos não gostassem mais delas.

– Ah, sim. Sempre tem uma história.

– Bom... – Ele ficou em silêncio de repente, com uma expressão impenetrável.

Rá! Então *havia* uma história – só que ele não queria contar para ela. Mas, antes que pudesse responder, o celular dele tocou e Adam parou para atender.

– Alô, Adam Holland falando. Fiz. Sim, eu fiz. Pedi que Polly verificasse os números, mas se a fusão for para a frente...

Após dar uma freada brusca e barulhenta, Becca olhou para Adam franzindo o cenho, mas ele não pareceu notar. *Hum... oi? Estamos no meio de um treino aqui! Os músculos aquecidos esfriam, as corridas de 5 quilômetros meio que perdem o sentido se você parar para atender o telefone!* No entanto, ele não captou a revolta dela e continuou como se Becca nem estivesse ali.

– Tá, vamos lá – disse ele alguns minutos depois, enfiando o celular no bolso e retomando a corrida.

Assim mesmo. Então tá. *Você é quem manda.* Becca fez uma careta enquanto pedalava para acompanhá-lo.

– Sobre a sua história – continuou. – Você estava me contando quando fomos interrompidos.

Droga, agora ela estava louca para ouvir a triste história de como ele havia se tornado aquele babaca rabugento.

– Estava? – respondeu, de maneira irritante.

Becca teve que ir para trás dele quando eles subiram em uma passarela e um grupo de turistas parou para tirar fotos, espalhando-se pelo caminho.

– Estava! – gritou enquanto ele se afastava. – Você estava. Mas não se preocupa. Se for muito chata ou constrangedora, não vou julgá-lo.

– Eu poderia lhe perguntar a mesma coisa – disse ele quando ela o alcançou. – Como você veio parar aqui, substituindo a sua irmã, já que, sem querer ofender, juro, eu tenho a impressão de que isso não é a sua praia?

Ahh, o bom e velho *sem querer ofender* de novo. Não demorou muito, não é? E ele "tinha a impressão" de que aquilo não era a praia dela... Certo. Então o que ele queria dizer, travestido de falsa educação, era que achava que ela era uma merda naquilo (ele tinha alguma razão, sabe, mas mesmo assim: cadê as boas maneiras?).

– Bom... – começou ela, mas o celular dele tocou, e Adam o puxou do bolso imediatamente.

– Só um segundo – pediu ele, desacelerando até o passo de caminhada enquanto checava o aparelho. De repente ele parou completamente de novo e começou a digitar uma mensagem.

Você só pode estar brincado, pensou Becca. É sério isso?

Ela comprimiu os lábios com força enquanto esperava. *O cliente tem sempre razão*, disse a si mesma. Mesmo quando paga um dinheirão por uma hora de treino e parece mais preocupado com suas questões pessoais – ainda assim ele tem razão. *Que baboseira.*

– Pronto.

O celular voltou para o bolso, e eles partiram para uma terceira tentativa.

Ele olhou de relance para ela. Aquilo no rosto dele era um *sorriso?*, pensou Becca, confusa e bem desconfiada. Talvez ele tenha acabado de receber boas notícias. Ou uma mensagem erótica da namorada. Ei – ou namorado, é claro. Ambos, quem sabe. Ela era tranquila com esses assuntos.

– Então. Sua história – disse ele, e ela percebeu tarde demais que o sorriso que tinha visto no rosto dele estava cheio de malícia. – Não se preocupa se for muito chata ou constrangedora. Eu não vou julgá-la.

Touché. Na mosca. Becca teve que se controlar para não passar com a bicicleta por cima daquele pé idiota, para ser honesta. Isso com certeza arrancaria o sorriso orgulhoso da cara dele.

– Não estamos aqui para falar de mim – respondeu de maneira afetada. "Petulante!", podia ouvir Wendy dizendo.

– Estamos aqui para treinar. Então... – continuou ela.

Era inacreditável, mas o celular dele tocou *de novo* e, mais uma vez, Adam parou para atender.

– Bom, resolve isso, está bem? – ordenou impaciente à pessoa do outro lado da linha, dando as costas para Becca.

Becca teve muita vontade de partir para cima dele com a bicicleta, mostrando o dedo médio. Aquilo já estava ficando ridículo. Com os outros clientes de Rachel, conseguiu fazer piada e rir um pouco, rolou uma camaradagem natural; mas com ele o trabalho era difícil e arrastado – combativo e tenso –, o que fazia com que ela ficasse o tempo todo tentando acertar. Será que aquele era o jeito patético dele de garantir que Becca soubesse o lugar dela? Ele não parecia querer estar ali; ela com certeza não queria. E eles ainda tinham quarenta minutos inteiros pela frente, de acordo com o relógio dela. Talvez da próxima vez ele fizesse uma teleconferência completa e ela pudesse se sentar para descansar. Ficar de bobeira. Ou elaborar um plano para dominar o mundo.

Esticou o pescoço enquanto uma brisa fresca soprava através das árvores e lamentou não ter sido corajosa o suficiente para vestir um short em vez de uma legging. A manhã ainda estava na metade, mas o ar já parecia abafado.

A ligação estava demorando, e Adam parecia cada vez mais irritado com a pessoa do outro lado da linha. Becca revirou os olhos e se lembrou de Hayley que, alguns dias antes, não via a hora de se livrar do celular e dos e-mails, de deixar tudo para trás enquanto esvaziava a cabeça e corria. Ela se concentrou naquela hora de treino e realmente aproveitou. Já Adam não parecia ser capaz de se desconectar por mais de cinco minutos.

– Me desculpa – disse ele ao desligar.

– Por que você não ignora da próxima vez? – ela não pôde deixar de perguntar quando eles partiam de novo. – Tenho uns clientes que adoram (*olha só ela, que profissional!*) tirar um pouco a cabeça do trabalho e focar no momento enquanto se exercitam.

– Ah, é? – retrucou ele, duro. – Bacana. Infelizmente, no meu trabalho, os negócios não param só porque me deu vontade de "focar no momento". – Ele desenhou aspas no ar, para o caso de ela não ter entendido que era uma ironia.

– As coisas seriam diferentes se você deixasse – observou Becca.

Já estava cansada de ser educada. Depois do treino daquele dia, diria a Rachel que, na verdade, não queria atender Adam de novo. Reembolse esse homem, pelo amor de Deus, isso não está funcionando para nenhum dos dois.

– Me parece que o telefone assumiu o controle da sua vida – continuou. – Como você pode se concentrar em qualquer coisa se desvia a atenção cada vez que ele toca?

Um músculo se contraiu na mandíbula dele.

– E você sabe tudo sobre negócios, não é? Só me lembra de novo o que você faz...?

Ela corou. *Vai se ferrar, Adam, seu babaca arrogante.*

– Vamos fazer uns tiros – anunciou, mudando a programação de repente. – Quando eu gritar "vai", você tem que correr o mais rápido que puder por um minuto. *Vai!*

Dane-se, era hora de acionar o plano B: deixá-lo sem fôlego, para que ele não pudesse mais falar. Observou Adam correr a toda velocidade e pedalou serenamente atrás dele. Com um pouco de sorte, ele teria um ataque cardíaco e desmaiaria no fim daquela hora, pensou com frieza. E então nunca mais teria que aturá-lo.

Capítulo Trinta e Um

Era hora do jantar, e todos estavam à mesa – com exceção de Luke, que plantava bananeira no chão da cozinha, o rosto cada vez mais vermelho.

– O que aconteceria se eu ficasse aqui por, tipo, horas e horas? – meditou.

– Sua cabeça ia explodir – respondeu Scarlet, fazendo sons de miolos esmagados.

– Não ia nada – rebateu Luke, com uma centelha de dúvida nos olhos.

– O que aconteceria se você perdesse o jantar? – interrompeu Rachel, colocando brócolis e ervilhas nos pratos das crianças, tentando não olhar para a própria tigela de sopa e para mais um shake de proteínas nojento. Meu Deus, bastava de comida de doente! – Desce daí, vai, e vem para a mesa, por favor.

– É melhor você não espirrar sangue ou miolos em mim quando a sua cabeça explodir – resmungou Mabel.

Ela tinha voltado tarde da escola de novo, o cabelo com um odor suspeito de fumaça, e quando Rachel quis saber mais, apenas deu de ombros, murmurando algo sobre ir com os amigos para a orla do rio (*O quê? Agora não posso mais ter amigos?*, bufou, colocando uma arma imaginária na cabeça e puxando o gatilho). Rachel jurou que teria uma conversinha com ela depois do jantar. Para estabelecer algumas regras básicas. Se tivesse forças, é claro. Se conseguisse chegar ao fim daquela refeição sem perder a paciência.

– Esmaga, espreme e esguicha! – entoou Scarlet, macabra, sorrindo debochada para o irmão. As pernas dele vacilaram e então ele caiu, por pouco não batendo em Becca, que carregava uma travessa de massa gratinada para a mesa.

– Ei, cuidado! – exclamou ela. – Pronto, o jantar está na mesa. Como foi o dia de vocês?

– Luke levou uma bronca porque brigou na escola – contou Scarlet imediatamente. – Ele teve que ir para a sala da Sra. Jenkins e tudo. Hashtag *deu merda!*

– Olha o linguajar, por favor – disse Rachel, com o último discurso de Lawrence ainda soando no ouvido.

Recentemente, ele havia deixado uma série de mensagens de voz reclamando do palavreado vergonhoso das garotas e detalhando, enfurecido, o telefonema desastroso de Scarlet para a Sociedade Protetora dos Animais.

– E Luke, eu não quero saber de brigas, estamos entendidos? Dar um soco em alguém nunca é a melhor resposta.

– Só se tiverem dado um soco em você primeiro – ponderou Scarlet.

– Ou se você for lutador de boxe profissional – acrescentou Mabel, astuta.

– Ou se eles disserem "por favor, por favor, me dá um soco, eu pago 1 milhão de libras se você me der um soco" – concluiu Luke com um sorriso angelical.

Rachel olhou para ele.

– É bastante improvável – ressaltou. – Mas o fato é que...

– Para ser sincera, eu bem que quis dar um soco em uma pessoa hoje – interrompeu Becca, servindo a massa nos pratos.

Maravilha, pensou Rachel, soltando um pequeno suspiro. *Mensagem errada. Não está ajudando em nada.*

– Só que não fiz isso – continuou, alheia à reação de Rachel. – Eu cerrei os dentes e ignorei. Cerrei os dentes assim, ó. – Ela deixou o pegador de macarrão de lado para demonstrar. – Fechei um pouco os punhos, mas não cheguei a dar o soco. – Ela levantou a sobrancelha para Luke enquanto entregava o prato de comida a ele. – Se você sair por aí batendo nos outros quando for adulto, vai ser preso, sabia?

– Mas eu *não dei* um soco nela, só chutei. E puxei a porcaria do cabelo dela – argumentou Luke, inabalável.

– Luke! – exclamou Rachel, engasgando com uma colherada da sopa. – Você também não pode chutar *nem* puxar o cabelo das pessoas. Entendeu?

– Quem *você* queria socar, tia Bee? – quis saber Scarlet (é claro que quis).

– Era um ladrão? – perguntou Luke.

– Por que a gente não muda de assunto? – cortou Rachel, mas ninguém ouviu.

– Um babaca chamado Adam – respondeu Becca, fazendo uma careta. – Que é um... – interrompeu-se ao lembrar que Rachel acabara de repreender o linguajar das crianças.

– Cabeça de cocô? – sugeriu Luke.

– Obrigada, Luke. Isso mesmo. Adam cabeça de cocô – disse Becca.

As crianças caíram na risada, e Rachel se irritou.

– Será que a gente pode parar de usar xingamentos infantis para insultar os meus clientes? – retrucou, mas as crianças já estavam falando por cima dela.

– Ele tem, tipo, um cocô imenso no lugar da cabeça? – debochou Scarlet.

– Que balança enquanto ele anda? – acrescentou Luke, entre risos.

– Mas, afinal, por que você queria dar um soco nele? – indagou Mabel.

– Ah, é que... – Becca também estava rindo, mas captou o olhar de Rachel e ficou séria de repente. – Ah. Ele estava me dando nos nervos. Mas é claro que a violência nunca é a solução, então fui superprofissional e educada. De verdade. Enfim! Scarlet, aquela menina que estava com você hoje na saída da escola era a Lois?

– Era, ela é tão legal – disse Scarlet alegremente, desatando a falar sobre a nova amiga, por quem parecia ter verdadeira adoração.

Hora de relaxar, pensou Rachel, aliviada, servindo-se de mais uma concha de sopa, até que Scarlet interveio, radiante:

– E adivinha: a Lois não tem mãe, então a gente pensou que seria muito legal, mamãe, se você se casasse com o *pai* dela, daí seríamos irmãs *e* melhores amigas!

Rachel engasgou de novo com a sopa. Irmãs postiças, quase disse. Cuidado com o que você deseja...

Capítulo Trinta e Dois

Naquela noite, enquanto Rachel e Mabel tinham a tal conversinha na sala, Becca se recolheu na cozinha e abriu aleatoriamente uma das caixas de materiais de artesanato que havia trazido de casa. Ao ver a sobrinha mais nova passar pela porta, pegou um pedaço de pelo falso e a chamou.

– Scarlet! Tive uma ideia. Vi isso aqui e me lembrei de você. Bom, na verdade, me lembrei do seu cachorro. Eu sei quanto você sente falta dele e é claro que ele é insubstituível. Mas eu estava pensando: se a gente cobrisse uma almofada velha com esse lindo tecido marrom, talvez ela pudesse virar a segunda melhor coisa do mundo para se abraçar.

Becca pensou por um momento que Scarlet torceria o nariz para ela – a garota não era dada a sorrisos falsos e fingimentos –, mas, após ponderar com seriedade, a sobrinha a brindou com um aceno de aprovação.

– Legal! E a gente pode colocar umas orelhas caídas também, e um rabo, e eu posso ficar abraçada com ela na cama.

Ufa.

– Exatamente! – Becca desdobrou o pelo. Eram cerca de 2 metros de tecido caramelo felpudo, muito mais adequado a uma almofada de cachorro do que ao desastroso projeto de casaco. – Então a gente precisa encontrar uma almofada velha ou até mesmo um travesseiro...

– Vou pegar o meu travesseiro – disse Scarlet, correndo escada acima.

Luke também havia aparecido na cozinha.

– Eu posso fazer um? – perguntou.

– Infelizmente, eu não tenho pelo suficiente para fazer duas fronhas caninas, mas... – Ela tentou pensar em uma alternativa, e seus olhos pousaram no pote de utensílios da bancada. – A gente pode fazer uns bonecos de colher de pau! – sugeriu, lembrando-se de uma atividade parecida do contraturno da escola onde havia trabalhado. – Com cabelo, olhos e roupas. Pode ser legal.

Ele assentiu.

– Está bem – concordou ele, sentando à mesa e vasculhando a caixa. – Olhinhos de plástico! – exclamou, segurando o pacote. – Posso fazer um Luke de colher de pau?

– Claro – disse Becca, examinando a coleção de colheres do pote.

Humm, uma concha chique de oliveira... melhor não colocar olhinhos de plástico nem cabelos de lã nessa. Mas na gaveta abaixo havia quatro ou cinco colheres de pau com uma aparência bem simples. Ela poderia comprar umas reposições no dia seguinte, já que só custavam uns 50 centavos. Rachel não se incomodaria, não é?

Pegou duas colheres, torcendo para não ter problemas.

– Aqui. Esta pode ser você e esta, outra pessoa – comentou ela. – Deixa eu pegar uma cola para a gente começar.

Os três deram início a uma relaxante sessão de corte, costura, colagem e pintura. Era assim que Becca imaginava a maternidade: artesanato na mesa da cozinha, cartões de Natal caseiros, carimbos de batata, purpurina para todo lado. Era divino – e tanto Scarlet quanto Luke pareciam estar se divertindo muito também. Uma deliciosa tranquilidade tomou conta dos três. Scarlet cantarolava enquanto costurava pontos de alinhavo ao longo do segundo lado do travesseiro. Luke tecia um comentário detalhado ao colar os olhos e os cabelos da primeira colher e depois desenhar o nariz e a boca com canetas hidrográficas. Ele fez braços com limpadores de cachimbo, enrolando-os na haste da colher, e Becca o ensinou a cortar a frente e as costas de uma camisetinha a partir de um tecido vermelho para depois colá-las nos dois lados da figura.

Quando Becca estava começando a achar que havia dominado esse negócio de cuidar de crianças – pela primeira vez! –, ouviu ruidosos passos descendo a escada. Mabel irrompeu na cozinha, tão amarga que poderia talhar um pudim de leite, como diria Wendy.

– Eu odeio a mamãe! – gritou para quem quisesse ouvir, antes de bater a porta dos fundos e marchar para o jardim.

– Ai, meu Deus – murmurou Becca.

– Eu não odeio a mamãe – disse Luke, leal.

– Vocês acham que eu devo ir atrás dela? – perguntou Becca, enquanto Mabel abria a porta do galpão e desaparecia. De lá, veio um grito abafado.

Ok, aquilo respondia à pergunta. Becca deu um salto e correu para o jardim, temendo o pior – que a sobrinha tivesse sido atingida por um cortador de grama ou machucado o pé em um ancinho.

– Mabel? – chamou. – Mabel, você está bem, querida?

O galpão estava entulhado e cheio de teias de aranha quando Becca entrou, e ela viu Mabel sentada em um saco de substrato para jardim, se acabando de chorar. A garota certamente já estivera ali, porque havia uma coleção de livros com orelhas em uma prateleira, ao lado de uma lata de biscoitos. O grito, Becca percebeu, tinha sido de raiva e frustração, e não de dor física.

Empoleirada em um caixote de madeira cheio de farpas, Becca ouviu a sobrinha chorar em seu ombro, reclamar das "regras idiotas" da mãe e contar que amava Tyler loucamente e pensava em fugir com ele.

– Eu sei – disse Becca com tristeza, lembrando-se muito bem da angústia do amor adolescente. Bons tempos. – Eu sei, querida. Mas é que ela se importa com você. Ela ficou preocupada porque você voltou tarde, só isso. Você precisa contar para a gente onde está, o que vai fazer depois da escola. É claro que ela vai ficar preocupada se você não voltar para casa. Cacete! – gritou quando uma aranha gigante passou por cima de seu pé e ela deu um pulo, batendo a cabeça na prateleira e derrubando uma lata de verniz. Pelo menos aquilo fez Mabel rir, a desgraçada insensível. – Vem aqui – chamou Becca, abraçando a sobrinha. – Escuta, eu estava pensando em você mais cedo. Eu trouxe umas caveiras de prata muito legais. Talvez você pudesse usar para fazer uns brincos ou um colar. O que você acha? Não quer se juntar à minha gangue do artesanato? Só a galera mais maneira da cidade foi convidada, sabe.

Mabel levantou uma sobrancelha de maneira sarcástica – *Sério?* –, mas depois assentiu. Afinal de contas, quem resistia a uma bijuteria de caveira customizada?

– Está bem – murmurou.

– Ótimo – disse Becca. – Beleza, eu vou sair daqui antes que uma aranha maior venha me pegar. Ao trabalho.

O dia seguinte era sexta, e Becca pegou a estrada para passar o fim de semana em casa. O sol dourado se derramava sobre a paisagem, e ela sentiu uma enorme euforia ao cantar bem alto uma música cafona que tocava no rádio, acompanhando o ritmo com tapinhas no volante. Mais cedo, havia tido um treino fantástico com Rita, a relutante senhora da casa de repouso que odiava malhar. Embora Rachel tivesse dado a Becca uma lista completa de exercícios leves, tomou a decisão unilateral de secretamente descartá-la. Em vez disso, enfiou uma pá, uma espátula e um ancinho de jardim do galpão dos Jacksons na mala do carro, além de um par de luvas de jardinagem, e levou Rita até as hortas da cidade.

– Se você não contar, eu não conto – falou para Rita quando a cliente a olhou, surpresa. – Meu pai sempre dizia que jardinagem é bom para a alma e para os músculos. Então... por onde a gente começa?

A horta onde Rita havia trabalhado era compartilhada com dois amigos, e ela tecnicamente não era mais responsável pelo espaço. Mesmo assim, estava tão animada que bastaram dez minutos de trabalho vigoroso na enxada para tirar o cardigã.

– Como o ruibarbo cresceu! Olha a vagem! Eles cuidaram tão bem destes morangos, não é? – exclamava, maravilhada.

Rita parecia conhecer todo mundo ali, e quase todos os jardineiros presentes foram cumprimentá-la. Depois de uma hora, podia não ter feito um único abdominal nem encostado as mãos nos pés para se alongar como Rachel prescrevera, mas estava com as bochechas rosadas por causa do ar fresco e do sol, havia arrancado as ervas-daninhas do canteiro de verduras e colhido várias cenouras. No geral, parecia uma nova mulher, rindo e conversando, cheia de vida. E presenteou Becca pelo esforço com uma sacola de ruibarbos, algumas vagens de ervilhas e duas cabeças de alface. O que os olhos não veem o coração não sente, pensou Becca de volta à casa ao limpar a sujeira das unhas em segredo. Enquanto isso, ela tinha uma cliente feliz que tão cedo não telefonaria dando desculpas.

No geral, a semana tinha sido boa. Ela gostou de quase todos os clientes de Rachel, tinha certeza de que as pernas já haviam se beneficiado com tantas pedaladas (oba, resultados!) e estava realmente se apaixonando pelos sobrinhos em toda a sua rebelde e divertida glória. Eles eram enlouquecedores, barulhentos e não tinham papas na língua para observações pessoais ("Tia Bee, sua bunda ocupa a cadeira *inteira!*", comentou Luke surpreso no café da manhã – que fofo), mas ela adorava a bagunça da vida familiar, a energia louca que pulsava pela casa.

Apesar de tudo, Becca decidiu tirar uma folga no fim de semana. Em parte, para dar aos quatro o próprio espaço de novo, mas também porque de vez em quando ainda havia um clima estranho entre ela e a irmã. Não conseguia explicar o que era. Às vezes, parecia que elas estavam se dando bem, até rindo juntas, mas em algumas ocasiões pegava Rachel a encarando, franzindo o cenho, e se sentia bastante desconfortável. *Poxa vida, Rach,* quis dizer mais de uma vez. *Achei que tínhamos superado o passado. Achei que fôssemos amigas agora.* Pelo menos ela queria que as duas fossem amigas. Achava Rachel incrível. Mas alguma coisa impedia a irmã de abrir essa porta para ela, de aceitá-la completamente. Então, decidiu contar uma mentirinha inocente e inventou, descontraída, que tinha um encontro às cegas imperdível no fim de semana.

– Você não se importa, não é, se eu for para casa hoje? Quer dizer, posso voltar no domingo se quiser. Ou não, obviamente. – Becca mordeu o lábio enquanto esperava a resposta da irmã.

Partir agora era um risco calculado, mas tinha certeza de que os Jacksons sobreviveriam sem ela. Ainda fraca e com uma das mãos imobilizada, Rachel não podia fazer tudo na casa, mas Mabel era uma garota de 13 anos bastante competente e capaz de ajudar. A geladeira estava cheia, a roupa suja praticamente sob controle, e Becca preparara um panelão de sopa de batata-doce picante durante a manhã. Tinha até encontrado um quadro branco na garagem e pendurado na cozinha. HOJE VAMOS... escreveu no topo, seguido pelos nomes de todos, com o objetivo de rastrear o paradeiro da família e evitar futuras brigas entre Rachel e Mabel ("Ninguém vai ficar no seu pé se você contar o que vai fazer a cada dia", explicou à sobrinha mais velha).

Rachel pareceu bastante aliviada por se ver livre dela.

– A gente se vira – retrucou ela.

Ela até pegou uma carteira da gaveta da cozinha e, com dificuldade, retirou dali um punhado de notas.

– Toma. Desculpa ter só isso, mas já é um começo.

Becca olhou para as notas com surpresa: 50 libras.

– Ah! – exclamou ela. – Não precisa.

Será que uma irmã deveria *pagar* à outra pela ajuda?, perguntou-se, confusa. Com certeza a ideia era que as irmãs largassem tudo uma pela outra por amor, em vez de resumir a transação a dinheiro vivo. Mas, obviamente, ela estava dura. Mesmo ao proferir aquelas palavras, não parava de pensar no aluguel. E em pedir delivery de comida. E em cerveja...

– Precisa, sim – respondeu Rachel. – E semana que vem... se não tiver mesmo problema, seria ótimo se você voltasse e fizesse tudo de novo. Talvez até por umas duas semanas, se não for pedir muito. Por favor.

– Tudo bem – confirmou Becca.

O coração dela se derreteu. Rachel queria que ela voltasse! Talvez os olhares gélidos e a barreira entre elas fossem imaginação de Becca, afinal – estava ficando paranoica depois de velha. E o dinheiro com certeza era porque Rachel sabia que ela havia perdido o emprego para ficar com as crianças. Era *gentileza*, só isso. Gratidão.

– Obrigada – retrucou Rachel. – Bom fim de semana e aproveita o encontro. A propósito, você não vai ver Ulric, o Lobo, não é?

– Sem chance! – retrucou Becca, quase engasgando.

Precisava dizer a Meredith que tinha mudado de ideia quanto ao assunto "amigos gostosões", já que as sugestões da colega de apartamento a fizeram querer virar lésbica. Ou freira. Talvez as duas coisas.

Então algo estranho aconteceu. O rosto de Rachel ficou duro e tenso, e de repente falou:

– Ah, não, esqueci, é verdade. Você prefere os homens casados, não é?

Os homens *casados*? Becca olhou para ela, perplexa. A cumplicidade do momento em que a irmã lhe dera 50 libras e perguntara – com bastante humildade! – se Becca poderia voltar na semana seguinte de repente pareceu nunca ter acontecido.

– Do que você...? – começou a dizer, mas antes que pudesse terminar, Scarlet entrou na sala correndo, com o travesseiro de cachorro concluído enfiado debaixo do braço.

– Ah! Você já vai? Mas vai voltar, não é? – choramingou, abraçando a tia, o travesseiro peludo e macio fazendo cócegas nelas.

Becca olhou para Rachel, que se virou, fingindo arrumar os livros escolares de Mabel na mesa de centro.

– Hum. Vou – respondeu, incerta. – Bom, pelo menos eu acho que sim.

Ela se lembrou daquele momento enquanto dirigia devagar até Birmingham. Depois daquilo, não havia tido a chance de perguntar a Rachel o que ela quis dizer com o comentário, porque as crianças começaram a cercá-la, pendurando-se nela para se despedir.

Você prefere os homens casados, não é? Hum, não. Não, obrigada. Não estava tão desesperada a ponto de começar a pegar os maridos alheios. Na verdade, como Wendy fez questão de salientar, ela praticamente não havia saído com ninguém no ano anterior. Então, o que Rachel quis dizer?

A revelação a atingiu como um tapa na cara quando ela se aproximava da cidade e via as primeiras placas turísticas indicando os hotéis.

Lawrence. Ela estava falando de Lawrence.

Capítulo Trinta e Três

Depois que Becca foi embora, Rachel também recapitulou a conversa. Caramba, a irmã postiça era muito cara de pau; aquela falta de vergonha era quase de se admirar. E ela foi também uma excelente atriz ao franzir o cenho e arregalar aqueles olhos azuis de maneira tão convincente. *Quem, eu? Tão inocente! Não tenho ideia do que você está falando.*

Ah, fala sério. Conta outra. Rachel conhecia aquela história sórdida de trás para a frente: novembro, conferência de vendas em Birmingham, Becca com o vestido preto de garçonete e o ouropel no pescoço, sentada no colo de Lawrence durante a sobremesa enquanto lhe servia sorvete de framboesa de maneira provocante... Dava vontade de vomitar.

Na noite em que o marido se mudou e sua tirada final abriu uma nova cratera nas ruínas já fumegantes do relacionamento deles, Rachel caiu na besteira de olhar o perfil de Becca no Facebook e acabou confirmando tudo. Uma selfie com um colega sorridente no salão de jantar vazio do Hotel Copthorne, os dois equilibrando garfos acima da boca como bigodes. *Ralando muito!*, dizia a legenda. Lá estava o vestido preto de garçonete tal qual Lawrence havia descrito, assim como o ouropel dourado dando voltas nas paredes do fundo, só esperando para que a perversa e ousada Becca o arrebentasse para usá-lo como enfeite. Depois veio a foto da manhã seguinte: Becca com o cabelo bagunçado e uma ressaca louca, ao que tudo indicava. Legenda: *Perdi a linha ontem à noite. Nem pergunta, pq eu não vou responder. SSSHHH.*

Eram todas as evidências de que Rachel precisava. Não que tivesse uma grande consideração pela irmã postiça ou que elas fossem próximas, mas mesmo assim. Não se faz uma coisa dessas, que dirá ficar se gabando no Facebook sobre o assunto, para deleite dos amigos (67 curtidas, notou com desgosto, desejando que existisse um botão de "NÃO CURTI" ou um que dissesse simplesmente "VACA").

Apesar de tudo, se pegou sendo afetuosa com Becca na semana anterior. Tudo bem, às vezes ela era irritante, barulhenta e descuidada, além de um tanto caótica em relação a coisas como tarefas domésticas. Mas no fim das contas ela *realmente estava fazendo* as tarefas domésticas, sem ser solicitada ou remunerada, só porque Rachel não podia. Levava as crianças para a escola e as buscava todos os dias porque Rachel vinha tendo pequenos ataques de pânico todas as vezes que pensava em sair de casa. E era gentil também, fazendo artesanato com as crianças, ouvindo-as tagarelar, pacificando discussões com uma graça natural. Aquela fronha de cachorro que ajudou Scarlet a fazer! Desde que foi confeccionada, não saía dos braços da filha. Quando Rachel foi ao quarto de Scarlet pela última vez na noite anterior, a menina estava dormindo profundamente abraçada a ela, com o rosto pressionado contra o pelo e um sorriso nos lábios rosados.

Maaaaas... nem um milhão de fronhas, brincos de caveira, colheres de pau decoradas e piadas compartilhadas na clínica ortopédica compensavam o que Becca havia feito. Desculpa, mas não era o suficiente. Como poderia ser? Nada apagaria o instante em que Lawrence olhou bem nos seus olhos e debochou ao dizer que Becca era melhor na cama do que ela, sua própria esposa. Francamente, Rachel praticara um autocontrole notável ao explodir com a irmã só naquela hora, soltando um único comentário quando Becca ia embora para passar o fim de semana em casa. No resto do tempo, aquilo havia sido como uma partida de xadrez, nenhuma das duas revelando à outra o que sabia. *Eu conto ou você conta? Ou vamos as duas continuar fingindo que nada aconteceu naquela noite?*

Sábado foi um dia quente e abafado. Antes do acidente, Rachel se jogava nos fins de semana de corpo e alma em atividades intensas em família – nadar ou pedalar, às vezes dirigir até os estábulos próximos para cavalgar pôneis lentamente ou preparar uma cesta de piquenique e sair para uma caminhada. Obviamente, nada disso aconteceria naquele dia. Embora Becca tivesse recuperado o carro para ela (após pagar uma multa pesada – ui), Rachel ainda não podia dirigir e, de qualquer forma, ficava nervosa quando pensava em encarar o mundo lá fora. Então, em vez disso, desencavou a piscina de plástico do galpão, tirou a poeira e as teias de aranha e a encheu de água para os dois menores entrarem, gritando de alegria. Mabel, que aparentemente era crescida demais para aquela criancice, desapareceu para "fazer o dever de casa com umas amigas" (hummm), e Rachel deu continuidade a algumas tarefas de casa – por mais complicadas que elas parecessem, já que ela podia usar apenas uma das mãos.

As horas se passaram, todos sobreviveram sem grandes consequências, a Terceira Guerra Mundial não foi declarada, e o dia acabou sendo bastante agradável no fim das contas – um dia fácil. E mais: Rachel administrou tudo com uma única mão, o que deu a ela uma imensa sensação de triunfo. *Muito bem, Rachel. Você conseguiu.*

Às nove da noite, as crianças tinham ido para a cama, folhas e flores mortas flutuavam em silêncio na água da piscina e o lava-louça ressoava obedientemente com os pratos e talheres do dia. Ela preparou um gim-tônica com excessiva lentidão – dane-se, merecia uma bebida – e ligou o notebook para executar o ritual diário de checar se Violet havia respondido à mensagem no Facebook. Fazia quatro dias que enviara aquela pergunta hesitante, que até então recebera somente um silêncio ensurdecedor.

Ao navegar pelo site, viu que havia novidades e, por um segundo, parou de respirar. Hora da verdade, como diziam na TV. O que Violet tinha a dizer a ela?

Prezada Rachel,

Obrigada por entrar em contato. Preciso dizer que esperava receber notícias suas depois da nossa conversa no enterro do seu pai. Eu sinto muito se sem querer acabei fazendo um comentário fora de hora.

Pelo que sei da sua mãe, ela era uma moça infeliz. Ela e Terry se separaram quando você tinha cerca de 6 meses, acho. Terry era educado demais para falar mal de qualquer pessoa, mas sei que eles tinham brigas horríveis, e ele sentiu que Emily (e você) seria mais feliz sem ele e sem toda aquela gritaria. Ele parecia estar arrasado com isso quando nós nos aproximamos – com vergonha de si mesmo. Que tipo de pai eu sou, abandonando a minha própria filha, foi o que ele disse mais de uma vez. Mas ele honestamente acreditava que aquela era a melhor solução para você. Ele não queria que você fosse criada por uma mãe e um pai que se digladiavam o tempo todo.

Brigas horríveis? Pais se digladiando? As palavras na tela eram como uma punhalada no coração de Rachel. Não era essa a infância idílica que sempre imaginara com carinho. Aquele não era o amor de juventude de Terry e Emily! Fechou os olhos por um segundo, com vontade de apagar a mensagem e fingir que ela nunca existira. Mas é claro que, depois de ler tudo isso, não podia parar agora.

Eu e Terry começamos a nos encontrar na época do seu primeiro aniversário. Nós nos conhecemos em uma festa da Conspiração da Pólvora, e lembro que ele estava triste por não ter tido permissão de comemorar aquele dia com você. Ele morava em um pequeno apartamento na Hyde Road e às vezes levava você de carrinho para passear no parque. Você era uma garotinha tão doce, com aquela nuvem de cabelo louro.

Ouvimos falar do incidente no ano seguinte, em um domingo. Tínhamos passado o fim de semana em Blackpool, foi a nossa primeira viagem de verdade juntos e nos divertimos muito. Quando voltamos, passamos no pub e todo mundo estava falando do assunto, que Emily fora presa e a garotinha – você – tinha sido levada pela assistente social. Bom, seu pai ficou tão desesperado que achei que ele fosse desmaiar. Ele correu do pub (literalmente) para a delegacia mais próxima, e eu fui atrás dele.

Você provavelmente sabe o que aconteceu depois. Seu pai decidiu que vocês dois precisavam de um recomeço, longe de Manchester e das fofocas. Ele ficou tão magoado e irritado com a sua mãe por ter exposto você a uma situação vulnerável que estava determinado a fugir. Infelizmente (para mim), isso significou a nossa separação. "Eu tenho que focar na Rachel", lembro-me de ouvi-lo dizer, de maneira bem direta. "Eu não posso decepcioná-la de novo." Partiu meu coração, mas eu sabia que ele estava só agindo como um bom pai. Eu não podia culpá-lo por isso.

Ai, meu Deus. Então era tudo verdade. Ela realmente havia sido largada a noite inteira sozinha, chorando, molhada de xixi, com fome, assustada. Sentiu as lágrimas brotarem nos olhos por aquela garotinha triste – ela! – e pela mãe também, na cadeia. Parecia tão dramático, tão sério, e mesmo assim ela não se lembrava de nada. Imaginou a polícia arrombando a porta do apartamento, um oficial a retirando da cama úmida, e era tão irreal, como algo que você veria na TV. No entanto, segundo Violet, tudo aquilo tinha mesmo acontecido. Com Rachel.

Uma lágrima rolou pelo seu rosto e caiu no colo dela. Ela não quis acreditar nas palavras da reportagem, preferindo se agarrar às coisas que o pai sempre havia contado. Tivera uma infância feliz, afinal de contas não ficara traumatizada. Por que isso importava agora?, raciocinou ferozmente. Que diferença isso fazia? Mas fazia, sim. Aquilo mudou tudo.

Quanto à sua mãe... Lamento informar que ela morreu algum tempo depois. Ela sempre bebeu muito e, depois do julgamento, em que foi acusada de abandono de incapaz e condenada a pagar uma indenização, se afundou ainda mais e só encontrava consolo na bebida. Devia ter 30 e poucos anos quando morreu. Doença hepática, ouvi falar.

Peço sinceras desculpas, pois esta minha mensagem deve estar sendo dificílima de ler, Rachel. Para mim, também não foi fácil escrever, mas você pediu para que eu falasse a verdade. Nossas famílias sempre nos surpreendem quando menos esperamos, e sei que isso deve ter sido um choque terrível. Mas fico feliz que pelo menos você tenha tido uma madrasta amorosa e que Terry tenha encontrado tanta felicidade de novo.

Abraços,
Violet

Agora as lágrimas não paravam de rolar. Então pelo visto Emily havia mergulhado no alcoolismo – Rachel olhou culpada para o próprio gim-tônica – e morrido sozinha, longe da filha e do marido. Meu Deus. Que tristeza acabar no fundo do poço. Que devastador, principalmente porque ela nunca pôde tentar compensar nos anos seguintes o que fizera. Ela e Rachel poderiam ter se conhecido melhor, cultivado algum tipo de relacionamento, o que teria lhe rendido algo mais que parcos lampejos de memória. Mas o pai tomou a decisão de alijá-la, e nada disso aconteceu.

Que caos. Uma bagunça de segredos e mentiras. Entendia o motivo de o pai não contar a verdade quando ela era menina; a história da mãe bonita, boa e gentil era mais palatável para uma criança impressionável do que a verdade nua e crua da negligência. Justo. Ela provavelmente teria feito o mesmo. Bastava ver como havia dourado a pílula da situação com Lawrence na própria separação, sem se rebaixar a criticá-lo para as crianças, por mais que quisesse. É claro que o pai tinha encoberto a real personalidade de Emily naquela época; era a coisa certa a fazer.

Mas o fato de ele ter prolongado essa história indefinidamente, nunca ter sentado com ela e dito *Olha, acho que você já tem idade suficiente para eu explicar as coisas agora...* Bom, aquilo era diferente. Francamente, era um subterfúgio completo – duvidoso e covarde. E agora ela havia sido privada dos anos em que Emily ainda estava viva e perdera a chance de conhecê-la. Era um golpe duplamente terrível.

Terminado o gim, se levantou sem pensar duas vezes e foi até a cozinha para se servir de outro. *Ela só encontrava consolo na bebida*, dissera Violet. *Bom, adivinha, mãe? Eu também! Tal mãe, tal filha, não é? Estou tão feliz por sermos tão parecidas, depois de me preocupar tanto em estar à sua altura!*

Era irônico, se você pensasse bem. Mãe e pai que se digladiam – temos! Pai que saiu de casa – temos também. Mãe que enche a cara – mais um para a lista! Os próximos itens logicamente eram a doença hepática e a morte precoce. Oba!

Sentiu uma momentânea pontada de culpa ao se lembrar do último comentário de Violet sobre Wendy. *Mas fico feliz que pelo menos você tenha tido uma madrasta amorosa.* E ela ali o tempo todo desprezando Wendy por não ser Emily, medindo-a constantemente e considerando-a um fracasso em comparação. *Você não é a minha mãe!*, gritou uma centena de vezes, geralmente antes de sair batendo portas. Sentiu um arrepio de vergonha ao descobrir que Wendy na verdade tinha feito um trabalho bem melhor que o de sua mãe verdadeira.

Será que o pai contou a Wendy sobre Emily?, imaginou. Será que Wendy havia passado todos aqueles anos mordendo a língua e pensando: *Você não sabe da missa a metade, querida*?

Ficou ali em silêncio, na penumbra da cozinha, enquanto a escuridão se adensava lá fora. HOJE VAMOS..., proclamava o quadro branco de Becca, e Rachel precisou se controlar para não agarrar a caneta e escrever PRATICAR AUTOAGRESSÃO embaixo.

Em vez disso, preparou mais um copo de gim-tônica e entornou a bebida em dois goles, sem querer pensar em mais nada.

Capítulo Trinta e Quatro

De maneira geral, aquele não foi o fim de semana mais incrível da vida de Becca. Wendy tinha ido para um spa comemorar o aniversário de 60 anos de uma amiga e Meredith viajara para o casamento do irmão em Devon. O apartamento estava vazio e silencioso, exceto por uma mosca-varejeira que passou o tempo todo zumbindo neuroticamente de um cômodo a outro, ignorando solenemente todas as janelas abertas. Becca não pôde deixar de refletir sobre como o apartamento era pequeno e entulhado se comparado à casa elegante com jardim de Rachel; como as paredes pareciam sufocá-la quanto mais tempo passasse em um ambiente. Entediada e inquieta, sem plano algum, se sentia uma fraude sempre que pensava em como havia mentido sobre seu encontro incrível. Seu encontro incrível com um homem *solteiro*, obviamente, se corrigiu, lembrando-se das palavras da irmã.

Se o comentário *tivesse sido* sobre Lawrence como ela suspeitava, o que exatamente ele devia ter dito a Rachel? Será que estava tentando criar uma intriga?, perguntou-se, agitada. A noite toda parecia um sonho surreal agora: o salão de jantar abafado do hotel, as jiboias gordas de ouropel dourado balançando no alto, a imensa árvore de Natal artificial em um canto com presentes cheios de laços, espalhados de maneira artística na base. No fim da noite, um dos idiotas barulhentos de terno caiu em cima da árvore, aterrissando de costas como um besouro de smoking, enquanto os colegas aplaudiam. E havia Lawrence, cruzando o olhar com o dela do outro lado da sala e se aproximando para dar o bote.

Tinha sido ele, só ele, ela insistia para si mesma sempre que repassava aquela noite na cabeça. Ele a pegou na cintura; tentou puxá-la para o seu colo apesar de ela tentar se desvencilhar desajeitadamente; e escreveu o número do quarto com caneta permanente preta na mão dela daquele jeito, como se a reivindicasse. Não só foi grosseiro como arrogante. Presunçoso. Ofensivo. "Lawrence, estou trabalhando", protestou ela, constrangida, quando todos os babacas da mesa começaram a gritar e bater palmas: *Isso, manda ver.*

Lawrence jogou para plateia, é claro, piscando para eles. Ele sempre foi um exibicionista. "Quem não adora uma moça trabalhadora?", disse, alto o suficiente para todo mundo ouvir, e as risadas cresceram ainda mais, deixando Becca vermelha. Estava insinuando que ela era uma prostituta? Ela se soltou das mãos dele e foi embora, com as orelhas queimando ao som da multidão zombeteira atrás dela.

"Que escroto", xingou, indignado, seu amigo Niall ao vê-la tentando limpar os números escritos nas costas da mão. "Quer que eu troque de mesa com você?"

"Quero, obrigada", murmurou ela, abanando as bochechas vermelhas e tentando recobrar a compostura. Precisava da grana, caso contrário teria rasgado o avental ali mesmo e ido para casa na hora, mandando aqueles idiotas e o jantar de conferência de vendas deles para o inferno. Mas, com o aluguel para pagar e o Natal chegando, ela teve que engolir aquele sapo da melhor forma possível. Não literalmente.

Graças a Niall, conseguiu evitar o cunhado pelo resto da noite. Depois os dois comemoraram o fim do turno enchendo a cara em um bar, cantando juntos canções natalinas melosas enquanto ficavam cada vez mais bêbados. "Tive uma ideia", declarou Niall depois de um tempo, com o dedo em riste. Àquela altura, eles estavam na quarta ou quinta rodada de mojitos, e a sala começou a girar. "Uma ideia suja", acrescentou.

"Ótimo", disse Becca. "São as minhas preferidas." Ela se inclinou para a frente, e seu cotovelo escorregou para fora da mesa. "Opa. Fala. Qual é a ideia?"

"Aquele imbecil que escreveu o número do quarto na sua mão. A gente tinha que dar o troco. Ainda dá para ler o número?"

Becca olhou para a mão, estreitando os olhos para enxergar. As figuras meio borradas ainda estavam visíveis, apesar de sua tentativa de apagá-las. "Consigo. Três-um-dois", revelou, suspirando. "Por quê? No que você está pensando?"

"Estou aqui pensando... Por que a gente não faz umas surpresinhas, pedindo comida no quarto?", disse Niall perversamente. "Talvez uma pizza às quatro da manhã. Ou um serviço de despertador ridiculamente cedo. Ou uma stripper..."

"Você é um *gênio*", elogiou Becca, brindando a ele com seu copo. "Vamos fazer isso com certeza."

O apartamento que Niall dividia com o namorado Marc ficava mais perto, então eles cambalearam até lá para colocar o plano em ação. Não demorou muito para pedirem não só uma pizza American Hot para ser entregue no quarto de Lawrence às três da manhã, mas também um café da manhã às quatro ("uma tigela grande de mingau de aveia e uns figos, por favor"), seguido por um serviço de despertador às seis. "Caso os figos não sejam suficientes para me acordar, se é que você me entende", disse Niall ao telefone, arregalando os olhos pelo esforço que fazia para não cair na risada. "Sim, sei que não estou ligando do quarto agora, algum problema? Vou ter que falar com o seu *gerente*?"

Não, felizmente não foi um problema. O funcionário apavorado não quis envolver o gerente. Depois que Niall desligou, por um breve momento ele e Becca se sentiram mal pelo pobre empregado do hotel que tinha dado o azar de atender a ligação, mas logo depois caíram na risada ao pensar na cara cada vez mais furiosa de Lawrence ao ser acordado repetidas vezes.

Ele mereceu, pensou Becca ao escalar a cama extra de Niall mais tarde, enquanto o quarto girava e ela sentia uma preocupante ânsia de vômito. Ainda que tivesse gastado boa parte do dinheiro que ganhara naquela noite, a vingança era *um prato que se comia frio*.

Na manhã seguinte, ao acordar com uma ressaca terrível e a sensação de que havia se comportado muito mal, Becca se preparou para uma resposta gelada do cunhado – um telefonema conciso em que ele diria quanto ela era imatura, talvez, ou até (nunca se sabe!) um pedido de desculpas pelo próprio comportamento inaceitável. *Vai sonhando*. Não ouviu nada nem dele nem da irmã, então concluiu que Lawrence decidiu ficar em silêncio sobre a coisa toda. Percebeu que, curiosamente, ele não estava morrendo de pressa para contar à esposa o motivo de a irmã ter se vingado dele.

Mas talvez ele *tivesse* dito algo sobre aquela noite, afinal. Talvez ele tivesse reclamado com Rachel sobre ela de alguma forma e Rachel ainda estivesse zangada por causa disso, pensou agora, lembrando-se do olhar duro da irmã quando fez aquele comentário estranho.

Ou talvez, é claro, Becca estivesse pensando demais e ficando estupidamente paranoica. De qualquer maneira, ela com certeza não puxaria o assunto "O que aconteceu em Copthorne" com a irmã para descobrir, sem chance. Dizer a uma mulher que o marido dela deu em cima de você, a agarrou e a apalpou enquanto estava bêbado... como contar uma coisa dessas, para começo de conversa?

O fim de semana se arrastou de uma forma bastante patética. Ela fez outro diadema, desta vez para Alianor, amiga de Meredith, o que foi legal; mas, fora isso, o tempo parecia não passar. As palavras da mãe sobre sair para conhecer alguém e botar a vida de volta nos eixos continuavam a incomodá-la, e ela se sentiu ainda mais otária. Pedir a ajuda de Meredith com os homens também não tinha sido uma ideia muito boa.

No entanto, algo precisava mudar. Porque lá estava ela, sozinha de novo, sem nada para fazer em uma sexta ou sábado à noite pela segunda semana consecutiva. Aquilo não estava certo, estava? Não era assim que as coisas deveriam ser aos 30 anos de idade. Por mais que odiasse admitir, talvez a mãe tivesse razão.

Talvez fosse a consciência pesada de Becca pela vingança contra Lawrence, mas, quando ela chegou à casa dos Jacksons no domingo à noite, as primeiras palavras de Rachel não foram exatamente as boas-vindas que esperava. Na verdade, a irmã chegou a dizer "Oi, Becca, entra", mas logo depois emendou:

– Escuta, por que eu estou recebendo um monte de telefonemas de senhoras me pedindo para levá-las a canteiros de jardinagem? Isso tem alguma coisa a ver com você?

Becca murchou. *Sério, Rachel? A gente tem que discutir sobre isso agora?*, pensou.

– Oi – respondeu, entrando no vestíbulo. Teve vontade de dar meia-volta. – Como foi o seu fim de semana? Sim, a minha viagem foi ótima, obrigada, de nada.

O olhar de Rachel era de exasperação e desconforto.

– Justo. Como foi o seu fim de semana?

– Foi mais ou menos – retrucou Becca, largando a bolsa e uma nova caixa de artesanato no vestíbulo.

Havia trazido muito mais materiais desta vez, inclusive o equipamento de ourivesaria – Mabel se mostrara habilidosa no manejo dos brincos na semana anterior e talvez quisesse tentar algo mais complexo desta vez, pensou – e uma cúpula para lustre semiacabada que queria concluir. Lembrou-se da lâmpada nua que vira dançando desajeitadamente no vestíbulo de Michael Jones e se perguntou se seria muito atrevimento presenteá-lo com o kit completo. Provavelmente.

– Posso preparar um chá?

– Pode. Olha, sinto muito por ter começado a reclamar assim que você entrou – desculpou-se Rachel.

Com certeza não sentia tanto, pensou Becca, suspirando para si mesma ao passar por ela e caminhar até a cozinha.

– É que o telefone tocou a tarde inteira. Quando não são as senhoras pedindo aulas de jardinagem é aquele cara, Michael, perguntando se você pode passar lá para ajudá-lo a fazer biscoitos de gengibre. Quer dizer... – Ela ergueu a mão boa com irritação enquanto seguia Becca até a cozinha. – Eu estou tentando tocar um negócio de personal trainer aqui... Esse é o serviço: atividade física e saúde! Não é jardinagem, pintura, culinária ou seja lá o que você está fazendo. Você tem que parar com isso, Becca, tá bom?

– Tá bom – respondeu Becca, cerrando os dentes e enchendo a chaleira elétrica.

Notou que o quadro branco tinha algumas novidades. Debaixo do cabeçalho HOJE VAMOS..., Mabel havia escrito ODIAR OS GAROTOS, Luke tinha desenhado o que parecia ser sua versão do R2-D2 e Scarlet acrescentado SENTIR SAUDADES DO HARVEY com uma carinha triste ao lado. Parecia que havia perdido um fim de semana bem divertido em Hereford.

Rachel ainda estava falando:

– Quer dizer, se você continuar fazendo isso, só vai complicar as coisas...

– Eu disse *tá bom*. Já entendi. Você explicou tudo em alto e bom som. – Becca bateu a chaleira ao recolocá-la na base. – Meu Deus, respira. Rita adora jardinagem, é só isso. E é um exercício excelente! Só tomei uma iniciativa, não vejo qual é o problema.

– O problema é que eu estou sendo paga pela filha dela, que não vai gostar se Rita lhe contar que está perdendo tempo em uma horta em vez de fazendo exercícios adequados. – Rachel cruzou os braços com irritação. – Você chegou a fazer *algum* dos exercícios que eu escrevi para você?

– Não. Mas escuta...

– Não, escuta *você*. Você precisa parar de interferir desse jeito, de pensar que sabe mais do que eu. Para de se meter em tudo.

– Está bom! Entendi! Não precisa ficar repetindo! – Becca estava a ponto de perder as estribeiras. – Chega, tá? Não estou no clima.

Sem se importar com o chá, marchou para o quintal antes que a irmã dissesse uma palavra a mais. Meu Deus! De onde vinha aquilo? E por que Rachel estava tão grosseira hoje? Interferindo na vida das pessoas, sei – se metendo! –, como ela se atrevia? Aquilo se chamava *ajudar*. Ser gentil. Fazer um favor. Se Rachel tinha tanto problema com a "interferência" dela, então por que pedira que Becca ficasse mais uma semana e organizasse a casa enquanto ela estava fora de combate? Aquela "interferência" era conveniente, não é? Defina duas-caras!

O quintal da casa dos Jacksons era comprido e estreito, e bem nos fundos havia uma rede amarrada convenientemente entre a cerejeira e o bordo. Ela passou pelo lilás exuberante, que emitia um agradável zumbido de abelhas, e aspirou a fragrância delicada e doce, sentindo a grama crescida fazer cócegas nos tornozelos (outra coisa que precisava ser feita, pensou mal-humorada: cortar a grama – mais um item para a lista interminável de tarefas em que Becca poderia "interferir").

Estava prestes a se atirar com toda a fúria na rede quando percebeu que Luke já estava deitado lá, brincando com os bonecos de colher de pau.

– Ah! Desculpa! – disse ela, recuando no último segundo. – Eu quase sentei em você. Tudo bem aí? Ei! – exclamou, vendo que ele havia adicionado vários elementos novos à segunda colher de pau no fim de semana. – Você terminou a outra também! Posso ver?

Luke abriu um sorriso cheio de dentes e encolheu as pernas pálidas e ossudas para que ela pudesse se sentar ao lado dele. Ele entregou a Becca a segunda colher: uma figura com cabelos rebeldes de lã marrom, sobrancelhas que se inclinavam para baixo em direção ao centro e uma imensa boca aberta. Ele havia enrolado um limpador de cachimbo ao redor da haste para formar os braços, e um deles estava dobrado até a metade em um ângulo reto. *Ah, está dando um tchau, que legal.* Dois triângulos de papel coloridos com rabiscos de canetinha hidrográfica cinza estavam grudados na base, no formato de uma saia.

– Quem é esta? É amiga da outra colher? – Becca deu um leve cutucão em Luke. – É a *namorada* dele?

Luke balançou a cabeça, e ela notou que seus cílios escuros estavam baixos.

– Esta é a Menina Má – respondeu.

Ah. Talvez ela não sirva para namorada, então.

– Menina Má – repetiu ela, olhando de novo para o rosto da colher. – Ela parece estar... gritando.

– É, e ela tem um braço que bate também – explicou ele, apontando para o limpador de cachimbo angulado.

Um pouco diferente do tchauzinho amigável que Becca havia imaginado.

– Acho que não gostei muito da Menina Má, não... – disse ela.

– Não, ela é horrível. Ela diz coisas ruins para o menino.

– O menino?

Luke ergueu a outra colher, a que originalmente era "ele", e Becca ficou desconcertada. Quanto disso era imaginação dele?, perguntou-se. Ou será que ele estava tentando contar alguma coisa?

– Nossa – comentou ela, passando o braço em volta de Luke para que ele se encostasse nela, seu cabelo escuro e macio caindo para a frente. – Como o quê, por exemplo?

Luke ficou quieto por um momento, e ela pensou que ele não iria lhe contar, mas então ele levantou a colher da Menina Má acima da dele e disse com uma voz aguda:

– Sua mãe é estranha!

Becca ficou boquiaberta.

– Que coisa horrível de se dizer – retrucou com indignação.

Ela viu a nuca dele, branca e vulnerável, quando Luke se inclinou para a frente e por algum motivo aquilo lhe apertou o peito. Quem devia ter dito aquilo para ele?

– Ela parece um experimento científico que deu errado! – disse a Menina Má com sua voz aguda, enquanto batia na colher do menino com a própria cabeça louca.

Um experimento científico que deu errado... Caramba. Aquelas palavras odiosas pareciam as de um adulto cruel e irresponsável sendo repetidas por uma criança. Mas quem? Rachel mal havia saído de casa desde que voltara de Manchester. Quem a vira depois do acidente? A menos que... Becca ficou confusa. A menos que aquilo tivesse acontecido durante o fim de semana. Algo que havia deixado Rachel naquele mau humor, talvez?

– A Menina Má não está sendo nada legal com o menino – disse Becca com firmeza. – Ninguém devia falar essas coisas. É errado e ponto final.

Luke soltou um suspiro cansado e se recostou nela.

– Mas ela fala – murmurou.

– Eu acho que o menino devia contar isso para alguém, então. Conversar com a mãe ou com a tia legal dele, que acham que ele é incrível. Talvez elas possam fazer a menina parar.

Ele ficou em silêncio, pensando.

– A Menina Má... é uma pessoa da escola? – ela tentou adivinhar. – Ou alguém que mora aqui perto?

Se fosse a filha de Sara Fortescue, se pegou pensando furiosamente, ela se materializaria lá em um segundo e colocaria mãe *e* filha em seu lugar. Ah, colocaria.

– É da escola – murmurou Luke.

Becca deu um impulso no chão com o pé descalço, e a rede balançou suavemente entre as árvores, rangendo com o movimento. Uma brisa fez as folhas sussurrarem acima deles.

– Como a Menina Má se chama? Aposto que ela tem um nome horroroso, tipo Bruxilda Bunda-de-verruga. Ou Cara-fedida Bafo-de-xixi?

Para alívio de Becca, um pequeno sorriso se abriu nos lábios dele. Nada como o velho e bom humor escatológico. Nunca deixa a gente na mão.

– Eu acertei? – pressionou Becca.

Anda, Luke, fala.

Ele balançou a cabeça, e ela decidiu esperar. Às vezes ficar em silêncio é a melhor forma de fazer alguém falar. Becca impulsionou a rede novamente e olhou para o dossel salpicado de folhas sobre a cabeça deles, percebendo o perfume sutil das ervilhas-de-cheiro rosa-claras que escalavam uma estrutura de sustentação em um canteiro de flores próximo.

Luke permaneceu em silêncio, com os ombros estreitos e tensos. *Fala para mim*, Becca pensou de novo, enquanto os segundos se passavam. *Só me diz um nome.*

– Jodie – disse ele após cerca de um minuto, com a voz tão baixa e abafada que ela quase não conseguiu entender as palavras.

– Jodie?

– É. Jodie Cripps, ela é da minha turma.

Cripps... Já tinha ouvido aquele nome. Era alguém do parquinho? Havia tantas delas, as supermães, disputando espaço com discursos competitivos e demonstrações de maternidade superior, como pavoas tentando bicar os olhos umas das outras. *Mas... espera.* Não era do parquinho. Ela lembrou: a tirana que deixou Rachel apavorada na clínica ortopédica outro dia. *É isso!*

– Não gostei muito dessa Jodie Cripps – disse ela, perguntando-se quanto Rachel sabia disso.

– Nem eu – respondeu ele, de cabeça baixa. Em seguida, confessou, hesitante: – Eu dei um chute nela.

– Ah... – disse Becca, lembrando-se vagamente da história da briga que ele contou outro dia na hora do jantar. – Ai, meu Deus.

– E aí tive que ir para a sala da Sra. Jenkins. E Jodie disse na sexta que vai mandar o irmão mais velho me pegar, então amanhã na escola ele vai... – Luke fez um gesto de cortar a própria garganta com o dedo, depois olhou para ela preocupado, com as sardas se destacando na pele pálida.

Não se ela pudesse impedir, pensou Becca, furiosa.

– Talvez seja bom eu e a sua mãe darmos uma palavrinha com a Sra. Jenkins pessoalmente – sugeriu ela. – Ou até conversar com a mãe da Jodie.

– Não! – gritou Luke, desesperado.

Obviamente a ética do parquinho ainda não perdoava os dedos-duros.

– Bom, não vamos deixar o irmão da Menina Má dar uma surra em você, vamos?

Becca teve vontade de quebrar a colher de Jodie ao meio e jogar os pedaços na árvore mais próxima. *Toma essa, sua... sua colher de pau.* Melhor não. Rachel já havia olhado feio para ela no jantar quando Becca confessara que queria dar um soco em Adam. A violência nunca era a solução, etc. Então qual era?

– E se eu só falar com a sua professora amanhã de manhã e pedir que ela fique de olho em você? Eu não preciso falar sobre Jodie. – Ah, mas ela com certeza *falaria* sobre Jodie e aquele hooligan do irmão dela. – Então ninguém vai saber que você veio falar dela comigo nem nada assim. Mas pelo menos vai ter alguém lá se você *quiser* falar com ela. – Ela fez um carinho no cabelo dele. – Ou isso ou eu me visto de guarda-costas por um dia, boto uns óculos escuros gigantes, faço cara de má e fico pronta para resolver qualquer parada. – Becca deu um soco na palma da outra mão de maneira ameaçadora, antes de se lembrar que não devia incitar a violência. Ops.

Então outro pequeno sorriso surgiu no rosto do sobrinho, o que já era alguma coisa.

– Tá bom – disse ele, com relutância. – Acho que sim.

– O quê? Eu me vestir de guarda-costas? Claro, sem prob...

– Não! Você falar com a Sra. Ellis. Mas não fala sobre Jodie.

– Entendi. Vou falar com a Sra. Ellis. Ela não vai deixar nada acontecer com você.

Luke se aninhou nela, o corpinho novamente mole e relaxado. Becca não conseguia explicar, mas sentir uma criança recostada em seu corpo era adorável. Era como se ele confiasse completamente nela. E a aceitasse.

– Obrigado, tia Bee – disse ele, após um tempo.

– Sempre a postos, capitão.

Ele desceu desajeitadamente da rede e foi brincar no pula-pula enquanto Becca o observava, mordendo o lábio e torcendo para ter dito as coisas certas. Quando aceitou ajudar Rachel a cuidar das crianças, não esperava se sentir assim – tão protetora, tão defensora. Estar ali na casa de Rachel despertou uma série de emoções no cérebro e no coração dela: lampejos de alegria, dor, orgulho e amor. Pequenos momentos reais que a lembraram o que era se sentir humana, em vez de uma zumbi enlutada se arrastando semana após semana.

Ficou deitada na rede, observando as folhas balançarem sonhadoras com a brisa logo acima, ouvindo os sussurros. Desde que o pai morrera, era como se tivesse um bloco de gelo alojado no peito; parecia que nunca mais sentiria calor. Talvez, quem sabe, o gelo estivesse começando a derreter.

Capítulo Trinta e Cinco

De noite, Becca quis conversar com Rachel sobre Luke, mas a irmã parecia evitá-la. Alegou estar com uma dor de cabeça terrível e foi se deitar cedo. Becca ficou supervisionando os exercícios de Scarlet no violino, apoiando Mabel com uma pesquisa sobre o fascismo, o comunismo e a "teoria da ferradura" para o dever de história e ajudando Luke a desenhar uma história em quadrinhos inteira, que mostrava Super Luke e sua incrível tia Bee voando juntos pelo mundo, combatendo todos os debochados e valentões. Ela não se incomodava em fazer nada disso, é claro. Adorava passar o tempo com os sobrinhos e amava a companhia deles, principalmente quando seus esforços eram recompensados com três abraços de boa-noite. Porém, quando vestiu o pijama e se aninhou na cama de Scarlet naquela noite, observando as fotos de Harvey com a língua pendurada e sorrindo com uma cara de doido, um desânimo se abateu sobre ela. Tudo bem substituir a irmã enquanto ela estava em convalescença, mas aquele não era o seu lugar ou a sua casa, aqueles não eram os seus filhos. Estava ali por um tempo limitado e logo teria que voltar para Birmingham e começar tudo de novo, tendo o resto da vida à sua espera. E o que faria, exatamente?

Como foi o fim de semana?, Wendy enviara mais cedo por mensagem, recém-chegada de seus rituais de esfoliação com sal e máscaras faciais. *O que você aprontou?*

As duas sabiam o que ela queria dizer. Como vão os planos para a Nova Vida? Alguma beijoca para relatar? Já está pulando da cama com um sorriso na cara?

Becca deliberou sobre a resposta. *Passei o fim de semana em casa, fui encontrar uns amigos*, escreveu com falsa alegria, mas se sentiu horrível por mentir para a própria mãe. *Na casa da R de novo, vou ficar aqui por pelo menos mais uma semana. Tudo bem!*

Tudo bem? Não, não estava. O sobrinho passava por maus bocados na escola, a irmã a achava uma intrometida (ou talvez pior que isso) e ela havia tido o fim de semana mais monótono da vida. Apertar "enviar" após digitar aquela mentira a fez se sentir oca por dentro, ainda mais quando Wendy respondeu com um simples *"ÓTIMO!"* e uma fileira de emojis sorridentes. Ainda assim, havia um lado bom, pensou no dia seguinte: pelo menos estar ali dava a ela bem pouco tempo para pensar naqueles problemas. Mal fechara os olhos na noite de domingo e já era segunda de manhã: os despertadores soavam pela casa, Scarlet berrava "MERDA!" ao avistar uma aranha imensa no banheiro e começava tudo outra vez.

O clima daquela segunda-feira combinava com seu humor – úmido, com uma chuvinha fina, mais característico de outubro que do meio de junho. O típico dia deprimente que a faria ficar na cama e inventar uma desculpa para quem quer que fosse o chefe da vez. Mas não hoje. Tinha que fazer as crianças vestirem o uniforme, aprontar o almoço delas, sair correndo para a escola como de costume e dar uma palavra rápida com a professora de Luke para implorar que ela o salvasse de potenciais socos do irmão mais velho da Menina Má. Depois de tudo isso, ainda tinha uma sessão com Hayley às dez. *Vai, vai, vai.*

Rachel lhe dera a nova série de Hayley, incluindo exercícios para eliminar a "pelanca do tchau" que fez Becca executar na frente dela antes de sair, para checar se a substituta estava à altura do trabalho.

– Não estou perdendo o meu tempo aqui, estou? – perguntou ela. – Você vai fazer todos estes exercícios com ela, não é?

– Vou! – disse Becca, indignada. – Claro que vou. Não precisa falar de novo.

Rachel entregou a ela dois pares de halteres ("Um para cada, para você poder demonstrar os exercícios") e uma corda para Hayley usar na parte aeróbica da série. Ela parecia um pouco triste enquanto Becca guardava tudo na bolsa para sair, e tinha olheiras sob os olhos.

– Sinto falta de pular corda – disse, melancólica. – Sinto falta de tudo isso, na verdade. Não aguento mais ficar sentada em casa sentindo pena de mim mesma, dia após dia.

Eu tenho uma ideia, Becca teve vontade de responder. É só não ficar. *Tira o pijama, penteia esse cabelo e tenta se reconectar com o resto do mundo de novo. Você pode começar pelo seu próprio filho, que, aliás, está infeliz na escola.*

Mas apesar da áspera tensão que ainda pairava entre elas, Becca não diria algo assim. Não seria tão cruel com uma Rachel pálida, abatida e ainda sob o efeito constante de analgésicos. Ela também parecia exausta após passar o fim de semana sozinha com as crianças. E não havia tempo de entrar no assunto Luke agora – Becca estava a ponto de se atrasar.

– É, eu sei – respondeu em vez disso, tentando melhorar o clima entre elas. – Mas é só por mais ou menos um mês agora, está bem? Você consegue. Eu imagino quanto deve ser difícil me ver sair por aí no seu lugar, mas um dia você vai olhar para trás e isso só vai parecer um sonho estranho.

Rachel deu um sorrisinho torto, o que já era alguma coisa, Becca supôs.

Na casa de Hayley, depois do aquecimento, Becca se concentrou nos exercícios de braço que a cliente havia pedido para se preparar para o vestido de noiva.

– Eu não costumo usar nada sem manga – disse Hayley, tremendo ao levantar um halter em cada mão enquanto Becca demonstrava as elevações laterais. – Mas o vestido que eu escolhi é tomara-que-caia, então vai estar tudo à mostra. Basicamente, preciso tonificar essas pelancas aqui.

– Pelancas? Não me vem com essa. Não tem nenhuma pelanca aí, garota – disse Becca, ciente do balanço dos próprios braços enquanto os abaixava. – Mas, ok, como Rachel diz que o cliente tem sempre razão, vou concordar com você. Faça duas séries de dez elevações laterais cada. Isso mesmo, na altura do ombro. Sem fazer careta, pensa em como você vai ficar incrível nas fotos do casamento. Linda, querida, linda. Bota estes halteres para *trabalhar*!

Depois de uma série completa de exercícios para os braços, elas foram até o jardim dos fundos pular corda, e Wilf trotou atrás como uma esguia sombra cinza, inclinando a cabeça de maneira esperançosa.

– Desculpa, amigo, a gente vai sair mais tarde – disse Hayley a ele. – Vou tentar combinar a saída com o meu telefonema diário para a bruxa, quer dizer, para a minha amada e adorável futura sogra – acrescentou, desta vez para Becca.

Becca riu da cômica expressão de desdém dela.

– Ela ainda está enchendo o saco?

– Você não faz ideia! Agora ela está resolvendo umas coisas por conta própria, dá para acreditar? Apareceu aqui outro dia com uma tiara horrível que comprou para mim. Tipo... *medonha*, abominável. Com flores de plástico grosseiras, sem brincadeira. – Ela revirou os olhos. – Se algum dia aquilo chegar perto da minha cabeça, pode me internar, estou falando sério.

– Nossa!

Embora Becca só tivesse visto Hayley com roupas de ginástica, dava para entender por aquela casa elegante que flores de plástico estavam bem longe de sua ideia de bom gosto.

– Talvez aconteça um acidente terrível, tipo o cachorro comer as flores de plástico ou enterrar a tiara inteira em um canteiro de flores... – sugeriu ela, abaixando-se para coçar Wilf atrás das orelhas. – Você faria isso pela sua dona, não faria?

Hayley sorriu quando ele respondeu com um latido baixo e leal.

– Só vou ter que sair esta semana para comprar uma e fingir que já tinha. Como eu não estava aqui quando ela deixou a tiara, pelo menos posso me safar se agir rápido. "Ah, *desculpa*, Brenda. Foi tão gentil da sua parte. Você sabe quanto eu amo arranjos de cabeça com flores de plástico, mas..."

– Ou você pode fazer uma – sugeriu Becca, pensando nas tiaras de noiva e nas outras peças de joalheria que ela e Debbie haviam feito para o The National Wedding Show, a feira de casamento.

– Fazer uma *tiara*? Eu não saberia sequer por onde começar.

– É, mas eu sei – disse Becca, entregando a corda a ela. – Cinco minutos, por favor. Começa com pulos simples, depois passa para aqueles saltos medonhos com os dois pés. – Ela foi para longe do alcance da corda. – Eu trouxe um kit comigo para a casa da Rachel. Tenho umas contas peroladas lindas e cristais Swarovski verdadeiros. Sinceramente, posso ajudar você a fazer uma tiara incrível. Sua sogra vai ter que enfiar esta coisa florida dela... bom, você sabe onde.

Hayley começou a pular quando Becca apertou o cronômetro.

– É isso que você faz, então? Está no ramo de joalheria?

– É, era o que eu fazia – respondeu Becca. – Eu tive um pequeno negócio de joalheria com uma amiga há um tempo, e agora estou voltando. Fiz duas tiaras outro dia, uma para a minha colega de apartamento e outra para uma amiga dela. Posso lhe mostrar as fotos no celular, se quiser. – Ela hesitou, não queria impor nada a uma das clientes de Rachel; não cabia a ela fazer isso e Rachel certamente daria uma bronca nela se descobrisse. – Mas é só uma ideia. Entendo se você preferir sair e comprar a sua própria tiara...

– É uma ótima ideia! – exclamou Hayley, cujas bochechas estavam ficando rosadas com os pulos, e a corda batia no chão do pátio com um assobio ritmado. – Não gostei de nada que vi nas lojas até agora, mas se você puder me ajudar a criar a minha própria peça...

– Claro! Combinado. Quando acabarmos aqui, vamos marcar uma data para fazer isso.

Hayley logo perdeu o fôlego de tanto pular, então Becca deixou o olhar vagar pelo jardim enquanto esperava os últimos minutos se passarem. Comparado ao espaço de Rachel, com pula-pula, rede e piscina de plástico, o jardim de Hayley era mais sofisticado. Tinha um conjunto de mesa e cadeiras de vime em um dos cantos e lanternas de metal orientais penduradas nas paredes, com velas derretidas até a metade. Becca pensou em seu apartamento abafado em Birmingham, que não tinha sequer uma varanda, e não pôde evitar sentir uma ponta de inveja.

O cronômetro apitou e fez Becca voltar a si.

– Ok, agora a parte cansativa – advertiu. – Pulando de pés juntos por um minuto. Vamos lá! Imagina que você está pisoteando a tiara de flores. Pula! Pula! Pula!

Capítulo Trinta e Seis

Rachel passou a segunda-feira em casa sentindo-se péssima. A dor não cessava, e ela estava farta de não poder bocejar, rir ou comer sem desconforto. E ainda havia o maldito e-mail de Violet, que acrescentara uma nova camada de sofrimento ao fim de semana. Ela sabia que tinha sido injusta ao descontar o mau humor em Becca algumas vezes, mas não conseguiu se controlar. Além disso, era difícil não dizer nada quando a irmã parecia decidida a gerenciar o negócio de Rachel do seu jeito; do jeito errado, na opinião dela.

E ainda havia a questão mal resolvida de Lawrence entre elas, já que nenhuma das duas tinha ousado tocar no assunto. Será que deveria dizer alguma coisa, só para colocar aquilo para fora?, perguntou-se, indecisa. Pelo menos as duas saberiam em que pé estavam e poderiam resolver aquilo de uma vez por todas. Mas e se acabassem tendo uma briga horrível? Becca poderia negar tudo e sair furiosa, deixando Rachel sozinha para dar conta da casa e da vida. Em termos práticos, seria um desastre para a família Jackson. Gostando ou não, eles precisavam de Becca ali, admitiu. Todos eles.

Suspirou e olhou pela janela, vendo a garoa fina tocar o vidro de leve. Ao que tudo indicava, teria que continuar engolindo sapos por mais um tempo.

De noite, depois que as crianças foram para a cama, Rachel estava na sala zapeando na esperança de encontrar algo que a alegrasse ou distraísse na televisão, quando Becca entrou com duas vodcas-tônicas fortíssimas e as depositou na mesa de centro.

– Não tive a oportunidade de conversar com você antes – disse ela sem preâmbulos –, mas Luke teve uns problemas na escola. Ontem à noite, ele estava chateado porque uma garota o maltratou. Você sabia disso?

Rachel sentiu como se tivesse acabado de ser reprovada em um teste básico de maternidade e recebido um balde de água fria.

– Não – admitiu, alarmada. – Que garota? Quem que maltratou meu filho?

– A garota que a gente viu outro dia com aquela mãe escandalosa na clínica ortopédica – respondeu Becca. – Jodie alguma coisa.

– Cripps – completou Rachel, com o rosto fervendo ao se lembrar do incidente. – O que ela disse?

Becca hesitou, constrangida.

– Hum... Bom. Acho que coisas horríveis sobre você, no geral. Sinto muito. Luke chutou a menina, e ela ameaçou mandar o irmão mais velho bater nele. Ele estava bem nervoso. – Becca deu um gole no drinque. – Eu queria ter lhe contado ontem, mas...

Não era necessário terminar a frase: Rachel não dera a ela nenhuma oportunidade, porque começou a reclamar assim que Becca pôs os pés na casa e depois foi para a cama cedo, mal-humorada. Enquanto isso, Luke precisava dela, e ela nem havia percebido!

– Ai, meu Deus – disse Rachel, cheia de culpa. – Obrigada por cuidar dele. Estou me sentindo péssima. Ele está bem?

– Ele parece melhor hoje – assegurou Becca. – Falei com a professora dele, que reagiu bem, e ele estava superfeliz hoje à tarde, não falou mais disso. Talvez tenha sido só um problema pontual.

– Pois é, mas... – Rachel ainda se sentia mal. – Eu sou a *mãe* dele, eu devia estar ajudando o meu filho a resolver esse problema. – Ela passou a mão no cabelo. – Merda. Preciso prestar mais atenção. Preciso me recompor.

– Não fica se culpando – comentou Becca. Ela fez uma pausa delicada, e então prosseguiu: – Você parece meio... irritada desde o fim de semana. Está tudo bem?

Agora, é claro, era o momento perfeito para Rachel confrontá-la. *Bem, sabe, tem aquele probleminha de você ter transado com o meu marido. Isso tem me incomodado um pouco.* Também poderia ser a hora certa para ela falar sobre o misto de sentimentos que vinha experimentando desde que havia recebido a mensagem de Violet. *É que há dois dias descobri que a minha mãe foi condenada por abandono de incapaz e morreu alcoólatra e solitária. Pois é! Por essa eu não esperava, não é?*

Só que nenhuma das opções levaria a uma conversa fácil. E será que ela realmente tinha forças para isso agora? Então Becca voltou a falar e o momento passou, a chance foi perdida.

– Olha, sei que as coisas têm sido bem difíceis para você, sei que você ainda está se recuperando – disse a irmã –, mas talvez a gente possa bolar algum tipo de plano para você se sentir melhor. Pode ser uma caminhada, para começar: esticar as pernas, aproveitar um pouco a natureza... a gente pode voltar a tempo de pegar as crianças na escola sem problemas. E antes que você reclame que as pessoas vão ver, a gente pode dirigir até o campo e caminhar em algum lugar onde não haja ninguém por quilômetros e quilômetros. – Ela ergueu um dedo. – Viu? Estou um passo à sua frente, Rach.

Rachel sentiu uma centelha de calor dentro de si. Só o fato de Becca estar pensando naquilo – "Como ajudar a minha irmã mais velha" – já era fofo. Animador, na verdade. E pensar em fazer uma caminhada longe da civilização e dos fofoqueiros locais era bastante tentador. Na última vez em que caminhara pelas Black Mountains, em um domingo de primavera, eles tinham visto milhafres-reais e abibes e levado uma cesta de piquenique para compartilhar no topo, com o mundo aos pés deles. Fazia tanto tempo que não sentia os músculos doerem com o esforço do exercício e o vento nos cabelos...

– Está bem – concordou ela após um instante. – Acho que vai ser bom mesmo.

– Você também pode voltar a vestir roupas decentes, sua preguiçosa. – Becca deu um leve chute na perna da irmã. – Pelo menos quando a amiga da Scarlet vier aqui, já que ela vive implorando para a gente combinar isso. Senão, ela vai falar no seu ouvido para o resto da vida.

Rachel sorriu de leve, imaginando a expressão escandalizada da filha.

– E – continuou Becca – você deveria começar a atender as ligações das suas amigas. Ou pelo menos deixar que elas entrem quando estiverem ali fora. As poucas que eu conheci, Diane, Karen e Jo, parecem ser muito legais e estão preocupadas com você. Por que não passa por cima desse orgulho bobo e sai uma noite com elas? Eu cuido das crianças, é claro. Seu rosto está muito menos inchado e machucado agora, e você se sentiria bem melhor, tenho certeza.

Lágrimas rolaram no rosto de Rachel. Era verdade, ela havia se afastado das amigas, temendo que elas sentissem pena, por mais bem-intencionadas que fossem. *Tinha* sido estupidamente orgulhosa, concordou. E, mesmo assim, elas ficaram ao seu lado como puderam; não desistiram dela. Aliás, nem Becca. Até Wendy tentou um telefonema para oferecer apoio. Já não estava tão certa de que merecia o suporte de nenhuma delas.

– Ei, não chora, elas não são tão ruins – brincou Becca, e Rachel riu, fungando. – Ah, a propósito, Hayley vem aqui na quinta à noite. Vou ajudá-la a fazer uma tiara para o casamento. Então é outro evento social do qual você pode participar.

Rachel ficou um pouco apreensiva com a perspectiva de receber alguém em casa – será que a cliente ficaria boquiaberta? Com pena dela? –, mas assentiu mesmo assim.

– Está bem – disse com a voz trêmula. – Obrigada. – Ela esfregou os olhos com o dorso da mão. – Desculpa se tenho estado um pouco estranha ultimamente – pegou-se murmurando. – Não sou exatamente a melhor irmã do mundo, sou?

Becca pareceu desconfortável e demorou alguns instantes para responder:

– Bom, nem eu – acabou dizendo, e Rachel prendeu a respiração.

Era isso? A grande confissão? Será que elas finalmente tocariam no assunto, depois de ignorar o problema por tanto tempo?

– Mas... Bom... – continuou Becca, hesitante. – Estar aqui... é uma chance para a gente começar de novo, não é? – Ela mordeu o lábio. – Não paro de pensar em como o papai ficaria feliz de nos ver aqui juntas, se é que isso não soa muito brega.

Então elas não falariam de Lawrence. Na verdade, Rachel ficou aliviada. Estava quase chegando ao ponto de nunca querer discutir aquilo. Para que se impor ainda mais sofrimento?

– Não – respondeu –, não parece nada brega para mim. – Ela se levantou. – Vou pegar a vodca. Daí a gente pode pensar onde vai ser a nossa caminhada de irmãs. Fechado?

Becca sorriu para ela.

– Fechado.

Capítulo Trinta e Sete

Com a terça-feira, veio a pior hora da semana para Becca: o treino de Adam. Ele havia ligado na noite anterior, e por um momento ela ficou bastante animada, achando que era para desmarcar. Mas não teve essa sorte. Na verdade, ele queria antecipar o treino em dois dias porque tinha um compromisso importantíssimo na quinta de manhã. É claro, Becca pensou, revirando os olhos para Rachel, que acertava os detalhes com o cliente. Assim como ele teve todos aqueles telefonemas e e-mails importantíssimos na última vez. Bem, se aquele idiota miserável ousasse atender o celular a cada cinco minutos nesta semana também, seu precioso telefone corria o risco de ir parar no fundo do rio Wye, prometeu.

– Experimenta só – murmurou ela, pedalando para encontrá-lo com o coração pesado.

O dia estava fresco, e um vento forte sacudia a cidade, embora o sol se esforçasse para que um ou dois raios passassem através das nuvens. No rio, um grande cisne conduzia uma fileira de filhotes felpudos em uma imponente procissão até a ponte, e um elegante salgueiro-chorão se curvava para tocar a ponta das folhas nas águas turbulentas.

– Bom dia! Belo dia para um treino! – gritou ele da margem do rio.

Ele estava correndo sem sair do lugar enquanto a esperava, com uma camiseta branca limpíssima e um short preto de jérsei, aparentemente contaminado pelas alegrias do verão. *Está beeeem*, pensou Becca, saltando da bicicleta. *Então hoje estamos felizes, é? O Adam rabugento ficou em casa para variar?*

– Bom dia – respondeu ela, com um sorriso ligeiro e educado. Uma mísera hora da vida dela. Ela conseguiria. – Então, hoje Rachel quer que a gente foque em áreas diferentes...

– Você está bem? – perguntou ele, parando de correr por um instante para observá-la. – Sei que eu enchi o seu saco com o negócio do celular na semana passada, mas, olha, bolsos vazios. – Ele os virou do avesso para provar. – Deixei o telefone em casa hoje. Empresas podem estar desmoronando neste minuto, clientes caindo de joelhos, ligando desesperados, mas... – Ele deu de ombros. – Bom, acho que vou descobrir dentro de uma hora.

Becca o encarou com desconfiança. Ele estava debochando dela?

– Ótimo – disse ela, com cara de paisagem. – Muito bom. Então, se a gente puder...

– Eu nunca fui muito bom em tirar folga, sabe? – continuou ele, acelerado, como se ela não tivesse dito nada. – Não estou acostumado. – Então se interrompeu, meio tímido: – Você está tentando começar e eu não paro de falar. Vamos lá, então. Como vai ser o aquecimento? Espero que sejam aqueles passos ridículos de dança, porque os da semana passada nem foram constrangedores, sabe.

A despeito de sua frieza anterior, ela se pegou abrindo um discretíssimo sorriso ao se lembrar de Adam na orla do rio, girando como se estivesse em uma boate. Constrangedor? Ele não viu nada. Ela podia fazer muito pior se quisesse.

– Não vem com essa – respondeu, debochada. – Você adorou, principalmente naquela hora em que rodopiou e quase deu uma cabeçada naquela árvore.

Adam sorriu, e uma covinha surgiu em uma das bochechas. Ele até que era interessante quando não estava rosnando e resmungando. Cabelos louro--escuros meio bagunçados, olhos castanhos, dentes bonitos. Ela se perguntou o que o havia animado tanto naquele dia. Sexo, provavelmente. Sua parca experiência havia demonstrado que os homens eram bastante previsíveis.

– Eu tenho uma sugestão – disse ele. – Eu faço o aquecimento ridículo que você quiser, desde que você faça também. É justo.

Ela analisou a proposta. Eles estavam no habitual ponto de encontro perto do rio, e uma brisa parecia determinada a atingi-la, chicoteando seus braços e pernas arrepiados. Agora que ele havia mencionado o aquecimento, percebeu que estava mesmo com frio.

– Vamos lá, então – respondeu, apoiando a bicicleta em uma árvore. Quem está na chuva é para se molhar. – Vamos começar com alguns movimentos de hip-hop – disse ela, incorporando a Davina o melhor que podia. – Lembra-se disso da última vez? Bom, é só copiar o que eu fizer e imaginar uma música incrível na sua cabeça, como se a gente estivesse na melhor festa do mundo. E um, dois, três, palma. Um, dois, três e palma...

– Posso só falar uma coisa? – disse Adam, quando eles começaram os movimentos de hip-hop. – Eu jamais faria isso na melhor festa do mundo, não importa quantas cervejas tivesse entornado.

– Podemos ir de "Macarena", se você preferir – provocou ela. – Ou de "YMCA". Ei! Não esquece da palma, hein! – Ela deu um risinho quando ele enfatizou a palma seguinte para lhe agradar. – Melhor. Ok, agora vamos para o step. Para a frente, para a frente, para trás, para trás.

Eles engrenaram o aquecimento, com passos de hip-hop, step, golpes de boxe, passadas e agachamentos (acompanhados de uns socos no ar, no estilo anos 1970, para incrementar), fechando com um movimento ritmado de braço e palmas que ela inventou na hora. No fim, Becca não só estava aquecida, mas também bastante animada. Havia algo de estimulante e vagamente cômico em executar uma série de passos de dança vigorosos em público e sem música, principalmente com um cara descoordenado tentando acompanhá-la. Como prometido, ele copiou todos os movimentos constrangedores dela, batendo palmas e pulando como se não houvesse amanhã. No fim, eles até se cumprimentaram espalmando as mãos no alto e explodiram em um riso inesperado, para espanto de duas mães que passeavam com carrinhos de bebê.

Ora, ora. Aquilo era novidade.

– Agora, a parte aeróbica – disse ela, tentando recobrar a postura profissional.

Estava começando a pegar o jeito daquele negócio de personal trainer. Aquecimento, aeróbica, exercícios de core ou fortalecimento e alongamento – essa era a sequência geral. Todos reclamavam das atividades de fortalecimento – abdominais, flexões e passadas –, mas adoravam os alongamentos para relaxar, estampando sorrisos sublimes no rosto suado diante da felicidade de saber que o treino já estava acabando.

De acordo com as anotações de Rachel, hoje Adam deveria correr por vinte minutos, parando a cada cinco para pular seis vezes com os pés juntos sobre um banco adequado do parque (antes ele do que eu, pensou Becca, estremecendo ao checar o papel). Sem o telefone apitando e tocando a cada dois minutos, a corrida acabou sendo bem mais civilizada. Eles conversaram como dois seres humanos e tudo mais.

– Como está Rachel? – perguntou ele.

Choque! O cliente mais rabugento de todos estava puxando assunto. Era surpresa suficiente para fazer uma mulher fora de forma cair da bicicleta.

– Melhorando – respondeu ela (sem cair da bicicleta, obviamente, não era desastrada a esse ponto). – Ainda vai demorar, tipo, um mês para ela se recuperar totalmente, mas vamos voltar à clínica ortopédica dentro de alguns dias para saber melhor.

– E enquanto isso, você é a substituta dela, não é? – Ele fez uma pausa, desviando de repente de uns turistas que tinham parado para fotografar uma estátua estranha de madeira de um cachorrinho pug. – Mulheres no comando?

Ela torceu o nariz.

– Estou fazendo o meu melhor. Mas...

Ela olhou de soslaio para ele e arriscou uma confissão.

– Rachel é uma dessas pessoas que é boa em tudo o que faz, então não tem sido muito fácil seguir os passos dela. Eu cometi alguns erros, digamos assim, embora esteja curtindo tomar conta dos filhos dela. Você tem filhos?

– Não – respondeu ele. – Para o desespero dos meus pais, que não param de fazer insinuações.

– Ah, comigo é a mesma coisa – confessou. – Ser tia é muito legal, embora eu tenha dificuldades com a disciplina. Hoje de manhã ouvi os dois menores discutindo táticas para recuperar o cachorro da casa da avó. Uma delas envolvia deixar a pobre da mulher tão irritada com o bicho que ela acabaria querendo se livrar dele.

Adam riu.

– Vai em frente. Continua.

– A ideia era, e eu não estou brincando, que, sempre que o cachorro fizesse cocô no jardim, eles levassem a bosta para dentro da casa. Para a *cama* dela, meu sobrinho sugeriu.

Becca olhou para ele, de repente preocupada de que não fosse exatamente profissional discutir essas coisas com um cliente. Mas, para seu alívio, ele parecia estar se divertindo.

– Meu Deus. – Ele gargalhou alto. – Eles parecem uma dupla e tanto.

– São mesmo. No *travesseiro* dela, minha sobrinha sugeriu logo depois! Quer dizer, dá para imaginar? Então tive que dar uma bronca neles e ser muito, muito severa, mas por dentro eu estava rolando de rir imaginando a cara de paisagem da velha vovó galesa quando descobrisse o que eles fizeram. – Ela comprimiu os lábios diante da lembrança. – Aqueles pestinhas. Ah, e depois... – Becca de repente percebeu que estava tagarelando e ficou com vergonha. Ela nem conhecia Adam direito. – Desculpa. Estou falando demais?

– Não, de jeito nenhum. Conta mais. É bem melhor que as conversas chatas que eu costumo ter nas terças de manhã. A gente não ouve muitos relatos em ligações de negócios sobre planos mirabolantes envolvendo bosta de cachorro, o que é uma pena.

Becca riu e consultou o relógio. Mais um minuto, e eles teriam que parar para encarar os terríveis saltos no banco. Ela estava determinada a fazer tudo direito naquele dia.

– Outra coisa que achei difícil foi encontrar as palavras certas para dizer quando eles estão chateados – continuou. – Dia desses meu sobrinho me contou que estava com problemas na escola, e tive que tentar dar uma resposta adulta em vez de dizer algo como "Dá um soco na cara daquela merdinha".

– E qual seria a resposta adulta? "Chuta o saco da merdinha"?

Ela riu de novo.

– Não, foi algo como "Deixa a tia Bee dar um soco na cara da merdinha...". Brincadeira. Não, tive o bom senso de conversar com a professora, e ela vai ficar de olho nele. Neles. Mas... – Ela encarou Adam. – Sei lá. Garotos. Só para saber, o que você teria dito para ele?

Ele pensou por um instante.

– Bom, eu fazia caratê quando era criança e fiz questão de que todo mundo da turma soubesse disso – respondeu. – Talvez eu tenha exagerado *um pouco* quando disse que era faixa preta, ou melhor, menti descaradamente sobre o assunto, mas o fato é ninguém nunca tentou me dar um soco ou algo assim. Acho que eu teria sugerido que o seu sobrinho fizesse alguma aula de autodefesa. Mesmo que ele nunca precise usar o que aprendeu, vai se sentir bem mais confiante. E ganhar um pouco de respeito no parquinho.

Becca refletiu e aquiesceu.

– Quer saber? É uma excelente ideia – disse ela, pensativa. Já podia ver Luke, alegre, treinando golpes de caratê, especialmente nas irmãs. – Vou falar com a Rach para ver o que ela acha.

Droga. O nome da irmã a lembrou do que ela deveria estar fazendo: estalando o chicote em um treino pesado de *boot camp*, em vez de passear de bicicleta e bater papo.

– Banco! – gritou ela, vendo um à sua frente e freando de maneira abrupta. – Desculpa, Adam. Estou prestes a fazer você chorar.

Pular com os pés juntos no banco era obviamente tão puxado quanto parecia, porque, depois de apenas quatro pulos, Adam já estava desesperado.

– Desculpa – disse Becca, enquanto ele bufava e resfolegava para concluir os últimos dois saltos.

– Você seria... uma péssima... dominatrix – disse ele, encerrando a série com um gemido.

– Eu sei, foi mal. Espera, por que eu estou me desculpando de novo? Foi você quem pagou para entrar nesse inferno. Maluco. Agora para de falar e CORRE! – gritou ela, e ele deu uma espécie de risada entre suspiros, mas obedeceu.

Ela permitiu que uns dois minutos se passassem em silêncio, mas quando teve certeza de que ele seria capaz de respirar *e* correr, disse:

– Conta alguma coisa de você agora. Você é de Hereford?

– Não, de Bedfordshire – respondeu ele. – Mas meus avós moravam por aqui, e a gente costumava vir para cá nas férias de verão e passear pelas Black Mountains com eles. Quando as coisas ficaram difíceis em Londres, achei que seria uma boa ideia voltar e começar de novo.

Ah, então *havia* uma história, afinal. Ela estava certa.

– O que aconteceu em Londres? – quis saber, quando ele fez uma pausa. – Se não for muita intromissão perguntar, é claro.

– Bom, para encurtar a história, eu meio que... tive um *burnout* – disse ele depois de um instante. – Eu tinha uma empresa de sucesso e trabalhava dia e noite. Basicamente exagerei e paguei o preço. Acabei tendo um infarto e...

As rodas da bicicleta bambearam com o choque.

– Um infarto? Cacete, Adam. E você pode praticar exercícios como este último?

Pior que isso, ela se lembrou dos próprios pensamentos na semana anterior: estava com tanta raiva que o punira com exercícios mais pesados que o necessário na esperança de que – *sim, Becca, sua pessoa horrível* – ele tivesse um infarto. Para a sua vergonha, havia pensado naquelas palavras exatas. Meu Deus, nunca diria a Rachel quão irresponsável tinha sido com a série de exercícios que a irmã havia criado meticulosamente para ele.

Ainda bem que a telepatia não era um dos dons de Adam.

– Eu estou bem agora – disse ele, alheio aos pensamentos malignos dela. – Isso foi há quase dois anos. Eu tinha 35 e não cuidava muito bem de mim mesmo. Bebia e fumava muito, comia mal, nunca fazia exercício... Eu mal saía da mesa de trabalho. Às vezes até dormia nela.

– Caramba – comentou ela. – Desculpa, mas isso parece bem deprimente. Talvez tirando a parte da bebida.

– É – respondeu ele simplesmente. – Minha mulher também achava. Então fui parar no hospital, nosso casamento entrou em crise e o médico determinou que eu não chegaria aos 40 se não fizesse mudanças drásticas na vida.

– Meu Deus – disse Becca, imaginando como seria ouvir uma notícia dessas.

Pensou em todo o vinho e a vodca que vinha bebendo recentemente e em como ela mesma nunca havia se exercitado muito até ir para Hereford e acabar pedalando de um lado para outro. Acreditava que a sua saúde – e a de seu coração – estavam garantidas, como ele provavelmente também havia acreditado com aquele jeito "eu sou invencível" dos 30 e poucos anos.

– Então vir para cá e tentar desacelerar a vida... Essas foram as suas mudanças.

– É – continuou ele –, embora não tenha sido fácil, para ser honesto. Já estou aqui há seis meses e basicamente preenchi todas as horas com o trabalho. Passei a trabalhar como consultor freelance e tentei começar um novo negócio do zero. Não é um estilo de vida totalmente sem estresse.

– Ahh. As coisas não mudaram *tanto*, então.

Ele fez uma careta.

– Não no começo. Mas estou tentando. Pedi que minha médica me receitasse um remédio para dormir. Ela deu uma olhada na minha ficha e disse: "Não, faça exercício em vez disso. Dar umas pausas de verdade. Procura um parceiro de treino, marca um horário na academia para se obrigar a ir." E então, é claro, cheguei em casa e encontrei o panfleto da sua irmã no meu capacho. Problema resolvido, pensei.

– Até eu aparecer e você se arrepender de ter pagado tantas sessões com antecedência. – Becca não pôde deixar de lembrá-lo.

Ele teve a decência de se envergonhar.

– Pois é. Desculpa por isso. Olha, não estou tentando justificar o meu comportamento, mas aquela semana tinha sido bem difícil. Minha ex-mulher anunciou que vai se casar com o meu antigo chefe, o mesmo cara que ela dizia que era o homem mais nojento do mundo. – Ele fez uma expressão sarcástica. – Engraçado como até o homem mais nojento do mundo parece bonito quando vira milionário, não é?

– Ah, isso é golpe baixo – concordou Becca, sentindo pena dele. – Que vaca. Desculpa. Quer dizer...

Ele fez um gesto com a mão, como se não tivesse importância.

– Não precisa se desculpar. Eles se merecem. E eu sei que ele gosta de homens, então não é bem um casamento por amor.

– Ah – respondeu Becca. – Não é a coisa mais especial do mundo quando alguém revela quem realmente é?

– Com certeza. – Ele endureceu a expressão por um instante, então depois apontou para os arredores e relaxou as feições. – Mas isso é bom, você não acha? Árvores. Ar fresco. Sair da frente da tela do notebook... De alguma forma, bota tudo em perspectiva. Faz a gente se sentir melhor.

– Sim, *é* bom – concordou ela. – Na verdade, de duas semanas para cá, percebi quanto isso pode fazer diferença na vida das pessoas. Tirar um tempo para sair da rotina, calçar um tênis e deixar os problemas para trás... É praticamente uma terapia. Eu também me sinto melhor. – Ela consultou o relógio: já tinham se passado quase cinco minutos de novo. – Ok, infelizmente o tempo está quase acabando: se prepara para mais uma sessão de tortura. – Ela sorriu, debochada. – Talvez você mude de ideia e volte desesperado para o seu notebook quando a gente terminar hoje.

Capítulo Trinta e Oito

Às vezes era necessário tomar uma vodca-tônica lenta e um chute na bunda metafórico para sacudir uma pessoa e tirá-la de seu torpor, pensou Rachel no dia seguinte. Olhe para ela agora, no meio da área rural de Herefordshire, a quilômetros da zona de conforto que eram as paredes da própria casa. Isso seria impensável alguns dias antes, mas a conversa franca de Becca havia surtido efeito. E depois de toda aquela agonia, estar ao ar livre era simplesmente glorioso. As samambaias-do-campo estavam belíssimas, as cotovias cantavam lá no alto, e o cheiro da terra quente e doce emanava. Elas estavam indo com calma: caminharam por cerca de 1 quilômetro e meio antes de parar para tomar uma bebida gelada e admirar a vista. Mas foi o suficiente para fazer Rachel se sentir uma nova mulher enquanto observava a paisagem verdejante ao redor: uma floresta densa e frondosa, um riacho prateado e sinuoso, além de campos dourados de colza e trigo. *Isso me faz feliz*, pensou, quase surpresa com a repentina onda de alegria que se apoderava dela. *Eu estou feliz de novo.* Havia algo em se afastar de tudo, estar entre as colinas e os vales imutáveis, debaixo daquele velho céu imenso, que colocava todas as preocupações em perspectiva. O mundo ainda estava girando, o sol nascia e se punha, e as rochas e as árvores já tinham visto tudo isso antes. Pela primeira vez em semanas, a mente dela estava completamente em paz. O segredo da felicidade: subir uma montanha, pensou.

– Obrigada – disse ela a Becca. – Isso era exatamente do que eu precisava, subir bem alto e olhar para o mundo de novo. É perfeito.

Becca deu um gole em sua garrafa d'água e secou a boca com a mão.

– Concordo. E eu digo isso como uma pessoa que sempre achou que o campo era para quem não tinha nada melhor para fazer.

Rachel sorriu. Sentiu a rocha quente sob suas pernas nuas, virou o rosto para o sol e fechou os olhos, vendo a luz traçar desenhos coloridos dentro das pálpebras.

– Lawrence e eu viemos aqui pela primeira vez há anos, antes de as crianças nascerem – disse ela. – A mãe dele mora a uns 45 minutos daqui. É um lugar lindo.

Becca não disse nada de primeira.

– Como... como você se sente em relação a ele hoje em dia? – perguntou ela, vacilante, depois de algum tempo.

– Em relação a Lawrence? Triste, principalmente – respondeu. Ela abriu os olhos, mas desviou o olhar para o vale para não encarar a irmã. Era estranho falar do ex-marido com ela quando as duas estavam evitando tocar no nome dele. – É triste que não tenha dado certo. Por um bom tempo, nós fomos perfeitos juntos. Era o que todo mundo dizia, então deve ser verdade – acrescentou, zombando de si mesma.

– Então o que deu errado? Se não tiver problema eu perguntar.

– Ele era... – Ela sentiu a boca seca. – Ele era muito ciumento – disse, cautelosa. – E inseguro. As coisas... saíram do controle.

Elas ficaram em silêncio de novo, mas Becca parecia querer que ela continuasse. O que mais Rachel poderia dizer sem ter que contar toda aquela história triste outra vez? O dia estava dourado demais, esperançoso demais, para ela desenterrar os detalhes envolvendo Craig, o confronto na loja da B&Q e a briga na festa de fim de ano da empresa. Sentindo-se desconfortável, ela estava prestes a mudar de assunto e falar de algo mais ameno, menos estranho, quando Becca tomou a palavra:

– Rach, eu tenho pensado se devia ou não ter contado uma coisa antes – começou nervosa, e Rachel sentiu um aperto no coração.

Ah, não. Lá vinha ela, a conversa que ninguém queria, o elefante que, teimoso, se recusava em deixar a sala.

– Está tudo bem – disse Rachel rapidamente, tentando impedir a irmã. – Hoje não. Não vamos fazer isso hoje. Você não precisa...

– Teve uma noite no ano passado... – continuou Becca, obstinada.

Não. Não. Não diz isso. Não me conta.

– ... em que Lawrence deu em cima de mim.

Rachel se retraiu enquanto as palavras caíam como granadas ao seu redor. Só que aquelas não eram bem as palavras que ela estava esperando escutar.

– Lawrence deu em cima de você? – ecoou ela, franzindo o cenho.

Não era bem o que ele havia dito.

– Eu sinto muitíssimo. Eu não queria lhe contar, mas... – Becca retorceu as mãos. – Ele estava bêbado em uma conferência. E eu estava...

– Você estava trabalhando como garçonete, é, eu sei.

Ah, ela sabia. O sorvete de framboesa na boca do marido, o vestido preto, o ouropel. *Perdi a linha ontem à noite.*

Becca olhou para ela.

– Ele... ele contou? O que eu fiz?

– Que você transou com ele? Contou.

Pronto. A acusação foi lançada e golpeou o ar como uma faca. *Acabou, Becca. Tenta se esquivar disso agora.*

– Que eu *transei* com ele? – Os olhos de Becca eram grandes e azuis como o céu. – Espera, não. Eu não fiz isso. Eu não transei com ele, Rach. Quer dizer, ele ficou me apalpando e escreveu o número do quarto na minha mão... – Becca torceu a boca de uma maneira estranha e sacudiu uma das mãos como se quisesse voar para longe dali e daquela situação. – Mas eu nunca... – Ela balançou a cabeça, interrompendo a frase: – Eu não *transei* com ele.

Rachel deu as costas para ela, completamente confusa.

– Ele falou que você estava se oferecendo para ele – respondeu baixo. – Sentando no colo dele. Servindo a sobremesa na boca dele. A propósito, também falou que você é muito melhor na cama do que eu. – Ela deu uma risada dura e dolorida. – Pronto, cartas na mesa.

– Ele está mentindo! – Becca ergueu a voz, indignada. – Eu juro, Rach, juro pela minha vida, ele está mentindo.

Elas se entreolharam. Houve um silêncio sepulcral, com exceção do pio distante de um pássaro; elas estavam sozinhas, a quilômetros de qualquer lugar, e as coisas de repente saíram do controle.

– Há um minuto você perguntou, eu vou repetir: *Ele te contou? O que eu fiz?* – ponderou Rachel, olhando para ela. – Se ele está mentindo, por que você disse isso?

– Porque... – Becca baixou a cabeça, e Rachel olhou para os cachos acobreados da irmã, que brilhavam sob o sol como se ela estivesse conectada à rede elétrica. *Fala a verdade. Fala para mim.* – Porque eu e meu amigo meio que nos vingamos dele – murmurou Becca. – Por ele ter sido tão horrível comigo.

A expressão de Rachel permaneceu dura como aço enquanto Becca contava a história. Pedir comida no quarto. Pizza. Café da manhã nojento e serviço de despertador. Era infantil e bobo, mas com detalhes suficientes para talvez imprimir alguma verdade. Becca podia até ser criativa, mas Rachel não estava certa de que ela conseguiria inventar aquilo tudo no calor do momento. Sua cabeça girava confusa enquanto ela tentava comparar as versões conflitantes da história. Em quem deveria acreditar? Em quem ela *queria* acreditar? Odiava a ideia de qualquer um dos dois ter mentido na sua cara, mas obviamente um deles havia feito isso.

– Acho que só tem um jeito de descobrir – disse, por fim, apontando o polegar para o oeste. – Vamos fazer uma visita para Lawrence e perguntar o que ele tem a dizer sobre isso.

Becca parecia em pânico.

– O quê?! Agora?

– É, agora – respondeu Rachel.

Estava farta de não saber em quem confiar, percebeu. Chega. Eles que esclarecessem aquilo de uma vez por todas e depois colocassem uma pedra no assunto.

– Vamos – acrescentou.

Lawrence havia crescido em Hampshire, mas seus pais eram galeses. Quando eles se aposentaram, venderam tudo e voltaram para Builth Wells para viver o resto dos anos na paz rural, cercados por colinas, folhagens e casas de chá. O pai de Lawrence morrera alguns anos antes, mas a mãe, Janice, estava bem viva (na verdade, assustadoramente viva). Enquanto as duas irmãs desciam a colina em direção ao carro em meio a um silêncio desconfortável, Rachel se pegou torcendo para que Janice não estivesse em casa quando elas chegassem. Matrona e direta, se desconfiasse por um segundo que a nora estava atacando o filho precioso, saltaria em sua defesa, provavelmente brandindo um rolo de massa no ar.

Uma vez no carro, Rachel explicou o caminho com certa formalidade, e elas partiram, Becca olhando fixamente para a estrada em vez de tagarelar, como seria de hábito. Rachel percebeu que ela estava constrangida diante do confronto iminente, após ter revelado seu comportamento juvenil naquela noite (*caso* aquilo fosse verdade, é claro). Rachel, por sua vez, já estava se arrependendo da decisão impulsiva. Aquela não era o que se pode chamar de uma situação em que todos ganham.

Após uma longa e desconfortável hora, Rachel pronunciou as palavras:
– É logo ali à esquerda, aquela com a grande cerca viva.

Becca puxou o freio de mão.

– Chegamos – disse Rachel desnecessariamente enquanto Becca desligava o motor.

A rua de Janice era tranquila e bonita, com casas de pedra, jardins frontais bem cuidados e alguns trailers estacionados. Deitado em um recorte de sol da calçada empoeirada, um gato lambia uma das patas da frente com silencioso prazer. Não era o tipo de bairro em que irmãs barraqueiras apareciam para criar confusão, decididas a bater boca com o ex-marido. Ah, o que diabos elas *estavam fazendo* ali? A coisa toda parecia inútil agora. A adorável caminhada entre irmãs fora subvertida, manchada pela feiura da suspeita. E a própria Rachel que tinha forçado aquela situação, insistindo para elas irem até lá.

– Chegamos – repetiu Becca, apática. – É melhor a gente resolver logo isso, se você quiser que eu pegue as crianças às três e meia.

– Claro – concordou Rachel. Já era tarde, notou; elas tinham que voltar dentro de uma hora. – Bom, vamos ver se ele está em casa.

Rachel sentiu uma espécie peculiar de bravata enquanto marchava até a porta da frente, com Becca logo atrás. O carro de Janice não estava na entrada da casa, graças a Deus, mas o BMW prata de Lawrence, sim, uma relíquia do emprego antigo que ele comprou pela metade do preço quando foi demitido (ele precisaria vendê-lo se não arrumasse outro emprego em breve, avaliou. Lawrence era um homem orgulhoso, não ia querer depender da mãe para sempre, por mais gostosos que fossem seus bolinhos galeses e sua *bara brith*).

Ao bater à porta branca com o coração na boca, se alegrou ao ouvir um latido de resposta do outro lado: Harvey. Ah, Harvey! Ela havia esquecido que ele estaria lá. Ele sempre fora um companheiro tão leal, um cão adorável, divertido e alegre. Tinha certeza de que pelo menos ele, não o ex-marido, a receberia com festa.

A porta se abriu, e lá estava Lawrence: com a barba por fazer e um tanto barrigudo dentro de uma camiseta desbotada da *FatFace*, de calça jeans e descalço. Harvey saiu de trás dele imediatamente e saudou Rachel com uma série de latidos empolgados, sacudindo o rabo peludo com alegria. Ela se abaixou diante dele, o abraçou, aceitando suas lambidas de boas-vindas, e feliz por não precisar olhar para Lawrence imediatamente.

– Oi, meu querido. Oi, garotão. É, sou eu. Sou eu!

– Oi – disse Lawrence, desconfiado. – A que devo a honra da visita?

Rachel se levantou, e ele estremeceu de horror ao ver como ela estava diferente, arregalando os olhos ao notar primeiro as manchas amarelas e verdes dos hematomas ao redor da mandíbula e depois o pulso coberto pelo gesso.

– Cacete, Rach. Você está bem? Eu soube que você... Que merda. Desculpa. Desce, Harvey, seu idiota. Está tudo bem?

– Podemos entrar? – Rachel se ouviu dizer com uma voz artificialmente clara e aguda. – Não vamos demorar.

Sem saber o que pensar, Lawrence aquiesceu e as conduziu pelo vestíbulo. Como sempre, a casa cheirava a lustra-móveis e ao perfume de lavanda de Janice, com um aroma adicional de torrada queimada (contribuição de Lawrence, imaginou). Ele estava precisando de um corte de cabelo, pensou ao segui-lo, e o bolso esquerdo estava começando a se soltar da parte de trás da calça. Mas isso já não era problema dela. Não tinha nada a ver com isso.

Na sala de estar verde-musgo, diante da enorme lareira de tijolos vermelhos que ocupava quase uma parede inteira, os três compunham um tenso *tableau vivant*: Rachel sentada na ponta de uma das poltronas mostarda de Janice, com Harvey enfiando o rosto em seu colo e agitando o rabo como um metrônomo em *allegro*; Lawrence postado junto à lareira como se tivesse saído de um catálogo cafona dos anos 1960; e Becca apoiada no aquecedor próximo à porta, como se planejasse uma fuga rápida.

Lawrence olhou para elas.

– Então – disse com rispidez –, do que se trata?

Rachel cruzou as mãos no colo.

– Viemos aqui esclarecer um pequeno mal-entendido – respondeu, ponderada. – Não vai demorar nem um minuto. Basicamente: você transou ou não transou com a Becca?

O que quer que ele estivesse esperando, definitivamente não era essa a pergunta.

– Mas que *diabos*...? – Ele se virou para Becca antes de voltar a encarar a ex-mulher. – Isso é algum tipo de brincadeira?

– Não – respondeu Rachel. – Não é. Na verdade, é uma pergunta bem simples, Lawrence. Eu perguntei se você transou ou não...?

– Eu ouvi a sua pergunta – interrompeu ele, cerrando um dos punhos.

Seus olhos estavam tempestuosos, mas ele tinha sido pego de surpresa, Rachel sabia disso. Quase dava para ouvir o cérebro do ex-marido trabalhar enquanto ele escolhia as palavras.

– E... Olha, de que adianta ficar remoendo esse tipo de coisa? O passado ficou para trás. Você tem que seguir em frente, Rach.

– Como ela pode seguir em frente? – perguntou Becca, em uma voz clara e cortante. – Quando você inventa uma mentira dessas?

– Eu... – Ele comprimiu os lábios e bufou, exasperado. – Ah, entendi. As duas viraram melhores amigas de repente, não foi? E se juntaram para atacar o ex-marido, é essa a ideia?

– Ninguém se juntou para nada – respondeu Rachel, calmamente. – Mas você ainda não respondeu à pergunta. Você disse que foi para a cama com a Becca. Ela nega. Eu estou perguntando para você qual é a verdade.

Ele deu um tapa na moldura da lareira.

– Que diferença faz? – vociferou. – Olha, eu já entendi. Você está magoada. Quer ficar por cima. Vamos chutar o Lawrence enquanto ele está no chão. *Girl power*. Tanto faz.

Rachel olhou para ele, incrédula.

– Lawrence, não se trata de ficar por cima ou de *girl power* – disse ela. – É só responder sim ou não. Por que você não responde?

– Responde à droga da pergunta! – exclamou Becca, com as mãos na cintura. – Fala a verdade, caramba, para que todo mundo possa seguir a vida.

– O que está acontecendo aqui? – indagou uma voz afiada, e Rachel estremeceu por dentro.

Ah, droga. Janice estava de volta, e agora elas estavam encrencadas.

Harvey cumprimentou Janice com um rosnado baixo ao vê-la entrar na sala: uma mulher alta e severa com um colete acolchoado azul-marinho, saia de tweed, sapatos marrons polidos e cachos cor de estanho.

– Oi, Rachel – disse ela.

Um lampejo de surpresa brilhou no rosto dela ao ver os hematomas da nora, mas Janice não era o tipo de mulher que demonstrava emoções ou fazia comentários pessoais.

– Eu sou Janice – disse a Becca, estendendo uma das mãos.

– Becca – disse ela, apertando a mão da mulher de maneira apreensiva. – Eu sou a irmã da Rachel. Hum. Acho que nos conhecemos no casamento.

Rachel sorriu educadamente para a sogra, torcendo para que ninguém estivesse ouvindo seu coração galopar. Esperando também que não houvesse nenhum rolo de massa por perto.

– Só estamos tentando resolver um problema – explicou Rachel, lançando um olhar de soslaio para Lawrence.

– Foi o que eu ouvi – respondeu Janice gravemente. Algo no tom de voz dela fez Rachel se perguntar *quanto* ela tinha ouvido. Então, para a surpresa de todos, a mulher mais velha entrelaçou os dedos e se virou para o filho. – Lawrence, é melhor responder à pergunta. Até eu quero saber o que você tem para dizer agora.

– Eu... – começou ele, com um medo genuíno estampado no rosto. Ninguém mexia com Janice. – Olha, foi só um mal-entendido – disse, perdendo a pose diante do olhar direto da mãe. – É claro que não transei com Becca. Isso é ridíc...

– Mas você disse que tinha feito isso – cortou Rachel. Não, Lawrence. *Você não vai se safar com essa história de "mal-entendido"*, pensou, tomada por uma raiva fria. – Por que falou que fez isso se não era verdade?

Houve um momento de silêncio, interrompido apenas pelo tique-taque do relógio antigo apoiado na lareira.

– Pois é, Lawrence – insistiu Janice com frieza. Ela desviou os olhos do filho para um porta-retratos ao lado do relógio. – Por que você fez isso?

Rachel nunca cogitou proferir as palavras "Eu te amo, Janice", mas lá surgiram elas em sua cabeça enquanto a sogra desenredava toda aquela trama e – em uma virada surpreendente – se posicionava firme ao lado das mulheres.

– Como você pôde? – explodiu quando a história veio à tona. – Fazer isso com a sua *esposa* e com a *irmã* dela. No que estava pensando, pelo amor de Deus? Estou muito decepcionada com você.

Lawrence baixou a cabeça.

– Eu sinto muito – murmurou, com as bochechas coradas.

Mas Janice não havia terminado.

– É bom sentir mesmo! – trovejou. – Você também deveria se desculpar com a pobre da Rebecca agora mesmo, por manchar a reputação dela. Que vergonha, Lawrence. Que vergonha! Não foi assim que eu e o seu pai criamos você. Mentindo para as mulheres. Criando intrigas como estas, entre irmãs!

Outro olhar de relance para a foto, Rachel percebeu – e então a ficha caiu. É claro. A própria Janice tinha duas irmãs, das quais era bem próxima. Lá estavam elas na imagem, ao lado da mulher, as três ligeiramente aterrorizantes mesmo ao sorrir para a câmera.

Rachel ficou ali, acariciando as lindas orelhas macias de Harvey e desfrutando silenciosamente do espetáculo em que o ex-marido pedia desculpas servis enquanto a mãe o repreendia. Ela também teria que se desculpar depois com Becca, é claro, por ter duvidado da palavra dela. Mas reparou que estava estranhamente feliz por ser Lawrence o mentiroso, e não ela. O engano parecia doer menos assim.

Ela se abaixou para afagar o dorso de Harvey, e ele virou a cabeça para olhá-la, de maneira adorável. *Eu me pergunto...*, pensou, quando uma ideia súbita lhe ocorreu. Será que ela podia tirar algum proveito da situação?

Pigarreou. *Isso, mãe!, incitou Scarlet na cabeça dela.*

– Antes de a gente ir embora – disse ela, com a mão ainda pousada sobre o dorso quente de Harvey –, tem uma última coisa. O cachorro. – Todos olharam para Harvey, que abanava o rabo, fazendo *swish-swish* no carpete cor de aveia. – Acho que é a nossa vez de ficar com ele em Hereford – continuou, com o coração batendo forte pela própria ousadia. – As crianças adorariam que ele voltasse para casa. – Ela deu de ombros inocentemente. – Talvez essa seja uma forma de fazer as pazes, Lawrence.

Ele estava prestes a discutir, mas Janice se adiantou:

– Parece uma ótima ideia – respondeu ela com firmeza. – Além disso – acrescentou, estreitando os olhos –, esta criatura está soltando pelos pela casa toda e estragando o estofado. Tenho que passar o aspirador duas vezes por dia.

– Que pesadelo – disse Becca, estalando a língua empaticamente.

Sabendo de antemão que não havia argumentos contra pelos de cachorro e passar o aspirador duas vezes por dia, Lawrence murchou junto à lareira. Fim de jogo.

– Tudo bem – murmurou, dando de ombros.

– Ótimo – disse Rachel, controlando a vontade de dar um soco no ar em comemoração.

Era hora de ir embora enquanto o clima estava bom. O clima, aliás, não podia estar melhor.

– Vamos? – disse ela a Becca, levantando-se tranquilamente. – Vamos, Harvey, você também. Está na hora de ir para casa.

Capítulo Trinta e Nove

Rachel e Becca conseguiram ficar sérias enquanto se despediam, aceitavam de Janice a sacola com as tigelas de água e comida de Harvey e o cobertor xadrez preferido dele, e ouviam de Lawrence mais um pedido de desculpas entre dentes.

Depois entraram no carro e acomodaram Harvey no banco de trás. Assim que dobraram a esquina, Becca parou de novo para que elas comemorassem com uma batida de mãos para o alto e uma descrença quase histérica, Harvey latindo diante da euforia.

– Ai, meu DEUS – disse Rachel, ofegante, se recostando para acariciá-lo. – Isso aconteceu mesmo? Ah, Harvey, meu camarada. A gente trouxe você. A gente trouxe você!

– Scarlet vai *morrer* de tanta felicidade – comentou Becca. – Vai sair quicando pela casa. E a velha Janice é uma mulher e tanto, não é? Amei a atitude dela, ela foi incrível. Solidária com as irmãs!

– Ela foi maravilhosa – concordou Rachel, então sentiu que estava se acalmando. – Mas, Becca, meu Deus, eu lhe devo um imenso pedido de desculpas. Por ter acreditado nele. Por ter te colocado nessa situação. E por ter gastado metade de um tanque de gasolina com um capricho. Juro que vou lhe pagar. E me desculpa. Desculpa mesmo.

– Deixa pra lá – respondeu Becca, gesticulando como se afastasse o pedido de desculpas. – Você acreditou no seu marido. É isso que se deve fazer, não é? Eu entendo. É lógico que estou profundamente magoada por você ter *pensado* uma coisa destas de mim...

Era uma brincadeira com um fundo de verdade, notou Rachel.

– Desculpa – repetiu, esperando que fosse o suficiente.

– Está tudo bem – disse Becca.

Um momento se passou, e então os olhos dela brilharam com um novo sorriso.

– Ainda bem que ele não mencionou a vingança das pizzas no quarto. Eu tinha certeza de que ele ia jogar isso na minha cara e começar a discutir. Mas, em vez disso, a gente ganhou! – Elas bateram as mãos no alto de novo, e Becca ligou o motor. – Agora é melhor a gente ir para casa. Temos umas crianças para alegrar hoje. Não é, Harv?

Quando elas pegaram a estrada, Rachel relaxou os ombros como se tivesse tirado um peso de cima deles. Becca *não* a havia traído, pensou atordoada. Muito pelo contrário: ela tinha *dispensado* o cunhado pervertido e tentado proteger Rachel de toda aquela história nojenta. E ainda dirigiu até Builth Wells para ajudá-la a enfrentar Lawrence. Isso foi legal, não foi? Era assim que uma irmã devia agir. E foi com esse pensamento alegre que a última barreira entre elas pareceu finalmente cair e virar pó. Elas ganharam uma segunda chance e podiam recomeçar.

Quanto a Lawrence... Bem, ela devia ter adivinhado que ele havia inventado aquilo tudo só para machucá-la. Competitivo ao extremo, ressentiu-se de ter sido posto para fora de casa e, se ela tivesse pensado bem, veria como era previsível que ele não resistisse a uma última cartada barata. Por mais que a provocação a tivesse magoado na época, ela agora tornava seu coração frio em relação a ele. O casamento deles realmente tinha acabado. Rachel não lhe devia nada. E, depois daquele último episódio, tinha a impressão de que ele pensaria duas vezes antes de tentar qualquer gracinha no futuro. Principalmente após Janice defender com unhas e dentes a relação entre irmãs.

– Tudo bem aí? Você está sorrindo sozinha como uma louca? – perguntou Becca, olhando para ela.

Rachel assentiu.

– Estou bem. Olha, obrigada. Por tudo: por me arrastar para fora de casa, por seguir meu impulso louco de vir até Builth Wells e...

– Por não dormir com o seu marido...

– É, isso também. Por tudo. Por ser uma irmã incrível. Obrigada, Becca.

Becca olhou para ela de novo, sorrindo também.

– De nada.

* * *

A felicidade recém-descoberta de Rachel não a abandonou por 24 horas inteiras: houve os gritos de pura e ilimitada alegria das crianças com o retorno do companheiro de quatro patas, uma consulta de retorno bastante animadora à clínica ortopédica no dia seguinte (principalmente quando elas vislumbraram o enfermeiro gato de novo, mesmo que Becca continuasse a provocá-la fazendo *fiu-fiu* baixinho com uma voz idiota) e a hora maravilhosa que ela passou no jardim com o cachorro, sentindo o sol no rosto enquanto lançava bola atrás de bola para ele buscar. Becca mencionou a ideia dela – a ideia de Adam – sobre as aulas de caratê, e ela encontrou um clube próximo na internet de que Luke gostou – e isso foi ótimo também.

Por um dia e uma noite gloriosos, foi como se os seus problemas estivessem temporariamente suspensos e ela pudesse esquecer todos eles: a angústia que sentiu quando descobriu a verdade sobre a mãe, a dor física debilitante dos últimos quinze dias e as dúvidas sobre suas habilidades como mãe e seu futuro a longo prazo que ainda a atormentavam.

Mas todos sabiam que em uma fração de segundo a felicidade poderia se tornar outra coisa. Os problemas tinham o costume irritante de voltar sorrateiramente. Dito e feito, naquela mesma noite eles reapareceram na forma da sua filha primogênita.

Ela já havia dito mil vezes: Mabel deveria estar em casa às quatro da tarde, a menos que avisasse Rachel ou Becca com antecedência. E ainda havia o quadro branco da cozinha agora, que supostamente mapeava o paradeiro de todos, para que ninguém tivesse dúvidas. Então, quando as quatro horas bateram e rapidamente viraram cinco, Rachel sentiu os níveis de estresse subirem. A menina mandou algumas mensagens, que não ajudaram muito – *Fazendo o dever de casa na aula de reforço, revisando* foi a primeira, seguida por *Indo para a casa da Zoe rapidinho*, fosse quem fosse a tal Zoe. Rachel não conhecia muitos dos novos amigos de Mabel, quanto mais tinha acesso aos contatos dos pais deles ("Fala sério, mãe! Isso seria, tipo, extremamente constrangedor e bizarro!"). Em vez disso, tinha que se contentar com as mensagens vagas da filha, com o atraso para chegar em casa e aquela atitude impensada e sem remorso ("Eu estava bem! Para que esse escândalo? As outras mães não reclamam quando elas ficam com os amigos depois da escola").

Volta antes das sete, por favor, escreveu de volta, mas não recebeu nenhuma resposta, e logo eles estavam jantando com um lugar vazio na mesa. Depois, Becca começou a separar o kit de joalheria, preparando-se para a chegada de Hayley.

A essa altura, Rachel já estava passando mal. Tinha tentado ligar para Mabel, mas ela não atendera. A cada minuto que passava, ficava mais nervosa. *Onde você está?*, escreveu às sete e quinze. *Volta para casa AGORA ou você vai ficar de castigo por uma semana. Estou falando sério!*

Ainda sem resposta. Talvez o celular de Mabel estivesse sem bateria – ele costumava descarregar convenientemente, sempre que Rachel tentava falar com ela. Mas talvez tivesse sido roubado enquanto ela voltava para casa sozinha, uma adolescente vulnerável de 13 anos nas terras áridas de Hereford. Bom, ok, não tão áridas assim, mas... *Ah, Mabel. Só volta para casa*, desejou. *Não faz isso comigo*. Tentou recobrar a calma que sentiu nas montanhas um dia antes, mas aquele sentimento a havia abandonado. Quando era a hora certa de desistir de ligar para as pessoas próximas para localizar a sua filha? Quando era a hora de entrar em pânico e ligar para a polícia?

A campainha tocou, e o coração dela pulou aliviado – mas era Hayley, muito bonita com os longos cabelos castanhos caindo em ondas sobre os ombros, uma camisa branca e um short jeans rasgado.

– Olha só você, com essa roupa linda e o cabelo arrumado – disse Becca, a cumprimentando com um abraço na soleira da porta. – Quase não te reconheci sem o rabo de cavalo e a calça de ginástica.

– Eu digo o mesmo – respondeu Hayley, rindo. Então ela avistou Rachel no fundo do vestíbulo e arregalou os olhos. – Rachel! Que bom te ver! Como você está?

Rachel se encolheu, sem conseguir evitar a timidez, sabendo que, quando a outra mulher a vira pela última vez, ela estava em plena forma, demonstrando abdominais e flexões, correndo ao lado dela no bosque.

– Melhorando, obrigada – disse, comedida. – Muito bom te ver também.

– Eu tenho prata, tenho pedras e tenho vinho – comentou Becca. – Vamos colocar a mão na massa? Eu já separei tudo aqui.

Elas foram para a cozinha, e Rachel estava prestes a segui-las – seja corajosa, seja sociável! –, quando a campainha tocou de novo. Ah, graças a Deus.

Só *podia* ser Mabel desta vez, devia ter esquecido as chaves. Abriu rápido a porta, a bronca na ponta da língua, mas as palavras sumiram quando viu o homem de uniforme escuro ao lado de Mabel.

– Boa noite, Sra. Jackson? Eu sou o policial Foster, da polícia de Hereford. Esta é sua filha?

Acontece que Mabel não tinha ido para a aula de reforço fazer a revisão do dever de casa, como uma boa aluna. Tampouco tinha pisado na casa da misteriosa Zoe. Em vez disso, ela e alguns amigos estavam fazendo barulho na orla do rio, incomodando as pessoas que moravam de frente para as águas, de acordo com o policial.

– Você quer contar para a sua mãe o que aconteceu depois ou prefere que eu conte? – indagou ele, severo.

Mabel estava chorosa e abalada quando eles se sentaram na sala com a porta fechada, para que a agradável sessão de confecção de tiara não fosse contaminada por contos sórdidos de transgressões juvenis. O rosto dela estava inchado, o rímel preto escorria pelas bochechas, e ela de repente parecia ter 10 anos de idade, com os últimos traços de arrogância e bravata apagados pela presença de um policial de verdade sentado pesadamente na poltrona oposta. Não tão adulta agora.

– A gente não estava fazendo nada de errado – começou a dizer, torcendo uma mecha de cabelo entre os dedos. O tom turquesa já estava bastante esmaecido, e um resíduo azul fantasmagórico só era visível sob certos focos de luz. Uma das meias escolares estava embolada abaixo do joelho e um punho da blusa parecia ter sido mordiscado. Ela ainda era tão criança. Quando olhava para ela, Rachel ainda via aquela diabinha loura, a menina que até pouco tempo antes queria ser uma princesa da Disney. – A gente só estava zoando um pouco – murmurou ela. – Mas então um velho...

– Eu imagino que você esteja se referindo ao Sr. Davidson, magistrado aposentado que agora cuida da mulher doente em tempo integral – interrompeu o policial Foster com dureza.

A expressão dele era séria, e os olhos duros e cinzentos como granito. A própria Rachel estava morrendo de medo dele, e ela já tinha quase 40. Dava para imaginar como a filha se sentiu quando ele apareceu no local.

Mabel torceu as mãos no colo, angustiada.

– É – disse ela, quase sussurrando.

O cachorro sentiu a aflição da menina e se aproximou para recostar a cabeça nos joelhos dela.

– Talvez você queira contar para a sua mãe o que aconteceu com o Sr. Davidson – continuou o policial Foster.

Mabel engoliu em seco, e Rachel se preparou para o pior. Um pouco de travessura adolescente, tudo bem, poderia ignorar. Tragadas de cigarro, um gole ou outro de bebida alcoólica... bem, ela também já passara por aquela idade, sabia que essas coisas aconteciam. Mas não estava gostando nem um pouco daquela história da orla do rio. Que diabos eles haviam feito?

– Mabel? – instigou ela, apavorada.

Pensou no quadro branco da cozinha. *HOJE VAMOS...*

MABEL: SER PEGA PELA POLÍCIA.

RACHEL: SER DECLARADA OFICIALMENTE A PIOR MÃE DO MUNDO.

Mabel levantou um dos cantos do lábio superior.

– Ele não parava de reclamar – murmurou. – A gente não estava fazendo nada de errado. Eu juro, mãe! A gente não estava no jardim dele, só na orla, conversando.

O policial Foster ergueu uma sobrancelha.

– E a gente confiscou uma garrafa de Thunderbird e alguns refrigerantes com álcool – disse ele, dedurando Mabel. – Também havia evidências de tabagismo, embora todos os presentes fossem menores de idade.

Rachel olhou séria para a filha.

– O que é que o seu pai vai achar disso? – perguntou ela, mais para passar uma informação ao policial do que para qualquer outra coisa.

Há duas pessoas envolvidas na criação dela, tá? Não precisa me julgar por eu estar aqui sozinha, ela estava dizendo com poucas palavras, embora se odiasse por fazer aquilo. Mabel corou até a raiz dos cabelos louros.

– Eu não bebi nada – disse, virando-se para Rachel. – Eu juro, mãe. Você vai mesmo contar para o papai?

Não se eu puder evitar, pensou Rachel.

– Vamos ouvir o resto da história. Continua. Termina de me contar.

Mabel acariciou a cabeça do cachorro com os dedos trêmulos.

– Bom, alguns dos garotos... ficaram de saco cheio de ouvir ele reclamar – murmurou, e o policial Foster deu uma risada sarcástica, bufando.

– E...? – incitou Rachel.

– E... eles jogaram alguns dos móveis do jardim dele no rio. – Mabel escondeu o rosto nas mãos para abafar as últimas palavras. – E os móveis afundaram.

Móveis de jardim no *rio?* Rachel imaginou mesas e cadeiras voando pelo ar e mergulhando no Wye, antes de afundarem naquele vazio escuro. Teve vontade de rir com um alívio histérico. Era isso? Só isso? Não que fosse aliviar para a filha.

– Ah, Mabel... – disse, gravemente. – Que coisa horrível de fazer. Coitadas dessas pessoas... Imagina se alguém fizesse isso com o seu avô quando ele estava vivo. Isso é muito sério.

Mabel estava chorando agora, talvez pela menção ao avô, por quem tinha verdadeira adoração.

– Desculpa – pediu, fungando. – Mas eu não joguei nada, mãe. Eu juro. Eu não faria isso.

O policial Foster limpou a garganta.

– Como a senhora deve imaginar, os Davidsons estão abalados com o roubo e o vandalismo da propriedade deles. Mas acredito que a sua filha não se envolveu diretamente no ato, então não vou tomar nenhuma providência contra ela pessoalmente.

Mabel irrompeu em soluços, ainda com o rosto enfiado nas mãos.

– Mas eu gostaria de adverti-la, e também a senhora, que ela parece estar envolvida com más companhias. Já vimos isso antes, Sra. Jackson, e me permita dizer, é assim que começa. Tenho certeza de que a senhora entende o que eu quero dizer.

– Claro – respondeu Rachel. – E agradeço ao senhor por ter trazido Mabel para casa e por conversar com a gente sobre isso. Mabel, você quer dizer alguma coisa para o policial Foster?

Mabel esfregou os olhos úmidos e respirou fundo.

– Des-sculpa – gaguejou.

– Está tudo bem – garantiu ele com rispidez, enquanto se levantava. – Considere isso um aviso, ok? Seus amigos não vão se livrar dessa com tanta facilidade quanto você. O Sr. Davidson vai levar o assunto adiante e prestar queixa, então recomendo seriamente que você fique longe desses seus amigos daqui para a frente. Se a gente se cruzar de novo, talvez eu não seja tão generoso outra vez. Você está entendendo?

– Estou – murmurou Mabel, envergonhada, dobrando a saia do uniforme escolar com os dedos manchados de caneta.

– Ok. Que bom. Bem, agora posso ir, então.

Enquanto o policial Foster voltava para o carro, Rachel notou que uma cortina conhecida se mexia do outro lado da rua. É claro que Sara Fortescue *escolheria* aquele exato momento para olhar pela janela e avistar o visitante inesperado, não é mesmo? Ela provavelmente já estava ligando para as comparsas para contar a última fofoca. *Você não imagina quem acabou de aparecer aqui na rua. A polícia! Com a filha mais velha da Rachel, sabe, aquela petulantezinha de cabelo azul. Não quero nem pensar no que deve ter acontecido. Um dia ela ainda vai voltar drogada, espera só para ver. Isso que dá se divorciar.*

Rachel esperou o policial ir embora e então, fuzilando a casa da vizinha com o olhar, mostrou o dedo do meio e voltou para dentro.

Capítulo Quarenta

Becca não fazia ideia do que estava acontecendo na sala de estar, enquanto ela e Hayley abriam a caixa de contas e pedras na cozinha e selecionavam parte do conteúdo. Ela colocou uma música e serviu uma taça de Sauvignon Blanc para cada uma. Depois, as duas folhearam várias fotos de peças que Becca havia imprimido da internet para tentar entender qual modelo de joia Hayley tinha em mente.

Hayley escolheu um estilo bem simples, com um padrão de pedras e cristais e selecionou as pérolas de água doce e cristais Swarovski de que mais havia gostado. Em seguida, Becca mostrou a ela como torcer o fio de prata ao redor da base da tiara e criar caules delicados ao longo da borda, cada um deles encimado por uma pedra. Era um trabalho agradavelmente intrincado, e o vinho descia fácil enquanto elas conversavam. Era uma pena que Rachel não tivera coragem de se juntar a elas, pensou Becca, perguntando-se o que a irmã estava fazendo; mas não importava. Um passo de cada vez.

De vez em quando Hayley parava o que estava fazendo e fotografava o avanço do trabalho.

– É para o meu blog – explicou, quando Becca olhou para ela. – Você não se importa, não é?

– Claro que não – respondeu Becca, e estava prestes a perguntar que blog era aquele, quando elas ouviram as vozes de Rachel e Mabel através da parede, além das familiares pisadas duras de Mabel nos degraus da escada.

– Ó, céus. Adolescente de mau humor. De tédio não se morre por aqui.

Hayley tinha dedos ágeis e levou menos de uma hora para finalizar os caules com pedras e depois acrescentar uma fileira de cristais brilhantes na frente, todos enrolados com firmeza no fio de prata.

– Prontinho – falou Becca, mostrando a ela como dobrar a última ponta do fio.

Depois de terminar, ela colocou a tiara no cabelo de Hayley e a incentivou a admirar seu reflexo no espelho do lavabo do andar de baixo.

Hayley voltou toda sorridente.

– Eu não acredito que fui eu que *fiz* isto! – exclamou, com os olhos brilhando. – Amei, é exatamente o que eu queria. – Ela colocou a mão na cabeça, sorrindo ao correr os dedos pelos cristais reluzentes. – Uau, Becca. Geralmente sou tão desajeitada que nunca imaginei que algo feito em casa poderia ser tão estiloso. Vou usar isto a noite inteira. Eu sou a Princesa Hayley. E você... Bom, você é apenas a Rainha das Maravilhas.

– Ah, não exagera – disse Becca, rindo. – Rainha de Encaixar Umas Pedras em um Fio Maleado, talvez, mas...

– Não. Sem modéstia! Se consegue ensinar uma amadora como eu a fazer este tipo de coisa, você tem um talento e tanto, vai por mim. Ela ergueu o celular e fez uma selfie. – Desculpa a vaidade. É que estou tão animada! – exclamou, rindo.

– Bom, eu também – comentou Becca. – É incrível fazer algo para o próprio casamento. Não importa se é o bolo, o vestido, os presentes para as madrinhas ou até uma calcinha linda para o grande dia. Você acaba imprimindo a sua própria marca, não é? Torna tudo bem mais pessoal.

Aquele brilho de felicidade estava de volta, notou: o brilho interior que surgia quando ela exercitava os músculos da criatividade. Devia ser assim que pessoas como Rachel se sentiam depois de praticar esportes, pensou enquanto Hayley enviava as fotos por mensagem para a melhor amiga. Essa onda de alegria era a endorfina do artesão, embora ela não tivesse um top suarento para provar.

– Ela amou – disse Hayley, assim que uma resposta apitou no celular. – Ah, obrigada, Becca. Sabe, a gente já deu tanta grana para empresas grandes esse tempo todo: hotel, bufê, joalheria das alianças... até o vestido veio de uma loja e provavelmente foi feito na China. É tão legal ter uma pequena participação nisso, esta aqui, feita aqui em Hereford. Por mim! – Ela terminou o vinho com um único gole e depois ficou pensativa. – Espera... você falou em calcinhas para o grande dia? Não me diga que você faz isso também?

Becca riu.

– Sim, eu faço isso também. Fiz um monte para a despedida de solteira de uma amiga há mais ou menos um ano. Todo mundo confeccionou a própria calcinha e a liga. Não é tão difícil quanto parece.

– Você é muito talentosa – elogiou Hayley, com tanta admiração que fez Becca corar. – Eu seria incapaz de fazer isso. Bom, antes de eu ir, quanto eu lhe devo pela minha tiara?

– Ah! – Becca nem tinha pensado nisso. – Deixa de ser boba. Eu já tinha as pedras, então... Não, sério. Guarda a carteira – disse ela, quando Hayley começou a vasculhar a bolsa. – Considere isto um presente de casamento antecipado.

– Você está brincando! De jeito nenhum. Só os cristais devem custar uma fortuna. Falando nisso, eu adoraria contratar você para fazer umas peças para as minhas madrinhas. Você poderia? Teria algum tempo para isso, com tudo o mais que está tocando?

– Claro! – respondeu Becca, encantada com aquela reviravolta. Mais um trabalho artístico incrível ao qual se dedicar. E seria nada mais, nada menos que um trabalho remunerado! – Confeccionar tiaras tem muito mais a ver comigo que treinos fitness – confessou. – Vou adorar fazer umas peças para as suas madrinhas. Com certeza!

Hayley pegou a carteira e puxou dela um punhado de notas.

– Então está combinado – disse ela, enfiando as cédulas nas mãos de Becca. – Considere isto um adiantamento. Eu tenho seis madrinhas. Faz os seus cálculos e depois me diz quanto vai sair, está bem?

Becca estava eufórica quando deu um abraço de despedida em Hayley alguns minutos depois. Tinha conseguido um trabalho de novo! Um trabalho de verdade, artístico e interessante; algo que teria prazer em realizar. Maravilha! Quando Hayley partiu, foi direto para a sala contar a Rachel as boas-novas.

– Ei, você não vai acreditar! – exclamou ela, irrompendo na sala. Então, parou alarmada. – Você está bem? O que aconteceu?

– Era um policial na porta – respondeu Rachel, com os olhos vermelhos como se tivesse chorado. Ela estava com um dos braços em volta do cachorro, recostada em seu corpo peludo para se reconfortar. – Ele veio trazer Mabel.

– Um *policial*? Que merda, por quê? O que houve? – A sobrinha havia sido assaltada, pensou Becca, sobressaltada. – Ela está bem?

Rachel começou a contar uma história sobre móveis de jardim jogados no rio e as advertências do policial durão.

– Bom, isso não parece ser um crime *hediondo* – disse Becca, hesitante. – Eu sei que não foi legal, mas...

– O problema é – interrompeu Rachel, com a voz trêmula – a genética ruim. É isso que me dá medo. Está no meu sangue. Está no dela. Vamos virar uma família de delinquentes, sei que vamos.

– Como assim? Ei! – Becca pôs um braço em volta dela. – O que é isso. Você não tem uma genética ruim. Por que está dizendo isso?

– Minha mãe...

Então ela desabou, as lágrimas jorrando em profusão. Becca mordeu o lábio, perplexa. A mãe de Rachel? Emily, a beleza trágica incomparável?

– Eu... eu ainda não tinha lhe contado, mas descobri umas coisas sobre ela – continuou Rachel, com os olhos baixos. – E não são nada boas.

Becca ouviu com espanto a terrível história de abandono de incapaz e soube que Rachel só recebera a primeira pista no enterro do pai.

– Por isso que eu fui para Manchester – explicou, tremendo. – Porque não acreditei que fosse verdade. Mas é. Realmente aconteceu. E agora eu entrei em uma paranoia de que vou me transformar nela, e que os meus filhos também vão. Mabel já está saindo dos trilhos aos 13 anos, e não estou conseguindo impedir. Eu só... – O rosto dela, já pálido e magro, estava também desesperado. – Eu tenho medo de ter puxado a ela. À Emily alcoólatra, que não se importava com nada. De ser uma inútil também.

– Ah, Rachel, claro que não.

Becca não conseguia entender. Lembrava como Rachel idolatrava a falecida mãe quando era criança, invocando a memória dela sem pensar duas vezes, principalmente quando Wendy tentava fazê-la arrumar o quarto ou usar menos maquiagem. *Minha mãe nunca diria uma coisa tão burguesa*, gritava ela com arrogância antes de sair porta afora (Becca se lembrava deste episódio específico porque depois havia perguntado a Wendy o que aquilo significava. *Ela quer dizer que sou chata e antiquada*, Wendy respondeu exausta. *Mas antes isso que... bom, deixa pra lá*).

– Não é porque a sua mãe agiu assim que você vai agir também – ponderou Becca. – Olha para os seus três filhos: eles não são miniclones seus ou do Lawrence, são? Nós não somos miniaturas dos nossos pais.

– Eu sei, mas...

– E jogar uns móveis no rio... Claro, é uma péssima atitude e, sim, Mabel não devia ter feito isso, mas ninguém se machucou, não é? E, de qualquer forma, parece que o policial deu um bom susto nela. Não acho que ela vai sair por aí assustando velhinhos tão cedo, você acha?

Rachel enxugou os olhos.

– Não – admitiu ela.

– Honestamente, não acho que ela esteja saindo dos trilhos. Ela é só uma adolescente normal que está passando por muita coisa ao mesmo tempo: primeiro amor, provas, o divórcio dos pais... Seria mais preocupante se ela *não estivesse* reagindo, sabe. Pelo menos, quando ela bate a porta e grita com a gente, está extravasando os sentimentos. – Ela se aproximou e apertou a mão de Rachel. – Sinto muito pela sua mãe. Mas isso não deveria mudar nada entre você e sua família. Você ainda é a mesma pessoa, não é?

Rachel assentiu, e houve uma pausa. A luz caía lá fora, e Becca viu as lâmpadas das casas se acenderem do outro lado da rua.

– Sabe... Eu me sinto péssima pela forma como tratei Wendy – confessou Rachel em um dado momento. – Ela *foi* uma boa mãe para mim, ou teria sido, se eu tivesse deixado. Eu preciso falar com ela. Pedir desculpas.

Becca se lembrou da última vez que vira a mãe, em seu pequeno e bem--cuidado jardim, quando elas não tiveram o almoço do pai. Então, algo lhe ocorreu.

– Na verdade – disse, lentamente –, eu tenho a impressão de que a minha mãe sabia sobre tudo isso. Eu comentei que você tinha ido para Manchester, e ela teve uma reação estranha. Sabe como ela mente mal; senti que ela estava escondendo alguma coisa, mas não consegui descobrir o que era.

– Eu já tinha pensado nisso – admitiu Rachel. – Ela deixou uma mensagem enigmática na secretária eletrônica outro dia, meio hesitante, como se não conseguisse perguntar nada diretamente. – Ela suspirou, abraçando o cachorro, e ele lambeu o rosto dela com empatia. – Para ser honesta, eu queria nunca ter descoberto isso. Mudou tudo o que eu achava que sabia.

Becca deu um tapinha no braço dela.

– Não necessariamente. O papai era o seu preferido e o seu exemplo, não Emily. E, de qualquer forma – disse ela com firmeza –, nunca é tarde demais. Se você ligar para a mamãe e falar tudo isso para ela... Acho que ela vai entender.

– Talvez – respondeu Rachel.

Ela ficou em silêncio por um momento, indecisa, e depois acrescentou:

– Você acha mesmo?

– Acho – afirmou Becca, olhando-a diretamente nos olhos. – Eu acho mesmo.

Capítulo Quarenta e Um

Na manhã seguinte, Becca ainda estava refletindo sobre a conversa, e pensamentos sobre a irmã e a sobrinha mais velha giravam em sua cabeça. Rachel precisava aceitar aquelas revelações sobre a própria mãe e acertar as coisas com Wendy. Já Mabel era um caso bem mais complicado... Do que será que *ela* precisava? Estabilidade, amor, confiança, limites... mas também liberdade. Rachel havia adotado uma estratégia direta e a deixado de castigo por uma semana, indo para cima dela com quatro pedras na mão. Mas, após o castigo, algo mudaria realmente? Tinha que haver um novo jeito para as duas se entenderem, pensou Becca, franzindo o cenho ao observar o próprio reflexo no espelho escovando os dentes.

Mas não havia tempo de analisar as nuances de cada cenário naquela manhã. Becca tinha outro treino com Rita, a senhora da casa de repouso que amava jardinagem e aparentemente fizera o telefone de Rachel tocar sem parar no último fim de semana com ligações de várias aspirantes a jardineiras. Tinha sido descoberta.

– Por favor, não dá meu telefone para mais nenhum velhinho de dedo verde – resmungou Rachel quando Becca anunciou que estava saindo para encontrar Rita. Pela cara amassada, dava para perceber que ela havia dormido mal. – E tenta seguir o plano de exercícios esta semana, em vez de ficar passeando em uma horta qualquer, tá bem?

– Entendido – respondeu Becca, erguendo as mãos para o alto. – Exercícios de alongamento e uma caminhada rápida: sem problemas.

Ela nem estava mentindo. Estacionaria o carro a uns 800 metros da horta – o que era perfeito para uma caminhada rápida – e então manteria Rita na capina, onde ela acabaria se esticando e alongando bastante. E o que os olhos de Rachel não viam, seu coração tampouco sentiria, pensou ao partir.

Naquela semana, havia na horta uma nova safra de batatas, agrupadas como seixos dourados – tesouro enterrado logo abaixo do ancinho de jardim. Também havia rabanetes escarlate, mais vagem do que eles podiam colher e os primeiros morangos maduros, de uma doçura que surpreendeu Becca. O canteiro de flores que os amigos de Rita usavam para corte também era uma profusão de cores deslumbrantes do verão, com papoulas laranja de folhagens emplumadas, dálias coloridas como joias e centáureas de um azul riquíssimo viradas para o sol.

– Então, hum... Rachel disse que recebeu uns telefonemas no fim de semana... – comentou Becca, enquanto as duas capinavam lado a lado. – De alguns dos seus amigos que querem fazer jardinagem também.

– Ah, sim. Passei o número da Rachel para alguns deles. Eles estavam com inveja, sabe, de eu ter algo divertido para fazer. Eles ficam entediados lá, na maior parte do tempo. Ah, os funcionários são gentis, mas estão sempre tão ocupados que *nunca* fazem coisas desse tipo com a gente. – Rita se sentou de cócoras. – Eles só colocam a gente em frente à TV e trazem um chá amargo de hora em hora. Para ser honesta, não é o que eu chamaria de diversão.

– É uma pena – respondeu Becca. Ela também não chamaria aquilo de diversão. – O problema é que, na verdade, este é o negócio da minha irmã – acrescentou, desejando poder fazer mais. – Eu só estou tomando conta dele enquanto ela está fora de combate. E ela adora flexões e essa coisa de fazer os músculos queimarem. Bom, você a conheceu, não é? Ela tem uma visão tradicional sobre a prática de exercícios físicos, então não sei se ela vai poder ajudar. Mas me deixa falar com ela, está bem? Talvez nós duas possamos bolar algum plano.

– Obrigada, querida. Enquanto isso, vou aproveitar ao máximo enquanto tiver você por perto. É maravilhoso estar aqui de novo. Não consigo descrever quanto estou feliz.

– Dá para entender por que você gosta – disse Becca, olhando ao redor.

Era visível que muitas horas de trabalho tinham sido dedicadas àquela horta. A saúde das plantas, a terra de um marrom-escuro brilhante que esfarelava entre os dedos, até mesmo o ar aconchegante do pequeno galpão com chaleira e cadeiras dobráveis... eram o suficiente para alegrar o espírito de qualquer um. Todo mundo tinha atalhos secretos para a felicidade, percebia agora. Para ela, era produzir alguma coisa com as mãos, ser criativa. Para a irmã, fazer exercícios e atividades ao ar livre. Para Rita, a jardinagem claramente tinha a sua mágica: debruçar-se sobre uma horta ou canteiro de flores com uma espátula e o sol no rosto, cuidando de suas plantas amadas.

Becca se lembrou do jardim malcuidado que vira no chalé de Michael quando foi até lá ajudá-lo a cozinhar e pensou como ele poderia se beneficiar de um décimo do amor e do cuidado dedicados àquele pedaço de terra. O atalho para a felicidade de Michael era a música, lembrou. Uma boa e velha melodia para levantar o ânimo.

– Você tem um jardim bonito em casa? – perguntou Rita. – Posso lhe dar algumas mudas, se quiser.

– Bom, eu... – Becca estava prestes a recusar a oferta com pesar, já que não tinha plantas nem no peitoril da janela, quando teve uma ideia. – Na verdade... eu não tenho jardim, mas conheço uma pessoa que anda precisando salpicar um pouco de cor no dela.

– Sem problema. Vamos ver. Do que você acha que ela iria gostar? Umas lavandas? Estas tagetes aqui? Um cosmos pequeno e adorável?

Becca não era nenhuma especialista, mas tinha certeza de que qualquer planta melhoraria a aparência do jardim de Michael. Talvez isso também o animasse, assim como tocar trombone.

– Sim, sim e sim, por favor. Muito obrigada, Rita. – Então, outro pensamento lhe ocorreu. – Na verdade, ele não mora longe. Se você não estiver com pressa para voltar, a gente pode dar um pulo lá quando terminar aqui. Assim, você pode ensiná-lo a cuidar das plantas, se não for um problema.

Já está se intrometendo de novo?, ouviu Rachel dizer em sua cabeça, mas afastou a voz. É, estava se intrometendo de novo. E daí?

Rita sorriu para ela.

– Eu nunca estou com pressa para voltar ao Willow Lodge. Bom, onde foi que larguei aquela espátula? Vou separar umas mudas para ele.

Becca esperava que Michael não se importasse de elas aparecerem de repente com algumas flores para o jardim dele. Talvez ele nem estivesse em casa. Mas, quando caminharam até a porta dele, Becca com uma bandeja de vasinhos de plantas nos braços, ouviu as notas melancólicas do trombone, o que resolvia pelo menos o segundo problema.

– Parece que ele está em casa – disse ela.

– É – respondeu Rita, pensativa.

Nada podia preparar Becca para o que viria a seguir. Quando Michael abriu a porta, disse:

– Olá de novo, querida! Que bela surp...

Então os olhos dele pousaram em Rita, e ele parou de repente.

– Rita. Rita Blackwell. Não é você, é?

– Michael *Jones*? – A senhora levou a mão ao peito. – Nossa, eu nunca... É você mesmo?

– Vocês se conhecem? – gritou Becca. – Caramba, isso é perfeito!

– Bom, a gente se conhecia – respondeu Michael. Ele não tirava os olhos de Rita. – Meu Deus. Deve ter uns trinta anos. Nossas filhas foram melhores amigas por um bom tempo, não é?

– Nossa, elas eram unha e carne! Durante a escola inteira. Era como ter uma segunda filha, Shona vivia jantando lá em casa, e vice-versa. – Ela riu afetuosamente. – Você sabe que, assim que eu ouvi as notas do trombone vindo daquela janela aberta ali, me lembrei de você? Eu quase falei "eu conheci um trombonista", e daí você abriu a porta...

– Daí eu abri a porta – repetiu ele. Michael abriu um sorriso enorme, e seu sotaque galês estava ainda mais forte com o entusiasmo. – Bom, entrem. Como vocês se conheceram? Becca também andou dando aulas de culinária para você? – Ele se interrompeu: – Que bobagem estou dizendo! Você sempre foi uma cozinheira de mão-cheia. Eu ainda me lembro dos bolos de aniversário que você fazia para Carol... Espera só eu contar para Shona que encontrei com você!

Eles já estavam no corredor estreito e escuro com sua lâmpada nua e triste – Becca devia ter terminado e trazido aquela cúpula, pensou – quando Rita, talvez detectando a falta de uma presença feminina no ar empoeirado, perguntou, hesitante:

– E... Christine, não é isso?, sua esposa. Como ela está?

– Ela morreu – disse ele simplesmente, enquanto as conduzia até a sala de estar. – Então agora sou só eu, vagando por aí sozinho. Sentem, vocês duas, isso. E o... – Ele coçou a cabeça. – Desculpa, esqueci o nome do seu marido. George, não é?

– Ele também morreu – respondeu Rita, sentando-se no sofá de veludo vermelho desbotado com as mãos no colo. – Sete anos atrás. Pneumonia, que Deus o tenha.

Becca começou a achar que estava segurando vela, empoleirada desajeitadamente no braço do sofá e ainda abraçada à bandeja de vasinhos.

– Que mundo pequeno – comentou, quando conseguiu dizer alguma coisa. – Então, Michael, você deve estar se perguntando o que a gente veio fazer aqui... Eu estava na horta da Rita, e ela me ofereceu umas mudas. Pensei que talvez você quisesse plantá-las no seu jardim. Posso lhe dar uma mão um dia desses ou...

– Ou eu posso – interveio Rita imediatamente. – Estou morando em uma casa de repouso agora, você acredita, Michael? Willow Lodge, do outro lado da cidade. E fico muito entediada lá. Eu adoraria ajudar com o seu jardim, se você não se importar de receber umas ordens minhas.

Michael parecia encantado com a sugestão.

– Isso seria incrível.

Aquela fora uma boa ideia, pensou Becca com um sorriso. Duas pessoas adoráveis, ambas solitárias à sua maneira, com filhas e alguns vasos de plantas em comum. Quer fossem apenas colegas, quer fossem algo a mais, aquele encontro tinha potencial para desabrochar uma bela e nova amizade.

– Bom, vou ligar a chaleira e preparar um chá para a gente. Michael, por que você não mostra o jardim para a Rita, assim podemos começar a botar a mão na massa.

Capítulo Quarenta e Dois

Era o fim de semana de Lawrence com as crianças, e Rachel se divertiu horrores ao notar como o ex-marido estava educado e cortês ao chegar na hora e levá-las, com Harvey pulando no porta-malas para acompanhá-los (após semanas de separação forçada, seria preciso um coração de pedra, além de uma ameaça mais forte que sessões extras de aspiração de pelos em Builth Wells, para tentar demover Scarlet *daquela* ideia). Becca foi para Birmingham logo depois, e as duas irmãs surpreenderam uma à outra com um abraço de despedida na porta da casa.

Rachel estava um pouco apreensiva de passar o fim de semana inteiro sozinha, mas também determinada a se virar por conta própria. Dormiu cedo na sexta e se ocupou com as tarefas domésticas no sábado de manhã: lenta e laboriosamente, tirou a roupa de cama de todos e a colocou para lavar, arrumou o quarto de Luke e encarou o ferro de passar. Depois se sentou com todas as contas que estava devendo e franziu o cenho ao somar a coluna "pagamentos" na planilha. A despeito dos melhores esforços de Becca para manter a empresa ativa, a situação continuava desesperadora. E quando ela estivesse em plena forma de novo, no fim de julho, já seriam as férias de verão, e tanto o tempo quanto o dinheiro ficariam ainda mais apertados. Decidiu pedir a Lawrence que contribuísse mais. Que desse mais dinheiro para a manutenção da casa, para começar, e também ficasse com as crianças por uma semana inteira em agosto, para que ela pudesse se dedicar ao trabalho – talvez criar algum tipo de *boot camp* de férias... Esfregou os olhos, insegura e completamente desolada. Era nessas horas que sentia falta de ter um marido ao seu lado – ou qualquer pessoa! – para dizer *A gente pode tentar fazer isso* ou *Não se preocupa. Vai dar tudo certo*.

A campainha tocou, e ela enrijeceu na cadeira. Eram duas horas, tarde demais para o carteiro e cedo demais para a volta dos filhos. Será que eram testemunhas de Jeová? Uma das amigas tentando emboscá-la com uma visita-surpresa?

Ela hesitou, pensando no que fazer. Ainda se sentia tão estranha e insegura perto dos outros, que estava tentada a ignorar quem quer que fosse. Então a porta da caixa de correio se abriu com um estalo.

– Sou eu! – disse uma voz familiar. – Abre aqui!

Becca? Rachel foi até a porta, confusa, certa de que a irmã havia dito que estaria de volta no domingo. Mesmo assim, lá estava ela na porta, com cara de quem havia aprontado, apressando-se para se explicar antes que Rachel pudesse perguntar qualquer coisa.

– Não fica brava. Mas achei que todas nós precisávamos conversar. Eu não tinha certeza se você conseguiria organizar algo assim, então... eu organizei.

– O quê? – perguntou Rachel, sem entender, mas então a porta do carona da lata-velha de Becca se abriu e tudo ficou claro.

Lá estava Wendy saindo do carro com dificuldade, uma verdadeira visão de blusa verde-limão, saia jeans e óculos escuros sobre os cabelos pintados com hena. Rachel viu um lampejo de nervosismo em seus olhos enquanto ela cambaleava pela rua com um buquê de rosas amarelas.

– Ah – deixou escapar em voz baixa. *Becca, você não fez isso*, quis dizer exasperada à irmã intrometida. Mas é claro que ela havia feito. – Oi.

– Oi, querida – respondeu Wendy, e as duas hesitaram por um momento, depois se inclinaram para trocar beijinhos rápidos e educados nas bochechas. – Espero que você não se importe de a gente ter aparecido assim sem avisar. Becky me garantiu que não seria um problema, mas todas sabemos como terminam alguns dos impulsos dela. Por exemplo, aquele permanente de alguns anos atrás. Então... tudo bem? A gente pode ir embora se você tiver outros planos, é claro. Ah, e isto é para você.

As rosas foram depositadas nos braços de Rachel e, diante dos olhares ansiosos de Becca e Wendy, era impossível dizer não.

– Claro – disse Rachel, forçando um sorriso. – Entrem.

– Uau, eu tinha esquecido como a sua casa é bonita – comentou Wendy, tirando as sandálias no vestíbulo. – A propósito, a gente trouxe umas coisinhas – acrescentou, vasculhando a bolsa dourada volumosa que estava carregando. – Sorvete de baunilha e bananas. – Ela passou uma sacola para Rachel. – Eu ia trazer bolo, mas Becky contou que comer ainda é um pouco complicado para você, então pensei em preparar umas vitaminas turbinadas para a gente em vez disso. – Ela tirou o último item da bolsa, uma garrafa de rum, e piscou. – O que você acha?

Rachel já ia oferecer chá, café, xarope de flor de sabugueiro, mas entendeu que havia perdido.

– Legal – respondeu em vez disso, lançando um olhar para Becca que dizia *A gente fala sobre isso depois*. Se ela sobrevivesse àquela tarde, é claro.

Era um dia ameno no fim de junho – com nuvens brancas e um ar quente e suave –, então, quando a primeira leva de vitaminas turbinadas ficou pronta, as três se acomodaram na mesa do jardim para aproveitar ao máximo a ausência da chuva, como boas britânicas.

– Que jardim incrível – elogiou Wendy, bebericando o drinque, satisfeita, e arregalando um pouco os olhos azuis ao sentir o rum descer queimando. – Nossa, isso está batendo rápido. Vamos tirar na moeda para ver quem vai dirigir de volta, Becky? Vou estar bêbada quando terminar este copo se não tomar cuidado.

Becca começou a debochar da mãe, chamando-a de fraca ("Fala sério, você só bebeu um gole!"), mas Rachel estava nervosa. Wendy nunca fora de usar meias palavras ou fazer rodeios, principalmente depois de beber. Ela afastou um pouco o próprio copo, determinada a manter a cabeça fria para qualquer que fosse o rumo que aquela conversa tomasse.

– Aquilo ali é uma rede? – perguntou Wendy, estreitando os olhos. – Eu sempre quis ter uma. Seu jardim é tão lindo, Rachel. – Ela deu uma cotovelada na filha. – Viu? É assim que uma pessoa adulta vive, Becky. Não em uma caixa de sapato minúscula com um vizinho tarado e um corretor de apostas no andar de baixo. Em uma casa decente com um jardim agradável, uma rede e arbustos de rosas. Quando você vai tomar rumo na vida e morar em um lugar assim, hein?

– Mãe, não começa – retrucou Becca. – E o tarado se mudou há um ano, tem uma senhora bem legal no lugar dele agora. Uma senhora que, aliás, não sai por aí alfinetando as pessoas e tentando fazer a própria filha se sentir culpada pelos fracassos dela. Só estou dizendo.

– Para mim, ela está se enganando. – Wendy fungou e levantou um pouco a saia quando o sol ameaçou aparecer. Então se virou para Rachel e disse: – Mas me conta, Rachel. Ultimamente, eu tenho tentado convencer esta aqui a se arranjar. Ela fez alguma coisa para encontrar um cara legal?

Becca bufou alto, com um olhar de indignação tão cômico que Rachel deixou escapar uma risadinha.

– Bom, tem um cara em quem ela parece estar bastante interessada.

– O quê? Quem? – perguntaram Becca e Wendy quase ao mesmo tempo.

– Ele é galês, toca trombone e está aprendendo a cozinhar – respondeu Rachel, incapaz de resistir ao deboche.

– Ah, cala a boca, pensei que você estivesse do meu lado – cortou Becca, mostrando a língua.

– Continua. Parece ótimo – insistiu Wendy. – Adoro galeses, tenho que admitir.

– Não liga para ela, mãe, ela está me zoando. Ele tem mais de 70, eu só o ajudei a cozinhar umas coisas. E, antes que você me pergunte, não, ele não é um substituto bizarro do papai, então nem se dá ao trabalho de começar, ok? Na verdade, eu até encontrei uma amiga para ele.

– Você não me contou isso. Quando? – perguntou Rachel. – E quem é a sortuda?

Sério, a irmã era impossível. Não conseguia se conter.

De repente, Becca ficou envergonhada.

– Hum... Bom, não fica brava, mas...

Ah, não. O que ela tinha feito agora?

– O quê?

– É Rita. Rita Blackwell.

– Rita Blackwell, minha cliente? – Rachel balançou a cabeça, incrédula. – E como isso aconteceu? Não me diga que foi durante o treino. Becca?

– Bom...

– Depois de você ter me prometido que ia parar com essas maluquices?

A expressão da irmã era de tanto remorso, como se dissesse "Você me pegou", que Rachel não precisava ouvir mais nada. Ela apoiou a cabeça entre as mãos e riu da traquinagem de Becca.

– Desculpa – murmurou Becca com embaraço –, mas eles são tão fofos juntos, Rach. Estavam tão felizes. Acho que vai ser um romance de verão incrível, sabe.

– Peço desculpas pela minha filha – disse Wendy, embora também estivesse rindo. – Ela é uma enxerida. Não sei de quem ela puxou isso.

Becca e Wendy se entreolharam, e aquele era um olhar tão brincalhão e afetuoso que Rachel se pegou sentindo uma inveja repentina, uma pontada de cobiça. Queria ter alguém com quem pudesse se entender assim, com tanta facilidade e bom humor. Deu um gole no drinque e deixou escapar:

– Quando as minhas filhas crescerem, espero que a gente se dê tão bem quanto vocês duas.

Sentiu as bochechas queimarem quando ambas se voltaram para ela, surpresas. Caramba! Quanto rum *havia* naquele drinque?

– Que coisa linda de se dizer – respondeu Wendy, pousando a mão no peito bronzeado.

– Você já se dá bem com elas. Você tem filhos maravilhosos – pontuou Becca.

Rachel fez uma careta.

– Nem sempre. Com certeza não com Mabel agora. Na maior parte do tempo, sinto que estou fazendo tudo errado.

– Ah, querida, acredita em mim, todas as mães sentem isso – disse Wendy imediatamente. – E você tem uma adolescente agora, uma filha adolescente. – Ela lançou um olhar para Becca. – A gente sabe como elas podem ser umas pestes. Nem te conto o que eu e o seu pai passamos com esta senhorita aqui... Você só tem que aguentar e torcer para que elas cresçam e voltem a ser seres humanos mais ou menos decentes. Vai ser assim com ela. – Wendy deu um tapinha na mão de Rachel e a encarou com compreensão. – Enquanto isso, podemos preparar uma vitamina turbinada para ajudar.

– Um brinde a isso.

Rachel sorriu para a madrasta como se a visse pela primeira vez. Talvez *fosse* só o álcool, mas ela sentiu quase como se o campo de gelo que havia entre elas estivesse se estilhaçando, quebrando após anos de permafrost.

– Wendy, eu preciso lhe contar uma coisa – disse a seguir, apressando-se antes que mudasse de ideia. – Eu descobri a verdade sobre Emily, sobre a minha mãe. Uma mulher no enterro do papai me falou um negócio estranho, e comecei a investigar. Eu... – A voz dela falhou. – Ela não era exatamente a mãe que pensei que fosse.

Wendy assentiu, sem parecer muito surpresa.

– Becky comentou que você tinha ido para Manchester quando... – ela apontou para o rosto de Rachel – ...quando isto aconteceu. Eu me perguntei se você tinha descoberto alguma coisa. – Wendy se inclinou para Rachel e segurou a mão dela. – Eu sinto muito. Deve ter sido um choque.

Então ela *sabia*.

– Foi, sim.

Ela arriscou olhar para Wendy, temendo ver pena nos olhos da mulher, mas só encontrou compreensão.

– Queria que o papai tivesse explicado, sabe. Que ele mesmo tivesse me contado. Por que ele me deixou continuar acreditando em uma mentira?

Wendy suspirou.

– Ele devia ter te contado, eu concordo. Tentei convencê-lo disso. Até me perguntei se eu mesma não devia ter falado, mas não era o meu papel. De qualquer forma, você nunca teria acreditado em mim.

– Não teria mesmo.

– Além disso, você sabe como ele era. Um homem típico: não sabia lidar com grandes dramas emocionais. E ele te amava, também, é claro. Não queria partir seu coração com a verdade.

Rachel aquiesceu. Tudo parecia plausível.

– Bom, faz sentido – concordou Rachel, tentando tirar o peso da conversa. Sentir Wendy tão solidária e empática a deixava desconfortável e vulnerável. – Eu sei que não é o fim do mundo nem nada.

Wendy ficou em silêncio por um momento.

– Ela te amava, sabe, tenho certeza disso. Terry não falava muito dela, mas de vez em quando ele deixava escapar um comentário doce.

Sentiu os olhos arenosos e quentes, como se as lágrimas estivessem só esperando uma desculpa para virem à tona.

– Tipo o quê?

– Ah, deixa eu pensar. Bom, quando Becky era pequena, seu pai ficou muito surpreso porque eu não conhecia a "música da fralda feliz".

– "Música da *fralda* feliz"? Que música é essa?

– Pois é, foi o que perguntei a ele. Emily sempre cantava essa música quando trocava a sua fralda. Não me lembro da letra agora, mas obviamente ela tinha inventado aquilo, criado um pequeno ritual para fazer você rir. Terry deduziu que todas as mães conheciam a música, que era uma coisa que todas nós fazíamos, mas não era.

Por um momento, Rachel não conseguiu dizer nada. Aquilo era *tão* doce. Pessoalmente, ela sempre se apressara em trocar as fraldas o mais rápido possível, em vez de inventar músicas ou danças para a ocasião.

– E ela fez várias das suas roupas, você sabia? Acho que Terry ficou um tanto perplexo ao me ver comprando roupinhas de bebê para Becky em vez de costurar tudo eu mesma. – Wendy tomou um gole da bebida e fitou a mesa por um instante. – Sabe, tentando ler nas entrelinhas, acho que, se fosse hoje em dia, ela teria sido diagnosticada com depressão pós-parto – disse devagar e com cautela –, mas obviamente naquela época essa doença não tinha nome. A mulher simplesmente seguia em frente e superava. Ou não. E para Emily, que vinha de uma família de alcoólatras, a bebida foi a válvula de escape. Infelizmente.

– Entendi.

Elas ficaram em silêncio um momento. Depressão pós-parto. Fazia sentido. Rachel sabia por experiência própria que era possível amar um bebê, ter desejado aquele bebê e mesmo assim se sentir incapaz de lidar com a maternidade, como se estivesse cercada por uma névoa. Ela teve sorte de receber ajuda psicológica, mas isso não foi uma opção para a mãe. Os olhos dela arderam de novo quando pensou na "música da fralda feliz" e nas roupinhas feitas em casa. Ela *havia* sido amada. Havia sido cuidada, até que as coisas começaram a dar errado.

– Eu sinto muito que...

Agora era a vez de Wendy vacilar.

– Eu sinto muito que a gente não tenha se dado bem quando você era pequena. Eu queria ser uma mãe para você, mas é lógico que não dá para simplesmente chegar e ocupar o lugar de alguém, eu entendo isso agora. – Ela torceu a boca, com os olhos tristes. – Eu me apaixonei pelo seu pai, só isso. Nunca quis fazer ninguém sofrer.

Wendy tinha uma expressão muito franca. Por trás de todas as provocações e gracejos, havia algo tão genuíno nela, tão sincero, pensou Rachel.

– É minha culpa também – admitiu em voz baixa. – Nunca te dei uma chance. É que na noite em que vocês saíram em lua de mel...

Mas as palavras seguintes ficaram presas na garganta, comprimidas ali, duras e dolorosas. Ai, meu Deus. Podia fazer aquilo? Contar a elas o que aconteceu, depois de quase três décadas de silêncio?

– Pode falar – incentivou Wendy.

Rachel respirou fundo e contou a história toda, cada frase horrível dela. O quarto de hóspedes de Sonia. A mão quente de Frank na sua coxa de menina. A fumaça do cigarro em suas narinas, cheiro que nunca mais conseguiu suportar. Seu grito estridente de medo...

Wendy explodiu em soluços chocados ao ouvir aquelas palavras, sacudindo os ombros de tanto chorar. As lágrimas também rolaram pelas bochechas de Becca. Rachel, ao contrário, estava entorpecida, até desencantada; era a única das três que não demonstrava emoção alguma.

– Aquilo mudou tudo para mim – murmurou, concluindo.

– Ah, querida, é claro que mudou. É claro! – exclamou Wendy, abraçando Rachel e derramando as lágrimas nas costas dela. – Aquele canalha do Frank! Que vontade de matá-lo! Acabar com a raça dele. Quantos anos você tinha, 10? A mesma idade da sua Scarlet? Velho pervertido, imundo. Eu juro, se um dia eu encontrá-lo de novo, vou torcer aquele pescoço. Vou apagar cigarros nos *olhos* dele.

Havia algo estranhamente reconfortante em ver alguém defender você de forma tão furiosa, mesmo quando as ameaças de violência proferidas eram preocupantes.

– Está tudo bem – disse Rachel. – Isso já faz muito tempo. Eu estava com medo, só isso, e surtei. E culpei você, mesmo que não fosse culpa sua.

– Ah, Rachel... – começou Wendy, seu rosto molhado contra o dela. – Eu entendo. É claro que você me culpou. Levei seu pai embora quando você mais precisava dele. Eu sinto muito. Sinto muito que isso tenha acontecido.

Becca, que talvez nunca tivesse permanecido tanto tempo em silêncio na vida, se aproximou e abraçou as duas. E como se tivesse planejado, como se anunciasse uma bênção celestial oficial, o sol escolheu aquele exato momento para deslizar por detrás da cobertura de nuvens e brilhar sobre elas, um pequeno triângulo de mulheres entrelaçadas em um jardim do subúrbio. Mas era mais do que isso. Era o som da lousa sendo limpa, uma nova página virada, um pacto de união sendo selado sem que ninguém precisasse dizer mais nada. E, nossa, como era bom.

Capítulo Quarenta e Três

Depois de uma conversa tão importante, todo mundo precisava de um café, e Wendy assoou o nariz várias vezes antes de distribuir lenços de papel. Uma vez que elas haviam se recuperado e enxugado os olhos, passaram a assuntos menos sérios.

— Eu ia sugerir que você se juntasse a nós para os "almoços do pai" de agora em diante — comentou Wendy, explicando do que se tratavam —, mas estamos seguindo em frente, não é, Becky? Então talvez possamos pensar em outra coisa para fazermos juntas. Um almoço só nosso nos fins de semana, de repente, quando as crianças estiverem com Lawrence. Ou tomar um drinque em algum bar chique de Birmingham. O Groupon de vez em quando tem umas ofertas boas.

— Seria bem legal — respondeu Rachel. Para sua surpresa, ela estava sendo sincera. De repente, se sentiu mais leve; uma antiga ferida tinha sido cicatrizada e uma velha animosidade, eliminada. — Vamos, sim, vai ser ótimo.

Wendy perguntou sobre as crianças, e Rachel a atualizou sobre os três, terminando com Mabel.

— É como eu disse antes, já não sei mais o que fazer com ela — confessou. — Nós éramos tão próximas uma da outra. Unha e carne. Até pouco tempo, ela me contava tudo, destrinchava o dia inteiro para mim depois da escola, e a gente conversava sobre qualquer coisa que tivesse acontecido. Mas agora... — Ela fez uma careta. — Bom, você viu, Bec. Ela está sempre irritada e na defensiva, reservada e cheia de segredos. Não sei mais como falar com ela. — Ela hesitou, ciente do fato de que nunca se dera ao trabalho de pedir a ajuda de nenhuma das duas mulheres da mesa, descartando a opinião delas antes mesmo de escutá-las. *Rachel, sua idiota. Desde quando você sabe tudo?* – Eu estava pensando... Vocês teriam alguma sugestão?

Se Becca ficou surpresa ao ser consultada, não deixou transparecer.

– Eu também tenho pensado nela – respondeu, terminando a xícara de café. – E sei que, desde que cheguei, estou privando Mabel do próprio quarto, já que Scarlet está com ela. Talvez parte do problema seja porque ela precisa ter o próprio espaço, algum lugar para se encontrar com os amigos, em vez de ficar na orla do rio arrumando confusão.

– Um lugar só para ela, onde ela possa fechar a porta para o mundo e ter um pouco de privacidade – concordou Wendy.

Rachel assentiu.

– Talvez eu possa colocar Scarlet com Luke – sugeriu, medindo mentalmente o minúsculo quarto de Luke à procura de algum espaço.

Só dava para colocar um colchão espremido no chão, pensou, embora até isso fosse comprometer a circulação do lugar.

Becca observava o jardim.

– Tive uma ideia melhor.

Um dia depois, quase na hora de as crianças voltarem para a casa, Rachel se postou bem no meio do galpão, olhando eufórica à sua volta. *Todo mundo precisa de um projeto artístico*, Becca adorava dizer, e Rachel estava começando a concordar com ela. Juntas, elas passaram a tarde do sábado arrumando toda aquela bagunça – bicicletas infantis que seriam doadas; boias infláveis que sibilavam através dos furos e tinham como único destino a lixeira; um velho escorrega quebrado que devia ter sido jogado fora anos antes – e depois varreram a sujeira e as teias de aranha.

Becca teve que levar Wendy de volta para Birmingham às seis horas do sábado – "Sei que vocês vão rir de mim, mas entrei para o Women's Institute da minha região e achei *incrível*", anunciou. "Um apicultor gato vai vir conversar com a gente hoje, e não posso perder." Mas voltou no dia seguinte, com opções de paletas de cores e tecidos de cortina para Mabel escolher.

Becca teve que trabalhar nas tiaras para as madrinhas de Hayley, mas Rachel continuou tocando o Projeto Galpão, limpando as janelas e posicionando um pufe e um tapete lá dentro para dar um ar aconchegante. Agora só tinha que cruzar os dedos e torcer para a filha aprovar aquilo tudo.

Como esperado, Mabel pareceu desconfiada quando chegou em casa mais tarde com os irmãos e Rachel disse que queria falar com ela em particular.

– O que eu fiz agora? – murmurou, carrancuda.

– Nada – assegurou Rachel. – Não me olha assim. – Ela conduziu a filha até o jardim. – É que pensei bastante sobre a relação entre mãe e filhos neste fim de semana, sobre mim e você. E embora eu não aprove o que os seus amigos fizeram na semana passada, sei que ser adolescente é difícil.

Mabel fez um barulho evasivo enquanto elas caminhavam pelo gramado.

– Eu e sua tia Bec estávamos conversando – continuou Rachel, cada vez mais nervosa à medida que elas se aproximavam do galpão –, e ela teve a brilhante ideia de... bom, disso *aqui*.

Ela escancarou a porta do galpão, com o coração batendo em *staccato*, torcendo para que Mabel não zombasse da empreitada com desdém ou lançasse um olhar indiferente como se dissesse *E daí?*, o que não era muito raro naqueles dias.

– É... um galpão vazio? – indagou Mabel com cautela.

– É. E a gente pensou que podia ser o *seu* galpão vazio. Seu esconderijo não tão secreto. A gente pode pintar e decorar, instalar umas luzinhas coloridas, você pode pendurar uns pôsteres... ou o que quiser. A tia Bec disse que faz as cortinas se você escolher o tecido. A gente arruma um cadeado para a porta e aqui fica sendo o seu cantinho, para você trazer os amigos e...

Os cantos da boca de Mabel se curvaram para cima ligeiramente, e Rachel prendeu a respiração na esperança de receber uma resposta positiva.

– Isso quer dizer que não estou mais de castigo? – perguntou a filha, esperançosa.

Rachel olhou para ela.

– Você ainda está de castigo, mas pode receber os seus amigos aqui. Amigas – corrigiu-se, quando surgiu de repente em sua cabeça uma imagem alarmante de Mabel e Tyler se trancando no galpão para namorar depois da escola. Ela queria que aquele fosse um lugar legal e seguro para a filha, não uma espécie de motel adolescente. – Mas... bom... acho que Tyler pode vir aqui em casa também, desde que as portas do quarto fiquem abertas e...

Mabel lançou para ela o que só poderia ser descrito como um olhar de reprovação.

– Eu e Tyler terminamos há séculos – disse, antes de acrescentar algo como "Não que você se importe".

Ai, meu Deus. Outra falha maternal.

– Eu sinto muito – murmurou Rachel, desolada.

Como ela havia perdido aquilo? Provavelmente se afundando no sofá e sentindo pena de si mesma. Se você tira o olho da bola, leva um gol, e foi isso que aconteceu. Mabel até tinha escrito algo no quadro branco sobre odiar os garotos, lembrou tarde demais, e ela não ligou os pontos.

– Sério, eu sinto muito – insistiu, pousando a mão nas costas da filha. – Sei que você gostava dele. Você está bem?

Mabel mordeu o lábio.

– Estou. Deixa pra lá – respondeu, claramente querendo dizer "não".

Primeiro amor, primeiro coração partido – ai!

– Desculpa não estar sendo a melhor mãe do mundo ultimamente – disse Rachel após um instante. – Acho que a vida me derrubou por um tempo, e demorei um pouco para me levantar. Mas da próxima vez vou estar por perto, está bem? Sou a sua maior fã e sempre estarei aqui para ouvir quando você quiser conversar comigo. Eu prometo.

Mabel deu de ombros.

– Tá tudo bem. De qualquer forma, ele é um idiota.

Por mais que Rachel estivesse tentada a concordar, sabia que não era uma boa ideia. Regra número um: não esculhambe o ex. Em vez disso, ela colocou o braço no ombro da filha e a abraçou.

– Bom, azar o dele – disse com firmeza. – Você devia seguir o conselho que a tia Bec vive me dando: sacudir a poeira. Pensa nas cores que quer colocar no galpão, que a gente compra as tintas para você.

No início, Mabel estava rígida em seus braços, mas depois cedeu. Pela primeira vez em semanas, elas se abraçaram de maneira afetuosa e genuína, como se estivessem voltando a se dar bem. As duas ficaram ali no galpão por um instante, mãe e filha, lado a lado, e Rachel sentiu uma paz tomar conta de si.

– Obrigada, mãe – disse Mabel, recostando a cabeça no ombro dela. – Isso seria bem legal.

Capítulo Quarenta e Quatro

– Parabéns pra você, nesta data querida, muitas felicidades, muitos anos de vida!

– Surpresa! – gritou Luke, enquanto Becca piscava para tentar focar na cena à sua frente.

Era a quinta-feira seguinte, e ao lado da cama dela estavam os quatro Jacksons. De violino em punho, Scarlet acompanhava o coro de aniversário, e Mabel segurava uma bandeja carregada com o tradicional café da manhã inglês, uma caneca de café e um ramalhete de flores do jardim. Já vestida, Rachel sorria timidamente, enquanto Luke pulava de um lado para outro em volta da cama, como se tivesse carrapatos na calça do pijama. Até Harvey, que normalmente não podia circular pelo andar de cima, estava presente, farejando com entusiasmo diante do cheiro de bacon e linguiça.

– Uau – disse Becca, recuperando os sentidos a tempo de receber a bandeja de café da manhã no colo. – Obrigada! Que surpresa linda.

– E vai ter outra surpresa mais tarde – respondeu Luke, saltando de maneira perigosa perto da caneca de café. – Um *bolo* de surpresa, mas é um segredo, porq...

– LUKE! – gritaram as irmãs, antes que ele revelasse mais alguma coisa.

– Você *entende* o que a palavra "segredo" significa? – acrescentou Mabel, revirando os olhos.

– Por sorte, eu estava tão ocupada admirando as flores que não ouvi nada – disse Becca com tato, tentando evitar uma troca de socos sobre os ovos mexidos. – O que você falou mesmo, Luke? Uma surpresa?

– Nada – respondeu ele, corando ao receber uma cotovelada de Scarlet. Em seguida, deslizou os olhos para a batata da tia com cara de cão sem dono, inclinando a cabeça e arregalando os olhos. – Posso comer seu *hash brown*?

– Luke! – protestou Rachel, rindo. – Não, não pode. Aliás, é bom vocês irem se arrumar para a escola agora enquanto a tia Bec toma o café da manhã de aniversário dela em paz. Depois podem dar os cartões e os presentes para ela, está bem? Xô!

Becca ficou tocada por aquele alvoroço. Sentiu um nó na garganta, e não era do gole de café fervendo que havia acabado de tomar.

– Obrigada – disse ela, quando Rachel se sentou na beirada da cama. – Isso é incrível.

Foi só então que Becca notou que a irmã estava maquiada pela primeira vez em semanas. E havia feito uma escova no cabelo também. Com certeza aquilo tudo não era pelo aniversário dela, era?

– A propósito, vou levar as crianças para a escola hoje – avisou Rachel por alto, como se nada tivesse acontecido.

– Você vai... – repetiu Becca, quase se engasgando com a comida. – O quê? Sério?

Mais de três semanas após o acidente, a irmã não levara as crianças à escola uma única vez. Os hematomas e o inchaço do rosto tinham finalmente sumido, mas Becca sabia como ela estava insegura com a mudança na aparência e temia as fofocas iniciais que se aglomerariam ao redor dela como moscas atrás de carne – conduzidas, sem dúvida alguma, por aquela vizinha intrometida horrorosa do outro lado da rua e por Melanie Cripps.

– Vou. Hoje é o dia. – Rachel deu uma risada nervosa. – Então você pode ficar na cama até tarde. Aproveita o seu café da manhã. Juro que fiz Luke limpar as unhas antes de chegar perto dele, então pode comer sem medo, que não vai ter uma gastroenterite mais tarde.

Becca não sabia o que dizer. Certo, *hoje é o dia*. Um avanço importantíssimo estava acontecendo dentro daquele quarto, em uma casa no subúrbio. Uma notícia e tanto. No caso de Rachel, uma caminhada de dez minutos lá fora com as crianças equivalia a um grande passo para a humanidade. Aos poucos, dia após dia, a irmã se aventurava no caminho de volta à normalidade. Cabelo arrumado, maquiagem, determinação... tudo começava a reaparecer, e Becca sentiu um orgulho imenso dela.

– Que bom. – Ela a saudou levantando a caneca de café. – E obrigada por isso. Foi tudo incrível. Não apenas o café da manhã, mas as crianças, o "parabéns", as flores...

Becca sentiu que estava ficando emotiva. Quando fora a última vez que alguém havia cantado para ela "Parabéns pra você"? Era uma coisa tão boba, mas, ah, tão fofa. Ela se lembrou de como os aniversários costumavam ser – acordar com uma verdadeira agitação dentro de si, os presentes com laços de fita e os cartões chegando pelo correio, aquele sentimento de ser especial o dia todo na escola, as velas tremeluzindo no bolo...

– Sinto que agora faço parte da família – confessou.

– E você *faz* parte da família – afirmou Rachel imediatamente. – Nossa, Bec, você sem dúvida faz parte. Você tem sido o coração desta família nos últimos dias. – Os olhos delas se encontraram, então Rachel ficou meio envergonhada e se levantou. – Olha só para a gente, falando estas frases bregas de ímã de geladeira. Crianças! – gritou, virando o rosto para a porta. – Vocês já estão prontas?

Era um verdadeiro luxo ficar na cama enquanto ouvia Mabel sair para a escola, e depois Rachel, com os dois filhos mais novos. Becca se espreguiçou, esticando os braços sobre a cabeça, deu um tapinha no estômago cheio e então foi até o banheiro para tomar um banho delicioso em silêncio e na mais gloriosa paz.

Limpando o espelho embaçado, inclinou-se para a frente e examinou o rosto. Desde criança, esperava ver o novo ano acrescido em seu reflexo assim que a idade mudava. Como posso estar um ano mais velha e continuar exatamente igual a ontem?, pensou aos 7, 8 e 9 anos.

Talvez fossem as nuvens de vapor, que lhe emprestavam um contorno impreciso, mas o engraçado é que ela na verdade parecia um pouco mais jovem do que seis meses antes. Devia ter sido o ar fresco e as pedaladas, deduziu, porque a pele parecia mais lisa, os olhos, mais brilhantes, e ela sabia sem precisar apertá-las que as coxas e a bunda nunca estiveram tão definidas. Era evidente que a vida no campo a favorecia. A vida no campo e o fato de não estar comendo só pizza e delivery durante aqueles dias, mas cozinhando refeições caseiras completas. Caramba, estava se tornando virtuosa de dar nojo, pensou, levantando uma sobrancelha para seu reflexo. Talvez o aniversário estivesse ali para dizer que já era hora de se entupir de comida e vinho calórico para contrabalançar aquele comportamento certinho.

Tinha acabado de secar o cabelo quando ouviu Rachel voltar.

– Estou aqui em cima! – gritou, vestindo um short de ciclismo e sua camiseta verde-menta preferida, preparando-se para o primeiro compromisso do dia. – Deu tudo certo?

Ela estava bastante pálida, era preciso dizer, mas a altivez dos ombros lembrava a Rachel dura e forte de sempre.

– Bom, eu sobrevivi à máfia das mães – respondeu secamente, entrando no quarto e afundando na cama de Scarlet. – Seis pessoas me pararam para dizer que ouviram falar do acidente. Outras três perguntaram se Mabel estava bem, porque souberam que ela tinha sido escoltada até aqui pela polícia. Não fazemos ideia de como *essa* história circulou, não é? – Ela revirou os olhos. – E depois tive que encarar a vigilância do bairro em pessoa, Sara, que tentou me fazer participar de um abaixo-assinado ridículo, para reclamar da professora de Luke e Elsa.

– Caramba, que boas-vindas calorosas – respondeu Becca. – Ontem ouvi umas mães falando sobre esse abaixo-assinado idiota. Parece que a professora Ellis foi vista em uma boate com um vestido curto, se acabando na pista de dança. Como ela ousa se divertir fora do horário escolar, etc. etc. etc., porque isso claramente faz dela um péssimo exemplo para as crianças. Que, por sinal, não *estavam* na boate naquela ocasião. Fala sério!

– Essa mulher está passando dos limites – concordou Rachel. – De qualquer forma, eu me recusei a assinar e agora ela vai usar isso contra mim também. Enfim. A boa notícia é que vi Jo e Karen e... – Ela de repente ficou tímida. – Bom, Jo vai reunir as amigas no sábado à noite e me perguntou se eu queria ir também.

Ótimo. Jo e Karen eram duas das amigas mais legais de Rachel, as que sempre foram simpáticas com Becca sem bisbilhotar ou se intrometer na família.

– Espero que você tenha aceitado.

Rachel aquiesceu.

– Sim. Eu vou. Se você não se importar de segurar a onda por aqui, é claro. Caso contrário, posso ligar para a babá e...

– É claro que não me importo. Já estava na hora de eu ficar com a TV só para mim e não precisar mais assistir àqueles seus programas chatos todas as noites... Brincadeira! Não, tranquilo. Vai ser bom para você. – Ela fitou o relógio. – É melhor eu ir, tenho que encontrar Adam em quinze minutos.

Ela borrifou nos pulsos e no pescoço um pouco do perfume novo – Jo Malone, presente de Rachel, que talvez tenha notado que o próprio vidro estava acabando misteriosamente – e, então, só porque era seu aniversário, passou uma camada rápida de gloss coral e um pouco de rímel. *Ei. Não é todo dia que a gente faz 31, não é?*

Ao ver aquilo, Rachel ergueu a sobrancelha.

– Isto tudo é para Adam? – perguntou para provocar.

– De jeito nenhum! Isto tudo é para mim mesma – respondeu Becca, mostrando a língua.

Depois desceu a escada cantando "I Feel Pretty" bem alto, montou na bicicleta e pedalou para longe, sorrindo sozinha como uma louca.

No geral, tinham sido dias bons. Hayley ficou felicíssima com a entrega das tiaras no início da semana e contratou Becca para uma sessão de confecção de calcinhas na noite de sua despedida de solteira. "Ah, e eu preciso do seu e-mail", disse ao se despedir no fim do treino. "Pode ser? Vou colocar no meu blog, para o caso de alguém querer entrar em contato."

"Legal, obrigada", agradeceu, anotando o endereço para ela. Estava prestes a perguntar mais sobre o blog, quando o celular de Hayley tocou e ela lhe lançou um olhar pedindo desculpas antes de atender a ligação. Becca deu tchau e moveu os lábios em silêncio com um "Vejo você na semana que vem" antes de ir embora.

Ainda assim, um evento para confeccionar calcinhas era sempre divertido, principalmente com um bando de garotas barulhentas e o prosecco correndo solto. O único perigo era alguém ficar bêbada a ponto de costurar o próprio dedo no tecido, mas ela estaria ali para garantir a integridade física de todas. A despedida de solteira só aconteceria em agosto, e era bom ter um trabalho bacana marcado no calendário. *O futuro começa aqui*, dizia a si mesma, determinada a se manter positiva mesmo sem um emprego fixo. *Amanhã*, prometeu, enquanto ladeava o rio e tirava os pés dos pedais ao descer a ladeira. *Amanhã vou ver isso.*

Seria difícil deixar Hereford, ponderou. Embora só tivesse passado algumas semanas na cidade, foi tempo suficiente para se sentir parte de uma comunidade, graças a todas as pessoas que conheceu. E também parte de uma família, pensou, ao se lembrar do delicioso café da manhã de aniversário. Caramba, acima de tudo sentiria falta de Rachel e das crianças. Mais do que achou que sentiria, para ser honesta.

Prendeu a bicicleta no lugar de sempre, tentando não pensar nisso. Havia concordado em ficar por mais duas semanas, até que Rachel estivesse plenamente recuperada (*Ainda vou ver você algum dia? Saudades!*, escreveu Meredith, queixosa), mas depois disso... Bem, a verdade é que ela estava questionando se o velho apartamento de Birmingham ainda era o seu lugar. Ter ido até Hereford, passado por uma mudança, experimentado um estilo de vida diferente – ela havia gostado disso. Talvez estivesse pronta para seguir em frente, afinal. Estava até pensando que poderia...

– Bom dia! – disse Adam, e ela deu um salto.

– Oi – respondeu.

Adam estava sorrindo de novo, Becca notou enquanto ele se aproximava. Que bom. Para sua surpresa, tinha curtido bastante o último treino com ele; até que ele era divertido quando se conseguia romper aquela carapaça dura.

– Como está hoje? Estou vendo que o seu império não ruiu na semana passada por você ter ficado uma hora longe do trabalho.

Ele sorriu. Adam tinha dentes muito bonitos, notou, e seus olhos brilhavam sempre que ele sorria.

– Surpreendentemente, não. O império está intacto. E até saí para correr sozinho algumas vezes nesta semana. Deixei o telefone em casa de propósito e o negócio continua de pé. Está tudo bem. Então, como você está e como está o seu sobrinho?

Becca amou o fato de ele ter se lembrado da conversa sobre Luke. Com tantos clientes poderosos para se preocupar, ele estava perguntando sobre um garotinho de 6 anos.

– Ele está bem, obrigada. ADOROU a sua ideia de praticar alguma arte marcial. Rach colocou ele em um clube de férias de caratê, então muito obrigada.

– De nada. E você? Está bem mais animada esta manhã. Espero que isso não signifique que você planejou uma sessão de punição fitness abominável para mim.

Ela riu.

– Eu *estou* ridiculamente alegre, obrigada, apesar de ter ficado um ano mais velha hoje. E sobre a série...

– É seu aniversário? Parabéns!

– Obrigada. Não pensa que você vai ter um treino fácil por causa disso. Principalmente agora que descobri que você tem saído escondido para correr. Vamos começar.

Ela se juntou a ele mais uma vez em um aquecimento vigoroso – e por que não? Tinha o direito de agir feito boba no próprio aniversário, afinal –, depois passou as instruções para a corrida da manhã. Era estranho pensar que só faria mais algumas daquelas sessões, refletiu, enquanto eles partiam na habitual configuração "corrida e bicicleta". Assim que as seis semanas terminassem, Rachel estaria apta a assumir as rédeas da própria empresa, e ela já havia mencionado a intenção de estar presente em alguns treinos da semana seguinte, para dar instruções a distância e checar pessoalmente como os clientes estavam indo. Becca não sabia ao certo como se sentiria. Aprendera a gostar dos clientes após encontrá-los semanalmente e construir um relacionamento com cada um; era como se eles fossem *seus* clientes agora – alguns deles amigos, até. Além disso, sabia que Rachel não aprovaria alguns de seus métodos de treino pouco tradicionais quando os conhecesse. Talvez fosse melhor imprimir um punhado de acordos de confidencialidade antes disso.

– Então – disse Adam, enquanto corria –, esta semana é sua vez. Eu enchi você com a minha história no último treino, agora o holofote é todo seu. Desembucha, aniversariante. Quero saber todos os detalhes. *Minha vida maravilhosa*, por Becca, aos... 25 anos?

Ela fez uma cara de *É sério mesmo?* para ele (Mabel teria ficado orgulhosa).

– Na verdade, 31, mas parabéns pela tentativa de me bajular. Quanto aos detalhes sórdidos da minha vida... – Ela hesitou, sem saber ao certo o que contar. – Bom, o que quer saber? Minha carreira não tem sido um sucesso tão retumbante quanto a sua, por assim dizer. Hum... Faço joias e semijoias aqui e ali. Eu tinha uma pequena empresa com uma amiga, até que ela mudou de país. Sei fazer cúpulas para lustre, tricotar, cozinhar e... Ah, acabei de ser chamada para fazer calcinhas com babados em uma despedida de solteira. – Podia ouvir a própria voz ficando mais fraca a cada segundo. – Essas coisas. Enfim, a gente tem que parar em um minuto para você fazer flexões.

– Então você vai fazendo as coisas conforme os trabalhos aparecem, não é? – perguntou ele, ignorando a parte das flexões. – Você é autônoma?

– Sou – disse ela, depois franziu o nariz. "Autônoma" fazia aquilo parecer bem maior do que realmente era. – Para ser honesta, trabalhei na cozinha de um pub no último ano inteiro – admitiu. – Não senti vontade de produzir nada criativo por um bom tempo. Mas então minha colega de apartamento, Meredith, pediu que eu fizesse um diadema medieval. Bom, na verdade, tipo o da Galadriel, de *O Senhor dos Anéis*. Daí, na semana seguinte, ajudei outra pessoa a fazer uma tiara para o casamento dela e...

Adam parecia bastante confuso agora. Era óbvio que ele nunca vira uma pessoa tão desordenadamente fracassada em sua longa trajetória como consultor de negócios. Ela continuou falando alto, tentando se explicar:

– E eu curti, é isso que estou tentando dizer. Amei fazer isso, na verdade, me fez sentir feliz de novo! E vou tentar fazer mais coisas desse tipo, quero "me encontrar" outra vez, como diria minha mãe e... – *Meu Deus, Becca, cala a boca*, gritava o cérebro dela. *CALA A BOCA!* – Enfim – murmurou, como se essa fosse uma maneira razoável de terminar uma explicação. – Bom, vamos lá. Flexões!

Ela parou de pedalar e fingiu consultar a lista de exercícios.

– Parece legal – comentou ele em voz baixa. – Pelo menos eu acho.

– Então Rachel falou para... – Ela se interrompeu novamente, sentindo-se uma idiota. – Ah.

– Tocar o próprio negócio, quero dizer. Dedicar-se ao que a faz feliz. – Ele deu de ombros. – Acho que você deveria ir em frente. Por que não?

Ela tinha tanta certeza de que ele riria dela ou debocharia da bagunça que era sua "carreira" que ficou ali parada por um instante, esperando pelo "BRINCADEIRA!" – que não veio.

– De qualquer forma, está tudo meio no ar, na teoria, por enquanto – disse ela. – Tenho só alguns projetos pequenos para tocar, sabe? Mas é um começo.

Ele assentiu, juntando as sobrancelhas escuras ao franzir o cenho, pensativo.

– Certo, mas como você vai fazer esses projetos pequenos se tornarem algo mais concreto? Como vai expandir o negócio?

– Expandir o negócio? Hum... Bom, para ser honesta, tenho estado bem ocupada – comentou ela, arrumando uma desculpa. – Correndo atrás dos clientes da Rachel: duas mães, uma senhora de uma casa de repouso do outro lado da cidade e um senhor superdoce que estou ensinando a cozinhar, então...

– Pronto, você já tem um público cativo: seus primeiros clientes em potencial. Você deveria ser mais proativa com eles, mostrar o seu trabalho. Vai em frente!

Ele estava recostado em uma árvore, ignorando o treino, Becca notou, mas o cérebro dela estava muito ocupado tentando encontrar uma resposta.

– Bom... – começou ela, vacilante. Não era tão fácil quanto ele fazia parecer. – Na verdade, o trabalho das calcinhas veio de uma das clientes da Rachel.

– Você apresentou a ideia para a cliente, foi isso? Ofereceu o serviço, ganhou o negócio?

– Não – admitiu Becca. – Foi ela quem me pediu, então... – a voz dela foi sumindo.

– É disso que estou falando. Você precisa assumir o controle. Vai até as mães da escola e organiza uma festa para fazer calcinhas com elas também. Volta lá na casa de repouso e inventa... sei lá, um clube de tricô com os velhinhos. Vê se sua amiga da tiara tem bons contatos...

– Na verdade, ela vai me divulgar no blog dela – Becca se sentiu compelida a dizer, resistindo a acrescentar um *"Viu só?"* logo depois. Mas estava desconfortável, na defensiva. Como foi que aquele treino se tornou uma reunião de negócios? – *Enfim*.

Ele não parecia tão impressionado quanto ela esperava.

– Sem querer ofender...

Ah, pronto, pensou Becca.

– Todo mundo tem um blog hoje em dia – disse ele. – Ela só deve ter uns vinte leitores, se uma média servir de base. Olha, você já pensou...

– E *você*, já pensou que hoje é meu aniversário e você está fazendo com que eu me sinta uma bosta com as minhas perspectivas de carreira? – interrompeu Becca, ofendida, antes que ele pudesse continuar. – Vamos lá, flexões. Desta vez, de verdade.

Adam se apoiou nos joelhos e nas mãos, obediente – melhor assim –, com uma expressão um pouco envergonhada.

– Desculpa – disse ele. – É a força do hábito, por causa do meu trabalho. Não era minha intenção chatear você. É isso que eu faço, me meto nos negócios das pessoas, faço perguntas irritantes.

Becca se acalmou. Afinal, quem ela era para criticar alguém por se meter em alguma coisa?

– Tudo bem. Você provavelmente está certo, eu preciso me organizar nas próximas semanas, tomar umas decisões e resolver a minha vida. – Ela fez uma expressão cômica. – Ok. Abaixa aí e me dá vinte, como dizem. E chega de conversa.

Ele fez o que ela mandou – na verdade, ela gostou bastante de dizer "Abaixa aí e me dá vinte" – e depois se levantou, limpando as mãos no short.

– Mesmo assim, me desculpa – repetiu ele. – Esqueci que é seu aniversário, eu não devia ter lhe dado um sermão que nem um idiota arrogante. – Ele estendeu a mão para ela. – Amigos?

Ela riu.

– Você não é um idiota arrogante. Não se preocupa, vou usar e abusar do seu conhecimento assim que sentar para elaborar um plano de negócios. Enfim, você me deu boas ideias. – Ela apertou a mão dele com força. – Amigos – declarou.

A mão dele era bonita, pensou. Grande, forte, bronzeada... Então ela percebeu que ainda a estava sacudindo como uma maluca e a soltou imediatamente.

– Bom... – Consultou o papel. – Panturrilha! É o que a gente vai fazer agora. É para o tendão de aquiles e os músculos da panturrilha, de acordo com Rach. Vou demonstrar.

– O que você vai fazer mais tarde? Para comemorar o seu aniversário? – perguntou ele, sem prestar atenção no salto que ela tinha dado.

– O quê? Ah... – respondeu, surpresa. – Hum... Acho que meus sobrinhos planejaram uma surpresa com um bolo de aniversário zoado mais tarde, mas, fora isso... – Ela deu de ombros. – Todos os meus amigos estão em Birmingham, então não deve rolar nada além disso, acho. Bom, o objetivo deste exercício é...

– Eu poderia levá-la para tomar um drinque de aniversário, então – disse ele, sem interesse no novo exercício. – Depois do bolo zoado, é claro.

Ele estava sorrindo, mas aquelas palavras pareceram transformar o ambiente. Ela quase podia sentir o ar esquentar com uma nova e estranha tensão.

– Um... drinque? Ah!

Isso era um *encontro*? Ele a estava convidando para um *encontro*? *Ai, meu Deus. Espera só eu contar para a minha mãe!* (Argh. Não dava para *acreditar* que essa tinha sido a primeira coisa em que ela havia pensado.)

– Seria ótimo – respondeu, educadamente. – Claro. Obrigada.

E então, como ela se sentiu estranha de repente, mas também um pouco animada e nervosa, mudou de assunto:

– Bom, onde a gente estava? Exercícios de panturrilha. Vamos lá.

Capítulo Quarenta e Cinco

Naquela tarde, depois da escola, Rachel reuniu as crianças na cozinha e fechou a porta.

– Você não pode entrar aqui! – gritou Luke para a tia, caso ela ainda não tivesse notado. – A gente vai fazer umas coisas secretas agora, e você não pode ver.

– Que emocionante – respondeu Becca, rindo. – Tem certeza de que eu não posso nem dar uma olhadinha?

– Não!

– Ou sentar aqui do outro lado da porta para ouvir?

– Não, tia Bec, não pode! – Luke estava maravilhado com a oportunidade de dar ordens à tia. – Você tem que ficar na sala, senão... – Ele fez uma pausa para se inspirar. – Senão a gente vai comer o bolo todo!

– Ah, não, LUKE! – protestaram as irmãs enquanto ele tapava a própria boca, culpado.

Rachel riu. Seu menino nunca fora muito bom em guardar segredos.

O clima estava bom entre os quatro enquanto eles misturavam e batiam os ingredientes e quase conseguiam quebrar todos os ovos sem derrubar pedaços de cascas na tigela ou a clara pegajosa no chão. Estavam fazendo um pão de ló inglês de dois níveis, com chantili e framboesas – a sobremesa preferida de Becca, de acordo com Scarlet, que conduzira uma discreta entrevista no início da semana.

Todos pareciam felizes, pensou Rachel, soltando um pequeno suspiro de satisfação enquanto os observava se revezarem para mexer a massa, enfiando os dedos no cacau em pó derramado quando achavam que ela não estava olhando. A tempestade parecia ter se dissipado. Desde o fim de semana, Mabel passava cada minuto livre no galpão, pintando as paredes externas de azul-elétrico (provavelmente dava para vê-lo do espaço agora) e as paredes internas, de prateado. Becca a ajudara a colocar as cortinas e a instalar um cabo extensor vindo da casa para plugar uma lâmpada e um fio com luzinhas coloridas, que foram penduradas de forma artística, de um canto a outro, como bandeirolas brilhantes. Ter o próprio espaço, meio metro quadrado de privacidade, tinha feito uma diferença enorme no humor da filha. Ela já havia convidado algumas amigas para aparecer no fim de semana seguinte, ansiosa que estava para mostrar o novo cantinho.

"Todo mundo precisa de um projeto artístico", Becca havia dito, e Rachel estava começando a concordar com ela. Ainda não contara à irmã – imagine a gritaria! –, mas ela mesma havia arrumado umas amostras de tinta outro dia. Um rosa suave. Um malva-acinzentado. Uma cor água-marinha clara e brilhante, que a fazia pensar em nadar no mar. Becca estava sempre tirando sarro de sua "casa bege de classe média", e Rachel precisava admitir que ela tinha certa razão. Talvez fosse a hora de deixar os neutros sem graça para trás e alegrar o espaço com um pouco de cor.

Scarlet também era uma criança infinitamente mais feliz agora que o cachorro voltara para casa. Seu desempenho ao violino tinha mudado da serração frenética e raivosa para melodias suaves como canções de ninar. Ela fizera o exame de qualificação musical naquela semana e parecia bastante confiante. Tinha até se inscrito no show de talentos da escola no fim do ano e estava rindo de novo, sem a cara fechada e pálida de antes. Era tão bom ouvir aquela risada contagiante ecoando pela casa outra vez.

Luke era outro que havia mudado. Ele contou a Lawrence sobre as aulas de caratê que começaria a frequentar e, para surpresa (e deleite) de Rachel, o pai salvou uns vídeos curtos do YouTube no iPad dele, assim os dois podiam treinar alguns golpes juntos. Isso é que era trabalho em equipe, pensou, enviando um agradecimento mental a Lawrence. Aprender alguns movimentos simples já parecia ter aumentado a frágil autoestima do filho, ainda que ele não parasse de gritar "Haiiii-iaaaaa!" ao golpear as almofadas, a cama e o sofá. Mas ela podia conviver com aquilo, se ele estava feliz.

Talvez, quem sabe, pensou, os membros da família Jackson estivessem finalmente se recuperando, todos juntos.

* * *

A campainha tocou quando Becca estava soprando as velas do bolo de aniversário. O bolo, aliás, tinha sido um sucesso completo até Scarlet o derrubar no chão (nada limpo) da cozinha, e Rachel reprimir um grito de frustração – mas depois conseguir dizer, com muita calma, que eles teriam que jogá-lo fora e fazer outro. Por isso já eram sete e meia, e Luke, na verdade, deveria estar na cama.

– Quem é? – perguntou Mabel enquanto Becca corria para atender.

Boa pergunta. Quem era, afinal? Ora, era Adam, o cliente que antes a irmã detestava e que agora aparentemente a levaria para tomar um drinque. Uma mudança e tanto de opinião – Rachel nunca vira uma reviravolta tão impressionante. Na verdade, a descontraída Becca estava mesmo bastante agitada mais cedo, em pânico sobre o que vestir, perguntando se estava elegante demais, se seria exagerado usar brincos *e* um colar, se podia pegar as sandálias pretas de Rachel emprestadas. Para alguém que vivia reclamando de Adam, ela com certeza estava fazendo um esforço sem precedentes por aquele drinque.

– É para a tia Bec – respondeu Rachel aos rostos questionadores dos filhos, antes de enfiar a faca no bolo e cortar o primeiro pedaço. – Vamos ver se ele quer ficar para comer bolo ou se vai preferir levá-la embora.

– É um *menino*? É o *namorado* dela? – perguntaram Scarlet e Luke em voz alta, bem na hora em que Becca voltava para cozinha seguida por Adam.

Becca estava com a sua melhor calça jeans e uma blusa esvoaçante de chiffon azul-petróleo, com pulseiras douradas tilintando no pulso. Quando ouviu as perguntas dos sobrinhos, corou e lançou um olhar feroz na direção deles.

– Pessoal, este é Adam. Adam, você conhece Rachel, é claro, e estes pestinhas são Mabel, Scarlet e Luke.

– Espera – disse Scarlet, confusa –, eu achei que você não gostava do Adam.

– B-bom... – gaguejou Becca, lançando à sobrinha um olhar ainda mais feroz de "cala a boca".

– Adam Cabeça de Cocô? – insistiu Luke. – Eu também não gosto dele.

Ó, céus. Crianças e sua sinceridade implacável. Crianças leais, protetoras e que tinham memória de elefante.

– É outro Adam – apressou-se em dizer Rachel, já que Becca parecia ter perdido temporariamente o poder de fala. – Este é o Adam legal, não o Adam, ahn, Cabeça de Cocô. Está bem? E ele vai comer um pedaço de bolo com a gente. Quer dizer, espero que ele coma, se vocês não tiverem assustado o coitado. Vocês podem se lembrar das boas maneiras, por favor?

Adam comprimia os lábios como se estivesse achando a coisa toda hilária.

– Este Adam Cabeça de Cocô deve ser um idiota – comentou, quando Rachel voltou a cortar as fatias.

– É mesmo. A tia Bee *odeia* ele – enfatizou Scarlet. – Ela disse que queria dar um *soco* nele, mas...

– Scarlet, já chega – alertou Rachel com um tom mais severo, colocando o primeiro pedaço de bolo no prato da irmã. – Toma, Bec – disse, passando o prato a ela.

Becca ainda estava vermelha. Primeira lição de como conviver com crianças, Rachel pensou: cuidado com o que você diz perto destas orelhinhas. As crianças se lembram de *tudo*, e você nunca sabe em que episódio humilhante aquilo será usado contra você.

– Obrigada – disse ela com uma voz estrangulada.

– Aonde vocês dois vão? – perguntou Rachel antes que Scarlet tivesse a chance de fazer outro comentário sem noção.

Felizmente, as crianças estavam com os olhos grudados no bolo, monitorando com precisão forense o tamanho de cada pedaço e qual escolheriam.

– Eu pensei em dar um pulo no Leo's – respondeu Adam, aceitando o prato que Rachel lhe oferecia. – Você conhece? É um pequeno bar de vinhos em uma rua lateral perto da catedral. Tem umas tapas incríveis.

– Ah, boa ideia – comentou ela, sorrindo para a irmã, cujo rubor estava começando a se dissipar. – Lá tem um jardim lindo no pátio, é perfeito para uma noite como esta.

Ela se virou para as crianças e começou a distribuir as fatias de bolo, com um sentimento desconcertante. Inveja? Aquilo era mesmo inveja? Não porque Becca sairia com *Adam* especificamente, mas porque ela estava prestes a ter um encontro com um cara que sorria para ela com aquela atenção e ria do farelo de bolo de chocolate que parecia estar soldado em seu lábio superior, seus olhos suavizados pelo afeto enquanto ele retirava a migalha. Era do romance que sentia inveja, pensou, virando o rosto para esconder sua expressão.

O romance de passar batom, sentir o coração batendo um pouco mais forte, imaginar o que aconteceria no fim do encontro. Torcer para que uma noite juntos e uma garrafa de vinho levassem a outra coisa... E o Leo's Bar *era* uma graça. O jardim estaria enfeitado com lanterninhas, as rosas trepadeiras estariam em plena floração, com um aroma divino, e o céu noturno escureceria ao redor deles, indo de um pêssego translúcido a um denso azul-escuro...

Quando fora a última vez que se sentara no jardim morno e perfumado de um pub e dera a mão a um homem do outro lado da mesa de madeira envelhecida? Fazia anos. Por muitos verões, ela e Lawrence estavam ocupados demais, cansados demais, tudo demais para fazer surpresas românticas um para o outro.

– Muito obrigada a todos, estava delicioso – disse Becca, colocando o prato vazio na mesa e lambendo os lábios com prazer.

– Estava ótimo – concordou Adam. – Muito bom. Em qual confeitaria vocês compraram mesmo?

Own. A alegria no rostinho das crianças.

– *A gente* que fez! – exclamou Luke.

– Não é de uma *confeitaria* – acrescentou Scarlet, satisfeita.

Até Mabel, que sabia que ele os estava bajulando, pareceu encantada e logo quis tirar vantagem da situação:

– A gente aceita encomendas – comentou, piscando repetidamente. – Só 20 libras por bolo.

– Vinte e cinco – corrigiu Scarlet imediatamente.

– Cinquenta – arriscou Luke logo depois.

Adam riu.

– Eu acho que vocês três precisam dar umas dicas de empreendedorismo à tia Becca aqui – respondeu ele, esquivando-se quando ela fingiu bater nele. – O bolo estava espetacular. Meus cumprimentos aos confeiteiros. – Ele fez um gesto com a cabeça em direção à porta e sorriu para Becca. – Vamos?

– Vamos – disse ela. – Obrigada a todos, meu aniversário foi incrível. Vejo vocês de manhã. Não me esperem acordados!

Então mandou um beijo para cada um, piscou para Rachel e saiu. Rachel ouviu suas risadas flutuando no corredor enquanto a porta se fechava atrás deles.

– Então *quem* é o Adam Cabeça de Cocô? – quis saber Scarlet, enquanto passava o dedo molhado no prato na vã esperança de capturar as últimas moléculas de bolo que poderiam ter lhe escapado. – Estou confusa.

– Era *ele*, imbecil – respondeu Mabel. – E não foi *nem um pouco* constrangedor para a tia Bec quando vocês começaram a falar mal do cara bem na frente dele. Meu Deus!

O queixo de Scarlet caiu e ali ficou por cinco segundos inteiros.

– Mas achei que... achei que ela odiasse esse cara. Por que ela saiu com ele então?

– Bom, eu gosto dele – declarou Luke. – Principalmente se ele der 50 libras para a gente.

– Ele não vai fazer isso... – respondeu Scarlet, exasperada.

Ela ainda estava perplexa com aquela reviravolta repentina. Mas um dia ela entenderia, pensou Rachel ao empilhar os pratos.

– Este é só um dos mistérios do amor – explicou Rachel a ela. – O amor e o ódio às vezes estão mais próximos do que a gente pensa.

– Eca – disse Scarlet, estremecendo. – Bom, eu odeio Josh Rawling e, estou lhe dizendo, não tem chance nenhuma de eu amar *ele* um dia. Tá?

Rachel sorriu com sarcasmo ao ver a filha empinar o nariz e se afastar. Amor e ódio... ela sentira os dois durante o casamento, mas parecia que estava começando a superar tudo agora. O amor dela, depois o ódio, por Lawrence tinham dado lugar a uma espécie de aceitação relutante nos últimos dias. Civilidade. Não que *isso* fosse algo a que uma jovem sonhadora e romântica aspirasse, é claro, mas já era bem melhor do que o clima de hostilidade de antes.

Ela colocou a louça na máquina, imaginando se Becca e Adam se dariam bem, se eles ainda estavam rindo e se conseguiriam uma mesa no jardim do Leo's. Será que aquele era o início de uma história incrível para a irmã? Esperava de coração que sim. Becca merecia o melhor, e Adam parecia ser um cara legal. Contanto que suas atitudes de "cabeça de cocô" tivessem ficado para trás, é claro. Caso contrário, ele iria se ver com sua irmã mais velha e os três filhos linguarudos dela – e *realmente* teria do que se arrepender.

Ultimamente, Rita Blackwell estava vendo a filha de maneira diferente. Afinal, se Carol não tivesse agendado aquela série de treinos, ela nunca teria conhecido a encantadora Rebecca e tido a oportunidade de voltar à horta no verão, bem a tempo da colheita das frutas vermelhas. *E*, é claro, tampouco teria reencontrado Michael Jones. Só isso já valia a indignidade de ser obrigada a fazer polichinelos no estacionamento do Willow Lodge uma vez, com Malcolm Banks rindo dela na janela.

E agora Michael voltara à vida dela. Michael Jones, encantador como um bolinho galês! Dizer que ela tinha ficado surpresa ao vê-lo seria um eufemismo. Na verdade, ela tinha ficado tão atordoada com o choque que pensou por um momento que sua angina estava atacando de novo, antes de perceber que estava tonta era de pura alegria. Nossa, não se sentia assim desde que era adolescente e seu amado George a tirou para dançar no Hillside Ballroom! Era engraçado como a vida dava voltas. Quando você já tinha mais de 70 anos, conseguia prever melhor o curso dos acontecimentos, porque já entendia os padrões recorrentes da vida. Mas ninguém podia adivinhar que ela agora estaria ajudando Michael Jones em seu jardim de grama crescida e que os dois conversariam sobre as respectivas filhas como se Shona e Carol ainda usassem meias três-quartos e marias-chiquinhas.

"Tchau", disseram eles um ao outro meio sem jeito ao fim do primeiro encontro na semana anterior, quando Becca olhou para o relógio e avisou que elas precisavam ir, porque os funcionários do Willow Lodge deviam estar procurando por elas. Foi uma tarde tão agradável que Rita não queria ir embora, que acabasse. "Bom, tchau, então. Foi muito bom ver você", disseram um ao outro na soleira da porta, olhos nos olhos, toda uma conversa acontecendo sem palavras.

Um segundo se passou, depois dois. Uma carrocinha de sorvetes se anunciou ao longe, tocando uma melodia familiar – *Oh where, oh where, has my little dog gone?* –, e a música fez Rita sentir saudades da juventude, de todos aqueles anos que haviam ficado para trás. Quantos verões e quantos sorvetes eles ainda teriam pela frente?, perguntou-se. Ela não era muito de perder tempo.

"Talvez a gente pudesse...", começou a dizer, ao mesmo tempo que ele perguntava: "E se a gente...?"

Becca tinha se afastado discretamente em direção ao carro e estava verificando algo no celular.

"Primeiro as damas", disse Michael, cavalheiro como sempre. Alto e vivaz, ele ainda tinha aquele brilho nos olhos e uma cadência galesa na voz. Ela sempre gostou da voz dele.

"Bom, eu estava pensando", continuou, de repente nervosa (ela, nervosa!). "Foi tão bom ver você de novo, talvez a gente possa se encontrar outra vez? Talvez a gente..."

"Claro", concordou ele timidamente, quando ela já estava temendo fazer papel de boba. "Eu adoraria." Os anos pareceram derreter quando ele fixou seus olhos nos dela, firmes e seguros. "Mesma hora na semana que vem? Posso fazer uns biscoitos. Estou craque nisso agora, sabe?"

"E eu posso preparar a terra daquela sua horta, plantar umas sementes de vagem lá para você." Ela podia sentir a boca se abrir em um sorriso e uma alegria crescer dentro de si. "Mesma hora na semana que vem, então."

E lá foram elas na sexta seguinte, Rita e Becca, depois que ela jurou não contar a Carol ou Rachel que não estava fazendo exercícios propriamente ditos. Quando Becca bateu à porta do chalé de Michael, Rita se sentiu como uma garota diante da perspectiva de vê-lo de novo. Uma garota, sim! Como havia dito a Joan, que dormia no quarto ao lado do seu no Willow Lodge, ele sem dúvida era um homem muito bonito. Então o que uma mulher deveria fazer naquela situação? *Vai em frente, boneca,* aconselhou Joan, baixando uma trinca de rainhas com ar de triunfo. Elas estavam jogando pôquer, um jogo que a perspicaz Joan sempre parecia ganhar (Rita suspeitava que ela fora uma vigarista no passado, por isso tinha jurado nunca apostar nada além de palitos de dentes). *Vai em frente,* repetiu Joan, recolhendo os prêmios com a mão trêmula. *Uma segunda chance, na nossa idade? Aproveita essa por todas nós!*

Quer saber, Joan?, pensou Rita, ao ver pelo vidro ondulado a figura de Michael se aproximar. Acho que vou aproveitar mesmo.

Foi tão bom ver Michael da segunda vez quanto foi da primeira. Ele havia assado uns *scones* para a ocasião – tudo bem, estavam meio crus e moles (mas a tentativa foi fofa da parte dele, pensou Rita, mastigando com determinação e torcendo para que a massa pegajosa não grudasse na dentadura). Ele também havia comprado algumas plantas de um horto, sobre as quais ela ficou muito feliz de dar conselhos. Rita sempre se orgulhara de ser astuta e observadora – em outra vida, teria sido uma detetive, nada lhe escapava –, mas, mesmo assim, com tudo o que estava acontecendo, demorou um pouco para perceber que havia algo estranho em Becca naquele dia. Ela tinha uma expressão abobalhada e sonhadora, olhando para o nada, sorrindo sozinha, como se os canteiros de flores de Michael fossem a coisa mais maravilhosa que já tivesse visto na vida (pode acreditar: não eram. As habilidades de jardinagem do homem eram quase tão inexistentes quanto seu talento para fazer *scones*, então você pode imaginar. Não que ela tivesse coragem de falar isso para ele, é claro).

Michael também notou.

– Alô, alô – disse, estreitando os olhos. – Está com a cabeça no mundo da lua, querida? Perdida em algum sonho, é?

Becca corou e ficou toda envergonhada, olhando para baixo e piscando os cílios recatadamente. Foi então que a ficha de Rita caiu.

– Se eu não fosse muito esperta, ia pensar que esta aqui está apaixonada – adivinhou, o que fez a garota corar ainda mais.

Rá. Acertei de primeira, pensou ao sorrir de soslaio para Michael.

– Apaixonada? Namorado novo, é? – quis saber Michael. – Quem é o sortudo? – Ele começou a cantarolar "Some Enchanted Evening", e Rita o acompanhou.

Becca caiu na risada. A garota era uma graça de qualquer jeito, mas hoje havia uma luz especial brilhando naqueles olhos azuis; ela parecia muito feliz.

– Ah, é só um cara com quem eu saí ontem à noite. Mas vocês dois podem parar de me provocar! – exclamou ela, conforme a cantoria ficava mais alta.

– Bom – disse Rita, erguendo uma sobrancelha –, se continuar nesse ritmo, acho que vou precisar de um chapéu novo. Eu amo casamentos no verão, Michael, e você?

– Eu também, com certeza – respondeu ele.

– Vocês dois, hein? – repreendeu Becca. – Foi só um encontro! Fala sério!

– Ah, mas às vezes já é o suficiente para *saber* – comentou Michael. – Não é verdade, Rita?

Ele estava sorrindo para ela, com os olhos cheios de emoção. Rita sentiu um frio na barriga e a respiração de repente ficar presa na garganta. *Meu Deus, Rita velha de guerra*, pensou, sentindo os joelhos deliciosamente bambos. *Você deve ter tomado muito sol.*

– É – ouviu-se dizer com uma voz tão distante que por um minuto teve dúvidas de que realmente havia falado alguma coisa. – É, acho que é o suficiente para saber.

Capítulo Quarenta e Seis

Foi só um encontro, Becca dissera a Michael, rindo da expressão debochada deles. Foi só um cara. Mas... ah! *Que* encontro, e... ah, que cara!

Antes, ela estava uma pilha de nervos, não conseguia parar de pensar no último encontro desastroso com o cara que trocara o nome dela e, antes dele, o chato fedorento obcecado por futebol. Mas a verdade é que havia algo bastante relaxante em sair com um homem que já vira você no seu pior momento – com o rosto vermelho, gritando e atirando uma bola de papel nele. De alguma forma, isso aliviou a pressão. Ela não tinha que se preocupar com as habituais tentativas desesperadas de fingir que era descolada, sofisticada e feminina e que pareciam gritar *Me ame! Me ame!*, já que os dois sabiam que ela não era nada disso mesmo. Então caiu de boca nas *patatas bravas*, na sardinha à milanesa, nas *albondigas*, no *chorizo* e na cerveja espanhola, lambendo os dedos a cada azeitona salgada. Eles contaram histórias engraçadas da infância e de encontros ruins, e ela se viu rindo tão alto em determinado momento que o homem da mesa ao lado se virou para eles, surpreso. Não importava; Adam riu também. E o coração dela, que parecia estar fossilizado até então, coberto por musgo desde que o pai morrera, se alvoroçou com alegria no peito, como se dissesse: *Estou de volta!*

Na verdade, Adam não correspondia a nenhum dos insultos que ela havia proferido quando o conheceu. Ela gostava dele. Ele era engraçado e inteligente, uma boa companhia. Sexy também, com seu jeans escuro e camiseta cinza-mescla, rindo dela com aqueles olhos cor de chocolate. Ela gostava do fato de ele ser competitivo, ambicioso e determinado; forjado assim por ser o caçula de quatro irmãos, segundo ele. Ela também gostou de vê-lo interagir de forma tão carinhosa com os sobrinhos na hora do bolo e encarar os comentários (horríveis, abomináveis) deles na esportiva – ainda bem; ela, por outro lado, poderia muito bem ter estrangulado Scarlet por aquela gafe monumental. E era fácil conversar com ele. Becca não precisava se controlar ou tentar ser alguém que não era. Bastava ser ela mesma, e estava tudo bem.

O melhor de tudo é que, no fim da noite – quando de alguma forma quatro horas inteiras já tinham se passado em um segundo e o céu estava escuro –, eles estavam cambaleando meio embriagados em direção à casa de Rachel, quando Adam parou no meio da rua, escorregou os braços até a cintura dela e disse: "Eu acho que você é extraordinária pra cacete, Becca Farnham." E, antes que ela percebesse, os lábios dele estavam colados nos dela, frios e macios, e eles estavam se beijando como um casal de adolescentes bem em frente a uma loja da Peacocks. A boca dele tinha gosto de vinho tinto, e ela podia sentir o cheiro de sua loção pós-barba, fresca como a chuva, e os músculos de suas costas enquanto deslizava as mãos pelo corpo dele.

Era o tipo de beijo que deixa a pessoa tonta, que a faz sentir fogos de artifício pelo corpo, a deixa feliz, muito feliz por estar viva e presente ali.

– Feliz aniversário – disse ele ao ouvido dela.

– Ficou mais feliz agora – respondeu ela, também ao ouvido dele.

Ele era muita areia para o caminhãozinho dela, Becca não parava de pensar depois que eles se despediram e ela se deitou na caminha de Scarlet, sorrindo abobalhada para as estrelas coladas no teto que brilhavam no escuro. *Muita* areia para o caminhãozinho dela. Ele era bem-sucedido e enérgico; com certeza bom demais para alguém como ela, a sonhadora e inconstante Becca, que gostava de confeccionar coisas e vagar por aí no seu mundinho. Mas ele falou que gostava dela, lembrou, sentindo um formigamento. Ele disse que ela era *extraordinária pra cacete* e a beijou com uma paixão ardente enquanto a envolvia em um abraço apertado e sensual.

Acredite. Sensual, sim. Com um único beijo, ela voltou a ser uma menina de 15 anos caída de amores pelo crush. Bom, tá bem, não exatamente com um *único* beijo. Foram vários no total. O suficiente para virar a cabeça de uma mulher.

Pode me considerar de cabeça virada, pensava desde então. Durante o encontro com Rita na manhã seguinte, enquanto fazia compras no supermercado, ao passar o esfregão no chão da cozinha de maneira sonhadora e nem se importar com o rastro de pegadas que Harvey estava deixando bem ali, após voltar de uma caminhada com Rachel. De cabeça virada pela paixão... Hum. Isso era bom.

– Você sabe que vou ter que reportar isso tudo para a sua mãe, para cumprir o meu papel de espiã oficial de Hereford – disse Rachel, brincando, na sexta à noite. – Gato novo no pedaço, império de tiaras e calcinhas a caminho... sua vida está mudando neste verão, Bec.

Elas estavam sentadas no quintal, com uma jarra de Pimm's sobre a mesa e diante de um trio de nuvens rosadas do anoitecer, que pareciam imensos algodões-doces. Becca sorriu, pegou do copo um pedaço de morango embebido em álcool e o jogou na língua, onde ele borbulhou deliciosamente.

– Que Deus nos ajude, porque ela vai derreter o telefone de tanto gritar quando ouvir as notícias. Preparem-se para a surdez iminente, vizinhos.

Rachel riu.

– Obviamente, vou ficar com pelo menos noventa por cento do crédito, já que fui eu que apresentei você para Adam...

– Pode ficar, você merece. Minha mãe provavelmente vai se oferecer para ser sua escrava para o resto da vida quando souber o papel decisivo que você teve nessa história toda.

Becca sorriu ao se lembrar da primeira vez que havia falado com Adam ao telefone, da forte aversão que sentira por ele. Parecia que tinha sido anos antes. Desde então, ela havia saído completamente de sua zona de conforto – cuidando das crianças, atuando como personal trainer substituta, bancando o cupido para Rita e Michael, cozinhando, pedalando, trabalhando na horta, confeccionando tiaras –, que mal se lembrava de como era sua velha e segura vida em Birmingham.

– O que me assusta um pouco é que eu teria passado a vida à deriva no meu mundinho chato se não tivesse vindo para cá neste verão, sabe? – continuou ela, pensando em voz alta. – Foi só quando fui forçada a fazer todas essas coisas novas e apavorantes na sua ausência que comecei a me perguntar se a minha vida era o suficiente para mim: o apartamento, juntar um trocado pulando de emprego ruim para outro, ter como ponto alto da minha semana um triste almoço com minha mãe...

– E agora, você acha que quer algo mais?

– Sim, acho que sim. No começo, fiquei um pouco irritada porque Adam me perguntava de trabalho o tempo todo: qual é o seu plano de carreira? O que você vai fazer com isso? E agora, quais são os próximos passos? – Ela fez uma careta. – Fiquei na defensiva. Tipo, *eu* não sei! Por que você está *me* perguntando isso? Mas pelo menos fui forçada a pensar sobre o assunto. Organizar as minhas ideias. O que *quero* fazer?

– E...? – incitou Rachel. – Você já tem alguma resposta?

– Bom, ele me deu algumas dicas, é claro. Não se aguentou e falou que eu tinha que traçar um plano de negócios, identificar clientes potenciais, levantar a bunda da cadeira e fazer alguma coisa, em vez de ficar esperando o emprego perfeito cair no meu colo. Blá-blá-blá.

– Mas que tipo de plano de negócios?

Becca de repente ficou constrangida. Ela nunca seria uma grande empreendedora. Sua ideia de negócio tinha muito mais o estilo artesanal de uma empresa caseira do que o de uma corporação com legiões de funcionários, alta rotatividade e processos de gestão.

– Quero continuar a fazer o trabalho que sempre amei – disse ela, hesitante. – Produzir coisas com outras pessoas: joias, costura, artesanato. Percebi que é isso que me move, que me deixa feliz. Agora eu só preciso focar em mostrar o que faço por aí e procurar trabalhos. Podem ser despedidas de solteira, aulas particulares, clubes de artesanato no contraturno da escola... quem estiver interessado. – Becca torceu o nariz. – Até pensei em um nome para a minha empresa. – Então ela ficou *realmente* tensa. – "Seja Feliz" – revelou, com uma risadinha nervosa. – O que você acha?

– "Seja Feliz" – repetiu Rachel. – Eu amei! É perfeito, porque você realmente faz as pessoas felizes, Bec. É verdade! – Elas sorriram uma para a outra timidamente. Então a voz de Rachel se tornou deliberadamente casual: – E isso seria em Birmingham, não é?

– Hum... – A pergunta que não queria calar. – Essa era outra coisa que eu ia falar. A princípio, posso viajar a trabalho para qualquer lugar, dentro do razoável – respondeu Becca. – Mas realmente gostei desta área. É bom estar perto de você e das crianças. E caramba! Eu e Adam... foi só um drinque, só um beijo, não é que eu esteja depositando todas as minhas esperanças em um conto de fadas ou algo assim, mas... – Ela deu de ombros, sentindo as bochechas queimarem. – Quero ver no que vai dar. Quero dar uma chance para a gente. E, já que eu não tenho nenhum grande compromisso no momento, pensei em avisar a Meredith que não vou voltar para o apartamento e procurar um lugar para alugar aqui por perto.

– Ah, Becca! – exclamou Rachel, com a voz de repente carregada de emoção. – Isso seria incrível. Eu adoraria. As crianças também. Ah!

Então Rachel, a pessoa mais reservada do mundo, largou o drinque na mesa e se lançou nos braços da irmã, apertando com força o pulso engessado contra as costas dela, embora Becca não tenha dado a mínima para a dor.

Seja Feliz, pensou ela, o logotipo de repente se materializando na sua cabeça. Rachel e as crianças a faziam feliz. Estar ali a fazia feliz. Até então, aquele verão fora um exercício de lembrar como era ser feliz. Ela retribuiu o abraço da irmã com um sorriso imenso no rosto, a mente girando pelo entusiasmo diante do que estava por vir.

Na manhã de segunda-feira, Becca encontrou Hayley para o treino semanal, que se provou animado e divertido como sempre. Foi só quando elas se despediram que Hayley perguntou, sorrindo, se ela havia recebido algum e-mail interessante ultimamente.

– Eu? Acho que não – respondeu Becca, confusa. A bateria do celular dela tinha acabado no dia anterior, e ela deixara o aparelho carregando. Em meio ao caos habitual da segunda de manhã, não tivera um minuto sequer para olhar as mensagens. – Por quê?

– Nada, estava só aqui pensando... – comentou Hayley, de maneira intrigante. – De qualquer forma, obrigada por hoje. Até semana que vem!

Ao pedalar para a casa de Rachel, Becca se perguntava do que ela estava falando. Chegando lá, largou a bicicleta e correu direto para o celular. Talvez Hayley tivesse enviado a ela o convite do casamento, pensou, empolgada. Ou algum documento oficial fazendo a reserva para a festa das calcinhas. Ou...

O ícone de e-mail piscou quando o celular voltou à vida, e em seguida o número 220 apareceu no canto da tela. Como assim, 220 novos e-mails?

Não podiam ser todos de Hayley. Ela fitou o aparelho, perplexa, perguntando-se se o aparelho havia sido hackeado e se aqueles 220 e-mails eram spams tentando vender Viagra ou próteses penianas. Provavelmente.

Ao clicar no ícone, a caixa de entrada se abriu na tela – e no segundo seguinte ela levou a mão à boca, soltando um gritinho ao ver e-mail atrás de e-mail, uma lista imensa deles, quase todos com o assunto "Tiara".

Não... O quê? Como assim...?

Atordoada, clicou em um deles aleatoriamente e passou os olhos pela mensagem. Então clicou em outro e mais outro, sem acreditar no que estava vendo. As frases saltavam sobre ela, enredando-se em sua mente confusa.

Eu sou fã da coluna e do blog "Lá vem a noiva", da Hayley George
Eu li o artigo do The Sunday Telegraph
Estou interessada no seu serviço de joalheira sob medida
Sou leitora do The Sunday Telegraph *e vou me casar no ano que vem, então sempre vou direto nos artigos da Hayley...*

Espera um minuto, pensou, confusa. *Para tudo*. Hayley – a *sua* Hayley – era uma jornalista de verdade? O blog sobre o qual ela havia comentado de maneira tão casual tinha alguma coisa a ver com o *Sunday Telegraph*?

Não. Ela teria dito, é claro. Ela teria comentado que escrevia para um jornal de alcance nacional. Não teria? Becca vasculhou a mente tentando lembrar se Hayley havia falado de trabalho alguma vez, mas seus pensamentos continuavam voltando para todos aqueles e-mails que havia recebido. Os 200 e tantos e-mails! Por causa de Hayley!

Com as mãos tremendo, abriu o navegador e foi até o site do jornal, depois digitou o nome de Hayley no campo de busca. Só podia ser engano, pensou. Alguém estava tirando sarro dela.

O queixo dela caiu quando uma nova página surgiu com o rosto de Hayley no topo e uma lista de artigos que ela havia escrito. O mais recente se chamava "Lá vem a noiva nº 42: experimente uma tiara".

Becca sentiu o coração quase saltar pela boca. Suas mãos estavam úmidas. Quando ela clicou no link do artigo, outra página se abriu, com uma foto artística de foco suave da tiara que Hayley havia feito ali mesmo, na mesa de Rachel, e uma imagem mais profissional de Hayley usando a joia enquanto sorria para a câmera. *Ai, meu Deus*, pensou Becca, quase sem acreditar no que via. Aquilo tinha realmente acontecido? Com ela?

"Todos saúdam a princesa Hayley", começava o artigo.

Sem reverências, não entrei secretamente para a Família Real – mas quando estou usando esta belezura, sinto como se tivesse entrado. E o mais surpreendente é que eu mesma fiz esta tiara. Sério! Se você gosta da ideia de ter joias feitas à mão para o seu casamento ou para uma ocasião especial, continue lendo este texto, porque encontrei a pessoa certa para te ajudar.

– Não – murmurou Becca. A pessoa perfeita: Hayley estava falando dela. Rá! – Não – repetiu, incrédula. – Não é *possível*.

Mas quando terminou de ler o artigo e voltou aos e-mails dos leitores interessados, começou a sentir o borbulhar poderoso de um "É isso aí!" dentro de si. *É isso aí, Becca! Parece que são clientes de verdade. É isso aí, Becca. Isso está mesmo acontecendo, e com você. É isso aí, Becca! Parece que sua empresa está indo muito bem, obrigada.*

Becca caiu na risada enquanto se perguntava, zonza, para quem deveria ligar primeiro, Hayley ou Adam. Então Rachel entrou na sala.

– Está tudo bem aí? O que foi? – perguntou, enquanto Becca se virava para ela, antes de começar a tagarelar.

– Tu-tudo bem – gaguejou, apontando para a tela, meio histérica. – Olha: pedidos. Clientes. *The Sunday Telegraph*. É isso, Rach. É isso!

Capítulo Quarenta e Sete

Duas semanas e meia depois

– CORRE, TIA BEC!
– A GENTE PRECISA IR!
– A GENTE VAI SE ATRASAR!

Pequenos punhos batiam contra a porta, e ela deu uma última ajeitada no cabelo, fazendo uma careta para o espelho.

– Estou indo! Está bem! Estou *indo*!

Todos os olhos estavam sobre Becca quando ela desceu para o vestíbulo dentro de um tubinho sexy azul-escuro, de batom vermelho e salto alto. Ela havia alisado o cabelo, borrifado um pouco de perfume e vestido sua melhor calcinha também, só para garantir.

– *Essa* é mesmo a minha filha? – perguntou Wendy, olhando de novo.

– Nossa! – comentou Rachel. – Sei que o show de talentos da Poplar Primary School é *o* evento social do ano, mas você realmente levou isso a sério, Bec.

– Você está linda – elogiou Luke, levantando o tapa-olho de pirata para fazer uma inspeção mais cuidadosa. – A gente pode ir agora?

Becca mostrou a língua para a irmã. Ela não estava apenas indo para o show de talentos da escola (o evento do ano), mas também tinha um encontro logo em seguida, como Rachel bem sabia. Seu quinto encontro com Adam: eles tomariam uns drinques e comeriam massa em uma cantina toscana rústica que tinha acabado de abrir na cidade. *Mamma mia*. Mal podia esperar.

– Vamos.

***

Ao caminharem juntos para a escola, eles pareciam fazer parte de um estranho desfile de moda: um pirata, uma violinista, uma adolescente ao celular, e ela, Rachel e Wendy na retaguarda. Rachel já não tinha tanto medo de aparecer em público, porque estava praticamente recuperada agora. Naquela manhã, elas haviam voltado à clínica ortopédica pela última vez, e o gesso tinha sido retirado do pulso dela, revelando uma pele rosada e uma articulação novamente funcional. Na segunda-feira seguinte, ela removeria a grade de metal da boca e estaria livre para comer, beber, beijar, rir, bocejar e gritar quanto quisesse. Ela sugeriu, de brincadeira, fazer uma fogueira cerimonial para destruir o liquidificador e todas as receitas de sopa que houvesse na casa – ou pelo menos Becca pensou que fosse uma brincadeira (a sopa dela não era tão ruim assim, era?).

Na última quinzena, Rachel vinha melhorando seu condicionamento físico com caminhadas nas montanhas, corridas leves no parque e vários exercícios torturantes para o *core* em um tapetinho no chão da sala – o que não deixaria uma pessoa se sentindo nem um pouco culpada enquanto assistia a programas ruins na TV e devorava um pote de sorvete. Mas dava para ver que isso a fazia feliz: os olhos dela estavam brilhando de novo, ela fazia mais brincadeiras com as crianças e havia nela uma nova leveza.

– Você até que é uma pessoa bem legal quando não está se arrastando por aí, se fazendo de vítima – disse Becca a ela, meio de brincadeira, meio a sério, e logo recebeu uma almofadada na cara pela sinceridade.

Mas isso é que era maravilhoso – o fato de elas agora terem o tipo de relacionamento em que podiam falar umas verdades de vez em quando e jogar almofadas uma na outra. Ter uma irmã com quem você se dava bem não necessariamente significava passar dias no spa, ser a madrinha de casamento uma da outra ou alugar uma casa de veraneio para passar as férias juntas. Na experiência de Becca, tinha mais a ver com fazer piadas, trocar olhares que diziam tudo e debochar. Com direito a arremessos de almofadas também. Ninguém escrevia isso nos cartões.

– Então vou conhecê-lo hoje, esse Adam? – perguntou Wendy. – Ele vai ao show também?

– Não – disse Becca. – Está maluca? Claro que não.

– Mas *a gente* conheceu ele – disse Scarlet, se gabando, já que obviamente estava escutando a conversa.

– Ele vai pagar 50 libras para a gente fazer um bolo – acrescentou Luke, animado. – Ele disse que ia!

– Ele não vai fazer isso – explicou Becca a Wendy –, e eu vou mantê-lo longe de você também, pelo menos pelos próximos quinhentos encontros. Então é melhor desistir agora, tá? Porque não vai rolar.

Wendy fez um bico.

– Não precisa ser tão melodramática, Becky. Eu só estava perguntando.

Certo. E ela poderia perguntar até morrer, que Becca continuaria guardando Adam só para si mesma por um tempo. Em parte, porque não resistia a provocar a mãe, mas também porque... bom, basicamente estava gostando de tê-lo somente para ela no momento. Ele era gentil. Engraçado. Lindo. *Posso levar um acompanhante para o casamento?*, ela havia perguntado por mensagem a todas as amigas que estavam noivas. *Estou saindo com um cara muito gostoso, me dei bem!*

Até então, os dois tinham saído juntos outras três vezes depois daquela primeira noite no Leo's. Um jantar no Castle House (fabuloso). Um passeio de bicicleta a dois ao longo do rio, até encontrarem um prado com grama alta e flores silvestres, onde fizeram um piquenique com quiche e salada de uma delicatéssen e brindaram com cerveja gelada, observando um par de libélulas cintilantes desenharem padrões iridescentes no ar. E, mais recentemente, ele havia preparado um jantar na casa dele, uma esplêndida construção vitoriana de pedra em Broomy Hill, que tinha um terraço nos fundos e vista para o Wye Valley. Bife com batatas fritas e uma garrafa de vinho (sim, ela *dormiu* lá. Sim, *foi* incrível. Sim, ela *acordou* na manhã seguinte com um sorriso imenso no rosto).

Devia haver alguma coisa na água de Hereford naquele verão, porque Rita e Michael também estavam passando muito tempo juntos. Aparentemente, Rita estava ensinando Michael a fazer *rock cakes* e um excelente *bubble and squeak*, ao passo que ele a levava para viagens de um dia – uma vez para Berrington Hall e Croft Castle, outra para Telford. Houve até quem dissesse que eles iam passar umas férias curtas no amado País de Gales de Michael, então aquilo devia ser sério.

A série de treinos de Rita havia acabado, e ela explicou a Becca, desculpando-se, que, como Michael havia se oferecido para levá-la à horta sempre que ela quisesse, não precisava mais daquelas sessões. No entanto, havia recomendado os serviços de Rachel a outros moradores e sugerido ao gerente da casa de repouso que ela fizesse uma leve "aeróbica da terceira idade" (nas palavras de Rita) com os "detentos" (palavras dela também), o que era promissor. E ainda que Becca não tivesse nenhuma razão oficial para se encontrar com Rita e Michael agora, estava planejando manter contato com os dois, já que havia se afeiçoado a eles durante a estada em Hereford. Ela tinha visitado Michael na semana anterior para presenteá-lo com o lustre que finalmente havia terminado – uma simples cúpula em forma de tambor com um tecido listrado elegante – e o pendurado no corredor com grande cerimônia.

Alguns dias depois, ela e a família de Rachel foram ver a banda de Michael tocar em um minifestival em um parque próximo, e foi uma tarde agradável e alegre. Scarlet e Luke se levantaram para dançar, e Rita se juntou a eles na toalha de piquenique. Mais tarde, Scarlet e Michael tiveram uma longa conversa sobre música e composição. Michael deixou Luke experimentar o trombone, se ofereceu para dar aulas a ele durante o verão, e todos foram embora felizes.

– Então, fala mais do apartamento que você encontrou outro dia – disse Wendy, aceitando a derrota no assunto Adam, enquanto eles viravam a esquina e se aproximavam dos portões da escola. – Você tirou alguma foto? Estou louca para ver.

– Ah, tirei! Deixa eu achar aqui no celular – respondeu Becca, pegando o aparelho na bolsa e correndo os dedos pelo álbum para encontrar as imagens.

Ainda não acreditava que tinha feito aquilo. Dois dias antes, assumira o risco de assinar um contrato de seis meses de aluguel de um apartamento pequeno e iluminado no lado oeste da cidade. *ARRASADA*, Meredith respondeu à mensagem que ela enviara contando as boas-novas. Elas tomariam todas no sábado seguinte, antes de Becca juntar suas coisas e se mudar de vez. O estômago dela se revirava sempre que se imaginava devolvendo as chaves a Meredith e se despedindo dela com um abraço. O fim de uma era! Sentiria falta da colega de apartamento. Mas, como diz o ditado, quando uma porta se fecha, outra está prestes a se abrir. No caso, nada mais, nada menos, que a porta de sua própria casa. Além disso, Meredith já tinha convencido outra amiga, Alianor, a se mudar para o quarto vago de Becca, e sem dúvida alguma o lugar logo seria preenchido com melodias de alaúde e o farfalhar de capas medievais. Daria tudo certo, na verdade.

Seu novo cantinho era um apartamento de primeiro andar, que ficava em cima de uma relojoaria antiga em uma rua silenciosa e tranquila. "Não vamos perturbar você", assegurou o dono da loja quando ela foi visitar o imóvel. "Só abrimos três vezes por semana hoje em dia, e espero conseguir me aposentar no fim do ano, então provavelmente vamos embora de qualquer jeito."

Rachel estava com ela, e enquanto as duas subiam a escada atrás do corretor de imóveis, cutucou Becca e ergueu as sobrancelhas em resposta ao que o dono da loja havia dito. "Interessante", disse em voz baixa. "Você não acha?"

"O quê? Que ele conserta relógios antigos?", retrucou Becca, confusa. "Acho que sim."

"Não, que ele deve sair daqui no fim do ano", sibilou Rachel com um olhar cheio de intenções. "Porque daí o espaço vai ficar vazio..."

Becca franziu o cenho para a irmã na escada escura. "Não entendi", respondeu, mas o corretor já estava abrindo a porta – a porta de sua casa nova – e, quando ela passou da soleira, esqueceu-se completamente da conversa, distraída que estava com o que surgiu à sua frente.

– Aqui – disse ela, passando o celular para Wendy. – O que você acha?

A porta do apartamento dava para um pequeno corredor, que por sua vez desembocava em uma sala bonita e arejada. Nela, janelas vitorianas se projetavam para fora da construção e deixavam entrar grandes feixes da luz dourada da tarde, na qual grãos de poeira dançavam lentamente. O lugar sem dúvida estava imundo, e uma única cortina esfarrapada se mexia bêbada nos últimos ganchos da janela. Só havia um móvel na sala, mas, ao olhar para o pé-direito alto emoldurado por cornijas sujas, para a lareira de mármore preto com azulejos rosados originais e para as dimensões generosas da sala, Becca se convenceu em um piscar de olhos. "Isto pode ficar incrível", disse baixinho.

O resto do apartamento era igualmente fantástico. Bom, ficaria fantástico assim que ela limpasse toda aquela sujeira com litros de desinfetante e produtos antimofo, impermeabilizasse o ambiente e depois passasse várias camadas de tinta. "Tem potencial", essa era a frase usada pelos corretores – que todo mundo interpretava como "é um muquifo". Mas aquele lugar tinha mesmo bastante potencial. A cozinha era pequena e antiquada, mas ainda assim funcional, e o banheiro contava com uma banheira antiga de pés curvos, na qual ela se imaginou chafurdando por horas. O melhor de tudo é que o amplo quarto tinha portas francesas que se abriam para – *sim!* – uma sacadinha, com espaço suficiente para alguns vasos de plantas e uma ou duas cadeiras dobráveis.

– Precisa de uma limpeza – disse Wendy, inspecionando as fotos. – Mas vai ficar linda. Sua casa nova!

Becca sorriu para a mãe. A casa nova dela – precisava repetir para cair a ficha. Mas soava muito bem. E também meio solene.

E tinha mais. Foi Rachel quem viu todo o potencial do lugar. Com seu tino para os negócios, ela percebeu algo que Becca não havia notado. "O que eu quis dizer antes", comentou ao se juntar a Becca na sala, após ter verificado o aquecimento e outras coisas práticas e úteis, "sobre a loja lá de baixo é que, é claro que você ainda está vendo como a sua empresa vai se sair por enquanto..." – *a empresa!* Ela tinha uma empresa de verdade! Esse era outro conceito ao qual Becca teria que se acostumar – "... mas se as coisas deslancharem mesmo e você continuar crescendo, talvez queira ter seu próprio espaço. A loja pode virar uma oficina, um lugar para fazer despedidas de solteira, festas infantis, um clube de costura ou...".

Ai, meu Deus, é claro. *Meu próprio espaço*, pensou, arregalando os olhos, conforme se atrevia a imaginar aquilo. A relojoaria era bastante escura e sombria, uma floresta de relógios de coluna e pêndulos oscilantes badalando e tiquetaqueando, uma confusão de medidores do tempo misturados. Mas, se ela tirasse aquilo tudo dali, ficaria com dois ambientes de tamanho razoável, calculou: um local de trabalho apropriado, se ela precisasse. Poderia pintar as paredes de branco e pendurar as coisas mais lindas que fizesse em ganchos, como se fosse uma minigaleria. A sala dos fundos poderia ser usada como estúdio, e a maior, da frente, ter mesas grandes para as pessoas se sentarem e estantes para os materiais de artesanato; ela colocaria uma chaleira em um canto com xícaras bonitas, faria bandeirinhas coloridas para amarrar no teto...

E pronto, lá vai de novo sua imaginação fértil. Becca sabia que estava se adiantando, deixando-se levar por um devaneio. Ao mesmo tempo, já podia ver o exterior da loja reformado e limpo, com o nome *Seja Feliz* pintado em letras coloridas na fachada – ficaria incrível.

"O que você acha?", perguntou Rachel, quando Becca demorou a responder. "Quer dizer, é uma possibilidade real, com a empresa começando tão bem e tal. Vale a pena ter isso em mente, não é?"

"Com certeza. Seria incrível. Mas, sim, vamos ver como as coisas evoluem. Não quero contar com o ovo dentro da galinha."

Rachel sorriu. "Olha só ela, toda sábia e sensata. Você ainda vai ser uma mulher de negócios, Becca Farnham."

"Pois é!" Ela riu. "O que foi que aconteceu comigo?" A verdade é que nem em seus sonhos mais loucos ela havia imaginado que sua empresa decolaria da forma como decolou nos quinze dias seguintes à avalanche inicial de pedidos gerada pelo artigo de Hayley. Ela, Rachel e Adam se sentaram juntos e criaram uma boa estratégia para a empresa: em vez de trabalhinhos aleatórios aqui e ali, ela faria uma lista adequada de quem abordar nas seis semanas seguintes e um plano a longo prazo mais ambicioso para o primeiro ano. Foi tanta informação que a famosa Becca "Vamos Ver No Que Dá" chegou a ficar tonta. Eles criaram uma planilha e tudo. Então ela respirou fundo, tomou coragem e se jogou no abismo.

Até agora, estava indo muito bem. No fim das contas, a água abaixo do abismo estava perfeita, e ela vinha nadando furiosamente desde então, mal parando para respirar. Já tinha mais de cem encomendas de tiaras confirmadas e duas despedidas de solteira agendadas com confecção de calcinhas, além de uma reunião na semana seguinte com um grupo de jovens locais, para tratar de oficinas de artesanato para crianças durante as férias escolares. Dois dias antes, havia conversado com o gerente da casa de repouso de Rita para propor um grupo semanal – de tricô ou crochê, o que os moradores preferissem – e conseguiu agendar uma sessão experimental para a semana seguinte. Também estava planejando publicar um anúncio em uma revista local gratuita para pais e mães oferecendo festas infantis com artesanato... Havia todo tipo de proposta, na verdade. Estava ocupada, da melhor forma possível – e sendo feliz, como sugeria seu cartão de visitas.

Então, quando o corretor voltou à sala com um olhar inquisidor no rosto, Becca abriu um sorriso radiante para ele. "Vou ficar com o apartamento", disse no impulso, e segurou a mão de Rachel em uma explosão repentina de excitação. "Onde eu assino?"

Capítulo Quarenta e Oito

– Boa noite a todos! Obrigada por terem vindo ao show de talentos da Poplar Primary School. Tenho certeza de que teremos uma noite maravilhosa com os desenhos excepcionais das nossas crianças.

Mabel soltou uma risadinha irônica, e Rachel deu uma cotovelada nela. Espremidos nas cadeiras apertadas do auditório da escola, eles assistiam à entusiasmada diretora. Em algum lugar da plateia, estavam Lawrence e Janice; nos bastidores, Scarlet e Luke, esperando para entrar. Aquele era um verdadeiro evento de família, algo impensável apenas seis semanas antes.

Fazia realmente seis semanas que ela havia sido agredida em Manchester? Parecia muito mais tempo agora. Tantas coisas aconteceram. Seu corpo estava praticamente recuperado. Tinha saído para correr pela primeira vez naquela tarde, e foi ótimo, como se ela estivesse de volta; aquela Rachel que amava superar seus limites, suar e sentir os músculos doerem, a Rachel que não ficava deitada no sofá sentindo-se uma vítima, mas saía debaixo daquele céu imenso, com tênis nos pés, pronta para qualquer coisa. Bem-vinda de volta, pensou enquanto percorria trilhas conhecidas, seu coração batia forte pela alegria e seus membros sentiam a saudosa dor do esforço físico. Ah, era tão bom se livrar da tristeza e se sentir viva de novo. A melhor sensação!

Pouco a pouco, as peças daquele quebra-cabeça estavam se encaixando para criar uma nova imagem: a nova Rachel, a nova configuração familiar. Ela havia se aventurado a sair uma noite com as amigas – só até a casa de Jo, onde ninguém ficaria olhando para ela – para beber um pouco de vinho espumante e conversar, mas foi um começo. Um verdadeiro começo. Tinha sentido falta das amigas. Ela amava aquelas mulheres! Parecia ridículo agora tê-las afastado enquanto lutava para aceitar tudo o que estava acontecendo. Não mais. Já as havia convidado para ir à casa dela na semana seguinte, depois que tivesse retirado a grade da mandíbula e pudesse voltar a mastigar Doritos e pedaços de baguetes crocantes (mal podia ESPERAR para comer direito de novo. Já estava até planejando as refeições! As delícias que foram negadas a ela por tanto tempo! Em agosto com certeza estaria imensa de gorda, mas cada garfada teria valido a pena).

O cachorro estava em casa; Lawrence havia se recomposto, voltado a participar da vida das crianças e, segundo Mabel, até teria uma entrevista de trabalho na semana seguinte, o que era promissor. Desde o confronto final em Builth Wells, ele passou a ser educado com ela e até um pouco mais gentil. Além disso, Janice o convencera a fazer terapia para aprender a controlar a raiva, ele havia admitido, bastante envergonhado, na última vez em que conversaram. Isso foi um grande progresso. Muito significativo, na verdade. O maior inimigo de Lawrence sempre fora ele mesmo, mas Rachel nunca conseguiu convencê-lo a procurar ajuda profissional ou algo do tipo para mudar isso. Ela não queria se precipitar, mas não conseguia deixar de pensar que a família Jackson finalmente havia superado o pior. Rumo à felicidade, pensou, cruzando os dedos.

No palco, as crianças menores tinham acabado de cantar uma musiquinha doce sobre gatos, quando a turma de Luke entrou, entoando o grito pirata "yo-ho-ho" e executando uma coreografia temática. Luke estava bem nervoso antes – foram necessários cinco minutos inteiros de golpes de caratê para que se sentisse melhor (e, Rachel suspeitava, várias balinhas de gelatina da tia Becca) –, mas lá estava ele, sorrindo e agitando o cutelo de papelão no alto como se estivesse amando cada minuto.

No fim da apresentação, eles aplaudiram e gritaram, e até mesmo a blasé Mabel fez um sinal positivo com as duas mãos quando o irmão deixou o palco. Rachel abraçou e beijou a filha de repente, o que a surpreendeu. As duas estavam se dando muito melhor ultimamente: a poeira do divórcio tinha baixado e alguns limites foram estabelecidos, mas o bom humor havia voltado ao relacionamento delas. O galpão foi um ponto de virada, já que não só devolvera a Mabel o próprio espaço, mas também dera a ela uma nova liberdade: a de ter uma zona livre de adultos onde receber as amigas.

Agora, quase todas as noites, era possível ouvir risadas vindas do galpão, um som definitivamente agradável.

Depois dos piratas, veio uma apresentação de ginástica e, então, algumas performances individuais das crianças mais velhas. Rachel tentou prestar total atenção, ciente do fato de que, mais tarde, Scarlet iria discutir cada detalhe do show com ela e tomaria qualquer indício de distração como ofensa pessoal.

– E agora vamos ver uma apresentação muito especial, que eu tenho certeza de que vocês vão adorar – anunciou a diretora, a Sra. Jenkins.

Era imaginação de Rachel ou havia algo de malicioso naquele sorriso? Ela lançou mesmo um olhar de soslaio para onde estavam sentados alguns dos professores? Não. Com certeza estava vendo coisas. Todos sabiam que os diretores eram sensatos demais para se permitirem gaiatices daquele tipo.

– Com vocês, Henry Fortescue e seu lindo poema "Minha mãe".

Houve um punhado de aplausos educados – sem dúvida conduzidos por Sara e suas comparsas. *Ah, me poupe*, pensou Rachel, tentando não revirar os olhos. Lá vinha mais uma gigantesca puxação de saco. Se você pensava que a escola já tinha se cansado das histórias de Sara Fortescue por um ano inteiro, obviamente estava enganada.

Henry subiu ao palco com seu belo topete louro-claro, uma das meias cinza visivelmente mais esticada que a outra, e Rachel sentiu o coração amolecer, a despeito da ojeriza que sentia pela mãe dele. Ela sempre gostara do travesso e sardento Henry.

– Minha mãe – disse ele, pigarreando.

Ele segurava uma folha de papel na frente do corpo, e o silêncio adquiriu uma antecipação um tanto cansativa.

– Minha mãe gosta de vinho – começou, e um frisson imediatamente percorreu a sala. *O quê?* Ele tinha mesmo dito aquilo?

Fez-se um ruído quando todos os adultos que já haviam sofrido nas mãos de Sara Fortescue se inclinaram para a frente com mais atenção.

Ela acha isso tranquilinho.
Ela bebe o tempo todinho.

Alguém riu tanto que expirou o ar pelo nariz. Outra pessoa deu uma risadinha discreta, que tentou disfarçar com uma tosse. Becca levou a mão à boca como se temesse soltar uma de suas gargalhadas explosivas.

– Quantas garrafas? Cento e pouquinho – seguiu Henry, alheio às ondas de risos que agora se espalhavam compulsivamente pela plateia.

Às vezes, ela fica com a cara vermelha.
Ela me bota na cama...

– Já chega! – disparou Sara da plateia, com o rosto (como no poema) de um vermelho nada bonito e os punhos cerrados. – Henry! Já chega!

Antes reprimidas, as risadas agora explodiam rebeldes pelo ambiente.

Henry olhou para o papel e depois para a mãe, contraindo os lábios, hesitante, após interromper a frase.

– Deixa o garoto terminar o poema! – gritou alguém do fundo do auditório.

– É! A gente quer ouvir! – disse outra voz.

Rachel e Becca se entreolharam. Obviamente, elas não eram as únicas pessoas da plateia a se deliciar, sem culpa, com o constrangimento de Sara.

– Henry Fortescue, desce deste palco agora, está me ouvindo? Não se atreva a ler nenhuma palavra a mais! – gritou Sara.

– Mas...

Ele contraiu o rosto, e as lágrimas brotaram em seus olhos.

– Ahh. Coitadinho. Ele só queria ler o poema – resmungou uma mulher atrás de Rachel.

– Que pena – comentou outra, estalando a língua.

Mas Sara não queria arriscar. Ela atravessou a fileira de pais – *Ei! Cuidado! Ai!* – e subiu no palco, onde agarrou o filho. Só que a Sra. Jenkins também estava lá.

– Com licença – disse friamente a Sara. – A senhora se importa de descer do palco? Henry tem muito orgulho deste poema. Ele passou um tempão escrevendo.

– Mas ele está me expondo – sibilou Sara, com sangue nos olhos. – E, me desculpa, se isso aqui é uma tentativa patética sua de me fazer de idiota, então...

– Buuuuuuuu! – vaiou alguém da terceira fileira. – Sai daí!

– Henry! Henry! – Um coro começou com apenas algumas vozes no início, mas logo aumentou de volume. – Henry! Henry! Henry!

Com o rosto contorcido pela irritação, Sara não teve outra escolha a não ser deixar o filho prosseguir. Marchou para a lateral do palco, onde ficou com os braços cruzados, nitidamente tensa.

Rachel se lembrou do abaixo-assinado ridículo contra a Srta. Ellis que Sara insistiu para todos assinarem e não pôde deixar de pensar que ela merecia aquilo. Não era de admirar que a Sra. Jenkins tivesse lançado aquele olhar malicioso para a equipe dela.

– Ela está *furiosa* – disse Mabel, animada.

– Bem feito – respondeu Becca. – Se tivesse rido junto, isso já teria acabado. Idiota.

A Sra. Jenkins havia colocado o braço sobre o ombro de Henry de maneira maternal e agora falava com ele em voz baixa. Ele olhou de soslaio para Sara, secou as lágrimas com o braço e aquiesceu.

– Henry gostaria de ler o poema de novo – disse a Sra. Jenkins gentilmente. – E desta vez sem interrupções. Muito bom, Henry. Quando você quiser.

Daria para ouvir um alfinete caindo no chão quando o garoto pigarreou e recomeçou. A plateia inteira queria escutá-lo, principalmente porque estava morrendo de vontade de saber como o poema terminava.

Minha mãe gosta de vinho.
Ela acha isso tranquilinho.
Ela bebe o tempo todinho.
Quantas garrafas? Cento e pouquinho.

Rachel olhou para Sara, que parecia querer quebrar mais de cento e pouquinhas garrafas na cabeça de alguém. A Sra. Jenkins teria que se cuidar pelo resto do verão.

Às vezes, ela fica com a cara vermelha.
Ela me bota na cama e ri como lhe dá na telha.
E de manhã ela não pode nem pensar
Mas eu amo muito a minha mãe
Ela é bonita, gentil, sem nunca se zangar.

Ele lançou um olhar nervoso para Sara. *Pensamento positivo, companheiro Henry*, Rachel pensou consigo mesma.

Ela é melhor que refresco de groselha.
Fim.

Houve um momento de silêncio, e então o auditório irrompeu em aplausos. Henry arriscou olhar de novo para Sara e ficou nitidamente aliviado ao ver que ela também estava aplaudindo, embora comprimisse os lábios, formando uma linha estranha com a boca. Então, como se estivesse prestes a chorar, ela se agachou e abriu os braços.

– Ownnnnnn – disseram todas as pessoas no recinto que não tinham um coração de pedra quando Henry correu até ela, agradecido, para ser enlaçado em um abraço apertado.

– Hoje vai ter refresco de groselha a noite inteira – sussurrou Mabel, com uma risadinha, e Rachel reprimiu o próprio riso.

Mães e filhos, não é? Aquilo que deveria ser tão simples – eu trouxe você ao mundo e fim de história – sempre fora um relacionamento complicado para ela (para Sara também, ao que parecia). Depois de conversar sobre o assunto com Becca e Wendy, Rachel já havia superado o choque de descobrir que sua própria mãe não era nenhuma santa. Ela também estava gostando de ter um bom relacionamento com a madrasta, ainda que isso significasse receber inúmeras mensagens com fotos de fatias de bolos e coquetéis, por alguma razão.

Na tentativa de encerrar a história de Emily, estava planejando uma segunda viagem a Manchester no verão, desta vez com as crianças a reboque, para pôr uma pedra no assunto – ou pelo menos depositar uma coroa de flores no túmulo da mãe e talvez dizer a ela algumas palavras discretamente. *Não se preocupa*, queria dizer. *Ficou tudo bem. E acho que eu entendo.* Também exploraria a cidade dos pais, quem sabe com a ajuda de Violet, se ela quisesse. Conheceria alguns lugares onde os pais tinham sido felizes juntos, seguiria os passos deles e talvez sentiria alguma paz no coração.

Não desista por causa do que aconteceu na estação de trem, Violet havia escrito na troca de e-mails mais recente. *É a cidade mais incrível do mundo.*

Você vem de um lugar bom, Rachel – um lugar bom, com um coração de verdade. Dê uma chance a nós, e a receberemos de volta com os braços abertos.

Aquilo já era alguma coisa, não exatamente algo pelo qual ansiar, mas que poderia oferecer a ela uma pequena redenção. Enquanto isso, Rachel tinha o suficiente para seguir em frente, reerguer sua empresa de treinamentos fitness e recuperar todos os clientes antigos – e mal podia esperar para começar. Haveria o habitual malabarismo das férias escolares para administrar, é claro, mas Wendy (a velha e boa Wendy!) tinha se oferecido para ir até lá ajudá-la algumas vezes por semana, cuidando das crianças enquanto Rachel estivesse no trabalho. Se alguém tivesse lhe contado sobre esse acordo no início do ano, não teria acreditado, mas lá estavam elas: começando de novo, dando uma segunda chance ao relacionamento madrasta-enteada, depois de tantos anos. E era divertido também. Na verdade, Wendy era uma companhia muito melhor do que Rachel imaginava. Arteira e imprevisível, mas também gentil, alguém que não se importava em demonstrar as emoções. Uma boa pessoa para se ter ao lado.

Já estava na hora! Por que você demorou tanto?, quase podia ouvir o pai exclamar de onde estivesse. Bom, era um processo. Mas elas estavam chegando lá, pelo menos.

– Mãe! Olha a Scarlet – sussurrou Mabel, cutucando Rachel.

Ela deu um pulo e voltou à realidade.

Lá estava a sua filha do meio entrando no palco, projetando o queixinho pontudo com determinação enquanto posicionava o violino no ombro e erguia o arco com um floreio. Rachel cruzou os dedos no colo, o coração de repente batendo forte e rápido como as asas de um pássaro, sentindo-se bem mais ansiosa pela filha do que a própria parecia estar com a coisa toda.

Jingle bell, jingle bell, jingle bell rock...

Os olhos de Rachel se encheram de lágrimas orgulhosas quando Scarlet começou a tocar, bastante tranquila diante das duzentas pessoas amontoadas no auditório. Veja só a garota dela lá em cima, aos 10 anos, com tranças até a metade das costas e os joelhos ralados, além de uma concentração feroz em cada fibra do corpo. Aquela garota que havia expressado tanta raiva durante o ano agora se postava ali para tocar uma doce e animada canção de Natal no violino, como se nunca tivesse tido um único pensamento vingativo na cabeça. *Sem contar* que eles haviam recebido o resultado do exame de qualificação musical naquela semana, e ela havia sido aprovada com louvor. Claramente, compor músicas raivosas sobre seus péssimos pais fazia milagres pela técnica de uma musicista.

Ao terminar a música sem errar uma única nota, Scarlet se permitiu abrir um pequeno e breve sorriso de triunfo antes de se curvar em uma reverência extravagante, e Rachel aplaudiu com tanta força que temeu por seu pulso recém-recuperado. Becca enfiou os dedos mínimos na boca e soltou um assobio ensurdecedor, estridente o suficiente para fazer Wendy estremecer a seu lado.

– Pelo amor de Deus, Becky, pretendo usar os meus ouvidos quando sair daqui – resmungou, fazendo uma careta.

Mas Rachel riu, principalmente quando Scarlet, ao ouvir o assobio, olhou na direção delas e acenou, feliz. Ah, ela sentiria falta da espalhafatosa Becca quando ela se mudasse – todos eles sentiriam. "Deixem de ser bobos, eu vou aparecer o tempo todo", assegurava Becca às crianças sempre que uma delas fazia um comentário melancólico sobre sua partida. "Além disso, sua mãe me deve vários jantares, depois de eu ter cozinhado feito uma escrava para ela. Eu vou voltar para cobrar cada um deles, não se preocupem. Todo domingo, na hora do almoço, vou bater à porta de vocês, esperem só para ver."

A casa ficaria mais silenciosa sem a risada alta de Becca, seu canto desafinado no chuveiro e seu hábito de neutralizar brigas potenciais com as crianças ao fazê-las rir. Mas Rachel estava feliz por ela ter encontrado o lugar ideal para morar, por sua empresa de artesanato estar dando certo e pelo romance que florescia com Adam, que a fazia sorrir. Também estava feliz por si mesma, por agora ter essa nova aliada e confidente, essa pessoa que já a conhecia tão bem depois das últimas semanas. Sua *irmã*. Como conseguira viver tanto tempo sem ela?

O próximo a subir ao palco foi um trompetista, e Rachel se pegou pensando na banda que eles tinham ido ver no parque no fim de semana anterior – do amigo de Becca, Michael, e sua turma. Luke ficou fascinado pelo instrumento, implorou para experimentá-lo, e Michael foi tão doce e paciente com ele que aqueceu o coração de Rachel. Ele era um senhor adorável. Após conversar com ela por cinco minutos, ofereceu todo o tipo de equipamento de camping para as férias deles ("Você nunca esteve em

Rhossili?", exclamou, incrédulo. "Ah, você *tem* que ir. É o lugar mais lindo do mundo") e, ao saber que o carro dela estava fazendo um barulho estranho, imediatamente se ofereceu para dar uma olhada nele. Becca havia dito a ela como Michael a lembrava do pai delas e, naquele momento, Rachel também enxergou a semelhança.

"É muito gentil da sua parte. Se você não se importar...", respondeu a ele. Ela, Rachel, que sempre se orgulhou de não precisar da ajuda de ninguém. E pensar que tinha brigado com Becca por "interferir" e "atrapalhar", como fora tão ingrata! Da próxima vez que o telefone tocasse e fosse alguém como Michael, talvez pensasse duas vezes antes de dispensá-lo.

– Graças a Deus acabou – disse Mabel um pouco alto demais quando o último ato da noite terminou no palco, um mágico amador com uma cartola enorme, que fez uma moeda de 1 libra aparecer atrás da orelha da Sra. Jenkins.

– A gente não pode ir embora ainda – respondeu Rachel, quando a plateia toda começou a se levantar. – Você ouviu o que a Sra. Jenkins disse, eles vão servir um coquetel no foyer. Vamos lá pegar alguma coisa enquanto Scarlet e Luke não vêm. Talvez você possa falar "oi" para o seu pai também.

Mabel fez uma careta.

– Você ficou bem sociável de repente – resmungou, mas mesmo assim se levantou e se juntou à multidão que se dirigia à saída em arrastada marcha lenta.

No foyer, havia um burburinho de pessoas, que faziam fila para ganhar copos plásticos de vinho morno. As crianças corriam ao redor, atrapalhando o fluxo e tentando beliscar biscoitos sem que ninguém visse. Em volta delas, Rachel ouvia conversas quase idênticas, em looping – *férias de verão; ele não cresceu?; o show não foi lindo?* – além de murmúrios empolgados sobre o poema de Henry Fortescue e sobre como Sara nunca esqueceria aquilo.

– Vou pegar uma bebida para a gente – avisou Wendy, juntando-se à fila e dispensando as ofertas de ajuda.

Mabel desapareceu para falar com o pai e a avó galesa, que vestia várias camadas de lã e botas de caminhada, a despeito da noite quente de verão. Rachel e Becca ficaram vagando em um pequeno espaço perto de uma exposição sobre o "Dia dos esportes", enquanto várias estrelas do show de talentos passavam por elas, triunfantes pelo recente sucesso no palco.

– Mamãe! Mamãe! Você me viu?

Lá vinha Luke, abrindo caminho na multidão, com o tapa-olho de elástico no cabelo.

– Eu vi! Todo mundo viu! Você estava incrível, Luke, parabéns – respondeu ela, abraçando o filho. – Maravilhosamente incrível.

– As palmas *mais* altas foram para a gente – disse ele, com o sorriso confiante de um menino que sabia que sua dança pirata era incomparável. – Scarlet já vem, ela está esperando Lois – continuou. – Posso comer um biscoito?

– Claro, querido, pode – respondeu, rindo. – Pega um para a vovó Wendy também, que teve a nobreza de se oferecer para trazer as nossas bebidas.

– Ih, olha lá a Scarlet – disse Becca, acenando através do povaréu. – Ah, Scarlet e nada menos que a famosa Lois. Filha do seu futuro marido, se você der ouvidos à conspiração dessas duas.

Rachel acenou também, sorrindo ao ver a filha atravessar a multidão de braços dados com uma menina que parecia uma fadinha. A despeito de qualquer arranjo amoroso ridículo que as garotas estivessem tramando para ela, estava feliz por aquela amizade ter durado até então. Scarlet tinha uma personalidade instável e vivia tendo ataques de raiva ou revelando segredos inapropriados. Como resultado, suas melhores amigas iam e vinham como ônibus ao longo dos anos. Lois, ao que tudo indicava, era uma guardiã – uma criança que dava tanto quanto recebia, uma igual aos olhos de Scarlet. Ela precisava tomar uma atitude e marcar logo um encontro para as duas brincarem juntas, pensou Rachel, culpada, enquanto as garotas atravessavam o foyer lotado.

Então elas pararam, e Rachel observou Lois dar um grito e se abaixar para abraçar uma irmãzinha de cabelos escuros com grande afeição (muito doce, pensou Rachel, desejando que seus filhos fossem tão legais uns com os outros em público quanto elas), antes de se espichar para abraçar o pai, que...

Espera aí.

– Ai, meu Deus – disse ela, agarrando o braço de Becca.

Tentou ver melhor o pai de Lois, mas ele estava abaixado junto às filhas e desapareceu por um instante no meio da multidão. Rachel deu uma risada trêmula. Estava vendo coisas, com certeza.

– Por um momento achei que o pai de Lois era... – Então ela se interrompeu, vendo que as garotas agora estavam arrastando o pai de Lois na direção delas, provavelmente determinadas a combinar ali mesmo um encontro para brincar ou dormir na casa uma da outra.

– Cacete – soltou Rachel, enquanto o pai de Lois surgia em seu campo de visão, com a filha mais nova agora empoleirada nos ombros. – Não estou acreditando.

– Fala sério – comentou Becca, assobiando baixo. – É ele. É ele, sim. Rá! Ótimo. Obrigada, universo. Mandou bem.

– Quem é ele? Como assim, o universo? – perguntou Luke com a boca cheia de biscoitos, reaparecendo ao lado da mãe.

Ai, meu Deus. Rachel estava tremendo. Não sabia se desatava a rir ou se corria para se esconder atrás da exposição "Dia dos esportes". Mas lá vinham as garotas, marchando adiante com determinação nos olhos, e era tarde demais para fugir. *Sua maluca, se controla*, disse a si mesma com firmeza. *Trate de se recompor!*

– Mãe, esta é Lois – declarou Scarlet, com um sorriso radiante. – E estes são o pai e a irmãzinha dela. A gente pode marcar de Lois ir brincar lá em casa nas férias? POR FAVOOOOOOR!

O pai de Lois olhou para Rachel intrigado, como se a reconhecesse, mas não soubesse de onde. Ela, é claro, sabia muito bem de onde o conhecia. E isso a tornava a mais nova visitante da Terra do Constrangimento.

– Oi – disse ele. – Patrick, prazer.

– Oi – respondeu ela, tentando agir normalmente e não como a idiota envergonhada que se sentia por dentro. – A gente já se viu antes, na verdade. Na clínica ortopédica...

Ai, que vergonha. Aquilo não tinha como ser *mais* embaraçoso. Ele era ninguém mais, ninguém menos que o enfermeiro que ela e Becca ficaram secando, aos risinhos. O dono da única bunda masculina que Rachel já se pegara olhando. *Considere esta visita à Terra do Constrangimento uma punição merecida, Rachel Jackson!*

– Ah, claro, é verdade. – Os olhos dele brilharam quando ele sorriu (*para, Rachel, para de reparar nos olhos brilhantes dele*). – Bom, vai ser ótimo receber Scarlet lá em casa um dia destes, não é, meninas? A gente ouviu falar muito dela.

– Isso seria bem legal – conseguiu dizer. – E o mesmo vale para Lois.

Me passa o número do seu telefone para combinarmos um encontro? – Ela viu Scarlet e Lois batendo as mãos no alto e de repente temeu ter escolhido palavras completamente equivocadas. – Quer dizer, um encontro para as garotas. Obviamente. Para elas brincarem.

Ah, pode me matar agora. Com um tiro de misericórdia, pensou, enquanto Becca ria ao lado dela, divertindo-se. Agora parecia que ela estava flertando loucamente com ele, mas não era o caso. Ela não ousaria, quando seu ex-marido – seu ex-marido louco e terrivelmente ciumento – devia estar rondando, provavelmente se preparando para agarrar as pernas do pobre e inocente Patrick naquele exato segundo.

– Vamos dar uma olhada nas fotos do "Dia dos esportes"? – sugeriu Becca a Luke de maneira bem pouco sutil, o que piorou tudo.

Mas Patrick estava sorrindo e não parecia nada apavorado, graças a Deus. Devia estar acostumado a lidar com mulheres loucas fazendo papel de idiotas. Era isso ou ele já era enfermeiro por tempo suficiente para ignorar o comportamento estranho dos seres humanos em situações de estresse. Os dois trocaram números de telefone e prometeram manter contato. Então, sem querer arriscar ser interrompida por Lawrence, Rachel se afastou, alegando que precisava ajudar Wendy.

Tum-tum-tum, batia seu coração. *Tum-tum-tum-tum*. Não que ela nutrisse qualquer ilusão de que havia a mais remota chance de um homem lindo e simpático como aquele gostar dela, é claro. Nem sabia se já estava pronta para se envolver com alguém de novo. Mas um pouco de frisson aqui e ali fazia bem para a alma, não é? Deixava uma mulher feliz. Além disso, fazer um novo amigo de vez em quando não tirava pedaço; um novo amigo pai que também era absurdamente gato. Um novo amigo pai para quem poderia oferecer uma taça de vinho quando ele fosse pegar a filha que tinha ido brincar na casa dela... Bom, talvez.

– Eu *falei* que ela era legal – disse Scarlet, presunçosa, dando a mão para Rachel. – Não falei? E ela não tem mãe, então pensei que ela podia pegar você emprestada algumas vezes, quando precisar de carinho ou qualquer coisa assim. Que nem você pega a vovó Wendy emprestada quando precisa de mãe. Tudo bem?

– Ah, Scarlet...

Rachel se abaixou e a apertou contra si, sentindo uma onda de amor por sua filha perspicaz. Às vezes a visão de mundo simplista de uma criança era definitivamente melhor que a maneira como os adultos tratavam as coisas, complicando a vida com tantas nuances e camadas, turvando as águas com dúvidas e mágoas do passado.

– Você é um amor, sabia?

– Eu sei – respondeu Scarlet, escondendo um biscoito recheado de chocolate na manga antes que alguém a impedisse. – Eu sei que sou.

Depois de uma taça morna de vinho barato, os seis voltaram para casa caminhando. Mabel e Scarlet iam na frente, gargalhando de vez em quando. Becca e Rachel vinham logo depois (Becca com o olho grudado no relógio – tinha que encontrar Adam dentro de meia hora e já estava nervosa com a expectativa), seguidas por Wendy e Luke. Luke contava a Wendy uma longa e complicada história sobre as personagens de *Star Wars*, e ela escutava com uma paciência imensa, fazendo interjeições interessadas nos momentos certos – o que certamente fazia dela uma santa.

A noite tinha corrido tão bem quanto se podia esperar, considerando todos os aspectos, pensou Rachel. HOJE VAMOS *FICAR FELIZES!* Luke e Scarlet se emocionaram de ter a mãe, o pai *e* as duas avós na plateia e se deliciaram com todos os elogios depois. Lawrence se mostrou civilizado e até bastante alegre, ao passo que Rachel lidou muito bem com a multidão de pais, sem se assustar nenhuma vez. Além disso, agora ela tinha certo número guardado com cuidado na bolsa e sentia uma leve vertigem cada vez que pensava nisso.

– Ei! Sua vaca! Te odeio!

Enquanto isso, Mabel e Scarlet começaram a brigar. Mabel estava debochando da irmã mais nova, a julgar pela forma como ria ruidosamente enquanto Scarlet a socava e gritava sem parar. Mas de repente Scarlet começou a rir também e logo as duas se engalfinharam no meio da rua, sacudindo os ombros de alegria.

– Meninas! Pelo amor de Deus! – repreendeu Rachel, mas no fundo não estava se importando muito. Ela fez uma careta exasperada para Becca. – Sério, eu desisto destas duas. Em um minuto, elas se amam e, logo depois, estão saindo no tapa.

Becca sorriu com sarcasmo.

– Bom, elas são irmãs, não é? – respondeu. – Não importa muito se elas se odeiam de vez em quando, porque, no fundo, sabem que ainda podem contar uma com a outra. – Ela deu o braço a Rachel. – Que nem a gente. Você não acha?

Rachel sentiu um nó na garganta de repente. O ar morno de julho estava suave e diáfano quando ela se virou e sorriu para Becca. Sua irmã, que havia mudado tudo naquele verão; sua irmã, que tinha se tornado sua melhor amiga, cujo braço estava encaixado no seu agora, quente, afetuoso e leal.

– Acho – concordou, dando-lhe um aperto. – Você está certa. Que nem a gente.

Receitas do livro

Bolo de aniversário dos Jacksons

Assim como o de Becca, meu bolo de aniversário favorito sempre foi de pão de ló inglês com chocolate, de preferência recheado com chantili e framboesas. Aliás, eu adoraria comer um agora. Já para a cozinha!

Ingredientes
- 170g de manteiga sem sal
- 170g de açúcar demerara
- 115g de farinha de trigo com fermento
- 55g de cacau em pó (não usar achocolatado em pó)
- 1 pitada de sal
- 3 ovos grandes

Para o recheio
- 125ml de chantili
- 175g de framboesas frescas

Modo de preparo
Preaqueça o forno a 180°C. Unte e forre com papel-manteiga duas fôrmas redondas de 20cm de diâmetro.

Bata a manteiga e o açúcar até se tornarem uma mistura homogênea e fiquem com uma cor mais clara.

Peneire a farinha, o cacau e o sal em uma tigela separada e misture.

Adicione um ovo ao creme de manteiga e açúcar, junto com um terço da mistura de farinha e cacau, e mexa bem. Repita a operação para o segundo e o terceiro ovos, acrescentando um terço da mistura de farinha a cada vez. A massa deve estar lisa e espessa a esta altura (se estiver dura, adicione um pouco de leite para soltá-la).

Divida a mistura entre as duas fôrmas e use uma espátula para espalhá-la delicadamente nas bordas de cada uma. Leve ao forno por cerca de 25 minutos ou até que esteja elástico ao toque.

Retire do forno e deixe os bolos nas fôrmas por 10 minutos. Deixe que esfriem completamente.

Quando eles estiverem frios, bata o chantili e o espalhe bem sobre o bolo que vai ficar por baixo. Adicione as framboesas e posicione o bolo de cima com cuidado. Por causa do chantili, é melhor consumir o bolo no dia do preparo, mas ele deve durar até 48 horas na geladeira.

Vitaminas de banana alcoólicas da Wendy

Eu imaginei Wendy aparecendo na casa da Rachel com bananas, sorvete e rum e jogando tudo no liquidificador com um pouco de leite antes de bater (depois provavelmente adicionando um pouco mais de rum). Se você quiser tentar uma abordagem mais sofisticada, pode testar esta receita com bananas caramelizadas. Ah, também fica deliciosa sem o rum!

Serve duas pessoas.

Ingredientes
- 2 colheres (sopa) de manteiga
- 2 colheres (sopa) de açúcar mascavo
- 2 bananas em rodelas
- 25ml de rum claro
- 3 a 4 bolas de um bom sorvete de baunilha
- 1 copo de leite
- 1 pitada de canela
- Noz-moscada ralada para decoração (opcional)

Modo de preparo
Derreta a manteiga em fogo médio. Junte o açúcar e adicione as bananas cortadas, virando os pedaços para que fiquem cobertos com a mistura. Cozinhe por 3 a 5 minutos, até as bananas caramelizarem, e depois deixe esfriar.

Coloque as bananas frias no liquidificador junto com o rum, o sorvete, o leite e a canela e bata bem. Prove a mistura e ajuste de acordo com o seu gosto. Sirva em copos altos com uma pitada de noz-moscada ralada. Aproveite!

Bolinhos galeses da Janice

Eu sou meio obcecada por bolinhos galeses – pronto, falei – e sempre comprava vários pacotes deles quando estava no País de Gales... até descobrir que os bolinhos caseiros são ainda mais gostosos e têm um sabor INCRÍVEL ainda quentes na frigideira. Esta receita é muito rápida e fácil.
Rende cerca de 15 unidades.

Ingredientes
- 225g de farinha de trigo com fermento
- 1 pitada de sal
- 100g de manteiga sem sal em temperatura ambiente, cortada em cubos pequenos
- 75g de açúcar refinado (e um pouco mais para polvilhar)
- 25g de uvas-passas brancas
- 1 gema
- 3 colheres (sopa) de leite
- Você também vai precisar de um cortador redondo de 6cm, um rolo de massa e uma frigideira de fundo pesado (de preferência antiaderente) ou uma assadeira elétrica.

Modo de preparo
Peneire a farinha e o sal em uma tigela, adicione a manteiga e misture tudo com as pontas dos dedos até que a massa comece a esfarelar. Junte o açúcar e as frutas.

Misture a gema e o leite em uma jarra ou tigela pequena e adicione o resultado à massa seca, misturando bem até que ela fique macia. Você pode adicionar um pouco mais de leite para umedecê-la.

Jogue um pouco de farinha em uma bancada ou outra superfície e abra a massa com o rolo até que ela fique com cerca de 1cm de espessura. Com o cortador, crie formas redondas. A cada corte, volte a enrolar e abrir a massa para evitar desperdícios.

Se a sua frigideira não for antiaderente, você pode untá-la de leve (mas use pouca manteiga; os bolinhos galeses não devem ser fritos). Aqueça a frigideira ou assadeira elétrica e cozinhe os bolinhos aos poucos em fogo médio, virando-os no meio do cozimento. Eles devem ficar dourados e inchar enquanto cozinham – cerca de dois minutos para cada lado.

Retire-os com cuidado da panela e polvilhe açúcar. Eles são mais gostosos se servidos quentes, com um pouco de geleia, se você preferir.

Panquecas reconfortantes da Becca

Na minha opinião, panquecas são gostosas demais para serem feitas só em dias festivos. Esta receita de panquecas fofinhas ao melhor estilo americano é supersimples de fazer e fica ótima com frutas e *crème fraîche*, uma boa dose de xarope de bordo ou até a velha e boa cobertura de chocolate. Se você, como eu, já se deu mal ao tentar virar uma panqueca fina comum, ficará aliviado de saber que essas são menores e mais grossas, portanto perfeitas para o giro da espátula. Não tem como errar!

Rende cerca de 10 panquecas.

Ingredientes
- 4 ovos grandes
- 160g de farinha de trigo
- 1½ colher (chá) de fermento em pó
- 175ml de leite
- 1 pitada de sal

Modo de preparo

Coloque as gemas em uma tigela e as claras em outra. Peneire a farinha e o fermento na tigela das gemas, acrescente o leite e mexa até se tornar uma mistura homogênea. Se ainda estiver muito espessa, adicione um pouco mais de leite.

Junte o sal às claras, depois bata até atingir o ponto de neve (firme e em forma de pico).

Com cuidado, derrame as claras batidas sobre as gemas e misture tudo delicadamente até formar uma massa espumosa, tentando não eliminar todas as bolhas de ar.

Uma frigideira antiaderente é a melhor pedida para preparar essas panquecas, mas, se você não tiver uma, derreta um pouco de manteiga na sua panela antes de usá-la. Em seguida, acrescente uma concha da massa e cozinhe em fogo baixo ou médio por alguns minutos. A panqueca vai ficar firme e dourada rapidamente na parte de baixo, mas resista à tentação de virá-la logo, para que ela não fique crua no meio. Vire e cozinhe por mais alguns minutos. Sirva imediatamente.

Agradecimentos

Obrigada como sempre à fantástica equipe da Pan Macmillan – Victoria, Anna, Natasha, Jeremy, Stuart, Wayne, Amy, Katie, os incríveis representantes de vendas (estou devendo um mojito para você, Kate) e todos que trabalharam incansavelmente nos meus livros. Para mim, vocês são estrelas. Uma especial salva de palmas para Jo e Kate por mais uma capa linda e para Eloise, que não se abateu quando pausei o cronograma de produção de repente (você já pode tirar a minha foto do alvo no escritório). Uma ovação de pé para Caroline Hogg, cuja edição realmente transformou este livro. Obrigada por vir em meu socorro com tanta sabedoria, tato e paciência.

Três vivas para Lizzy Kremer, que, como sempre, ofereceu comentários editoriais inspirados e perspicazes, sessões de brainstorming e uma torcida animada durante todo o processo – você é a melhor, espero que saiba disso. Muito amor e gratidão a Harriet Moore e também a todos da David Higham, pelo entusiasmo e apoio.

Obrigada a Christine Gibson, que respondeu às minhas (muitas) perguntas médicas – obviamente, qualquer erro é de minha responsabilidade. Agradeço também à linda Hannah Fleming por nos colocar em contato.

Gostaria de agradecer a Natalie Baldwin pela generosidade de licitar para o nome de sua mãe aparecer na história. Natalie deu o lance mais alto em um leilão de arrecadação de fundos para a CLIC Sargent, que faz um trabalho incrível de apoio a crianças e jovens com câncer. Espero que você e sua mãe, Hayley George, gostem do livro!

Um beijo imenso na maravilhosa Kate Harrison pela leitura prévia – muito obrigada.

Saudações ao meu amigo A (que prefere permanecer anônimo) por me deixar roubar a história dos móveis jogados no rio. Seu segredo está guardado a sete chaves, não se preocupe.

Como sempre, expresso meu amor e minha gratidão a Martin, Hannah, Tom e Holly por me deixarem falar sobre os enredos da trama no jantar, pelas inúmeras xícaras de chá, pelo incentivo, pelas sugestões de título e por me lembrar do que realmente importa na vida. Obrigada, Mamãe e Papai, por serem tão maravilhosos também.

Finalmente, mil vezes obrigada a todos que já me enviaram um e-mail carinhoso ou uma mensagem no Facebook e no Twitter. Fico muito feliz quando alguém reserva um tempo para dizer que gostou dos meus livros. Espero que vocês gostem deste também.

CONHEÇA OS LIVROS DE LUCY DIAMOND

A casa dos novos começos
O café da praia
Os segredos da felicidade

Para saber mais sobre os títulos e autores da Editora Arqueiro,
visite o nosso site e siga as nossas redes sociais.
Além de informações sobre os próximos lançamentos,
você terá acesso a conteúdos exclusivos
e poderá participar de promoções e sorteios.

editoraarqueiro.com.br